# História natural da ditadura

# Teixeira Coelho

# HISTÓRIA NATURAL
# DA DITADURA

Prêmio Portugal Telecom *de Literatura* 2007

**ILUMI/URAS**

*Copyright © 2006:*
Teixeira Coelho

*Copyright © 2006 desta edição:*
Editora Iluminuras Ltda.

*Capa:*
Marcelo Girard
sobre *Carta* (desenho), León Ferrari, 1964.
Cortesia do artista.

*Revisão:*
Ariadne Escobar Branco

DADOS INTERNACIONAIS DE CATALOGAÇÃO NA PUBLICAÇÃO (CIP)
(Câmara Brasileira do Livro, SP, Brasil)

Coelho, Teixeira, 1944- .
  História natural da ditadura / Teixeira Coelho. — 2. reimp.
— São Paulo : Iluminuras, 2020.

  ISBN 85-7321-246-2

  1. Ditadura - Ficção 2. Ficção brasileira
I. Título

06-1989                                                    CDD-869.93

Índices para catálogo sistemático

1. Ficção : Literatura brasileira        869.93

2022
**EDITORA ILUMINURAS LTDA.**
Rua Inácio Pereira da Rocha, 389 - 05432-011 - São Paulo - SP - Brasil
Tel: (11)3031-6161 / Fax: (11)3031-4989
iluminur@iluminuras.com.br
www.iluminuras.com.br

# ÍNDICE

Portbou .................................................................. 11

Sur ......................................................................... 67

30 .......................................................................... 141

Teoria da tristeza ............................................. 197

*História natural da ditadura* ........................... 267

Sobre o autor ..................................................... 301

*Para*
*León Ferrari*
*e* Ariel

*E também para este outro Leon,*
*Samuel, e Beatriz Costa*

*Os demais, de algum modo aparecem nestas páginas.*

## AGRADECIMENTOS

*Este livro talvez não chegasse a existir sem o decisivo apoio da Fundação Rockfeller e seu Centro de Estudos em Bellagio, Itália, que me acolheu numa fase crucial da redação — à Fundação Rockfeller e sua ainda incomum consideração pelos fatos da cultura e da arte.*

*Agradecimento a Alfons Martinell pelas fotos usadas às páginas 20, 21, 22 e 25.*

t. c.

# PORTBOU

I drink the air before me and return.
Shakespeare, *The Tempest*.

O vento não nos deixava parar em pé, a mim e meu amigo Alfons Martinell que mesmo assim queria mostrar-me o lugar no alto da colina diante do mar encapelado. Não apenas não nos deixava parar em pé: jogava-nos para trás, para o ponto anterior desde onde tínhamos tentado dar um passo à frente. Jogava-nos para trás ou para o lado. Se o pé tentava erguer-se do solo para fazer avançar o corpo, o vento fazia da perna uma vela enfunada que me arrastava na direção da rajada, rajada contínua se isso pode existir. Pela primeira vez na vida, enfrentando um vento, tive medo de cair ao chão, medo que o vento me jogasse ao chão. Não bem medo: algo como vergonha, vergonha por não poder controlar o corpo, vergonha por portar-me como um boneco à disposição de *alguma outra coisa*. Mais pesado que eu, Alfons avançava com alguma desenvoltura. Tenho um peso normal para minha altura, um metro e oitenta. Mas Alfons era um pouco mais alto e mais pesado para sua altura do que eu para a minha, podia avançar com mais facilidade ou em todo caso com menos dificuldade. Quando ele parou o carro pouco antes de alcançarmos a reduzida esplanada, quase no topo da colina, à frente do cemitério, pudemos ver duas mulheres já quase sem o controle do corpo em meio ao vento. A cada passo a lenta e errática trajetória de cada uma interceptava a da outra e parecia que não podiam distanciar-se uma da outra, imãs desatentos. Ou não queriam distanciar-se uma da outra. Uma delas ainda tentou tirar uma foto do lugar, talvez a primeira foto: pela posição de seus corpos, davam a impressão de que não haviam chegado ao ponto que desejavam alcançar. Tentou tirar a foto mas senti que não conseguira: o vento balançava-lhe excessivamente a câmara na mão. O vento agora claramente empurrava uma contra a outra, estavam demasiado próximas uma da outra para fazer qualquer coisa salvo se embolarem. Com dificuldade voltaram para o carro, um pouco adiante do nosso, e desceram rumo à cidade. Estávamos sozinhos, eu e Alfons Martinell, na manhã cinza. O vento era ainda mais forte. Instintivamente fui na direção de um corte na encosta, antes da esplanada, ao lado da estrada, procurando abrigo: o vento iria arrancar meus óculos da cara, pensava. De certo modo estava feliz por Anna M. não ter vindo, ela detestava vento (de resto, ela não teria vindo mesmo e comigo não viria mais). Ela realmente detestava: algo visceral. Depois li que o vento naquele dia alcançara 110 quilômetros por hora. O suficiente para virar um grande cargueiro, num porto mais ao norte, vi na televisão naquela mesma noite. Um marinheiro desaparecido. A tramontana. Vento forte que sopra ao norte da Catalunha e sul da França. Gênero feminino, esse vento: a tramontana. Vento da depressão, da excitação nervosa e do gênio artístico, como confirmavam as conclusões de um estudo psiquiátrico de uma médica e pesquisadora do Hospital Del Mar, de Puerto La Selva, província de Girona, mesma região daquela colina, estudo que procurava explicar os sentimentos contraditórios que provoca na população local esse vento seco e intenso que pode soprar por dez horas seguidas e alcançar 150 quilômetros por hora. A doutora realizara seus estudos com 300 habitantes da região de Empordà, nome catalão para Empório, local de entreposto comercial à beira-mar desde a época do império romano, não muito longe de onde estávamos, eu e Alfons, aquele domingo. Um estudo sugestivo por confirmar que dois terços da população autóctone de fato modificam seu comportamento ou têm seu comportamento modificado quando sopra a tramontana, ao passo que o terço restante permanece impassível, li depois no *El Mundo*. Os efeitos psicológicos pareciam evidentes à doutora e eram tanto positivos quanto negativos, mais pronunciados nas crianças e nas mulheres (se fosse de fato assim, ela teria apreciado encontrar-se com Anna M., se Anna M. tivesse vindo — mas não tinha) porém perceptível também nos homens. E explicáveis por uma alteração nos neurotransmissores cerebrais sob a influência de mudanças climáticas como as provocadas por aquele vento. Depois de destacar que desde sempre as pessoas do lugar atribuíram ao vento o poder de provocar a loucura, assim como ao Foehn, o vento dos Alpes, a médica disse não existir nenhum indício científico de que a tramontana levasse a um aumento dos suicídios e dos crimes violentos. "A tramontana não faz ninguém ficar louco, não há prova formal nesse sentido", ela disse, acrescentando que decidira fazer sua tese doutoral sobre esse tema porque tinha a vantagem de

ser tema divertido. Divertido, ela disse. Talvez. No carro, durante a curta viagem, Alfons me falara do vento: o carro oscilava de um lado para outro, na estrada. E sempre que falava daquele vento, Alfons Martinell mantinha um sorriso nos lábios: os mitos locais. Claro. Mais tarde vi como estava enraizado no imaginário daquelas pessoas, no imaginário de Alfons. E de tantas outras, tão longe. A Internet me mostrou que em 2004, mesmo ano de minha visita a Portbou, uma certa revista de poesia chamada *Tramontana* chegava a seu número 5 e, em seu sítio eletrônico, pedia que se firmasse o livro de visitas, o que não fiz. Sugestivo que houvesse uma revista de poesia sob o nome do vento, uma revista que tinha o vento por totem, embora houvesse também, descobri em seguida, uma revista telemática de direito igualmente chamada *Tramontana* e aberta não apenas às questões do direito como também à economia em geral e à economia corporativa. Uma revista de direito batizada com o nome de um vento que pode deixar loucas ou instáveis as pessoas, e que em todo caso altera o estado cerebral de dois terços das pessoas que se expõem a ele, deveria ser interessante. Mas depois me dei conta que esse nome poderia apenas ter sido sugerido por algum jurista que teria preferido ser poeta e que havia encontrado nesse expediente terminológico (porque na terminologia está a poesia do pensamento) uma alternativa para dar vazão a seu espírito romântico — e não procurei saber mais sobre a revista. Havia também uma *Tramontana Ski & Travel* e uma "La Tramontana Hunting", designando um couto de caça criado por um licenciado e um engenheiro, e uma Tramontana fábrica de roupas esportivas infantis que dizia produzir também camisetas. E uma Taperia Tramontana, um restaurante de *tapas* com sabores de Minorca e que aceitava reservas de mesa por telefone com um dia de antecedência: pensei no restaurante El Bulli, não tão longe dali, reservas com meses de antecedência e onde uma conta individual modesta atinge facilmente quinhentos, seiscentos dólares. Havia também uma Tramontana com uma para mim indecifrável descrição em russo e uma outra, mais sugestiva, remetendo à Italian Instabile Orchestra Sebi Tramontana, italiana mas com o nome em inglês, e quão adequado, este... Não fui adiante, essas procuras na Internet me aborrecem enormemente.

Alfons mantinha o sorriso nos lábios: eu estava experimentando a força de sua terra. Saí da proteção do barranco e expus-me ao vento no centro da esplanada: via então o que tinha ido ver, o monumento a Walter Benjamin. O mar fora da pequena baia lá embaixo via-se intensamente encapelado, as cristas brancas das ondas curtas sucedendo-se sem interrupção até onde a vista alcançava. E havia sol do outro lado: de onde eu estava pude ver o último lance do trajeto feito para chegarmos ali: desde a montanha do outro lado da baia, bem mais alta que a colina abrigando o monumento. Se um solitário carro, minúsculo pela distância, não estivesse naquele instante descendo a serra, eu não perceberia que ali havia uma estrada, que ali estava a estrada por onde eu acabara de passar. Quando, minutos antes, eu

passara pelo ponto naquele instante ocupado carro, percebi, incrustada na colina, a construção branca a cujo lado eu agora estava. Do alto da montanha me parecera, primeiro, um hotel. Talvez uma propriedade particular, uma quinta sobre o mar. Era o cemitério. E na esplanada diante do cemitério, agora a poucos metros de mim, a parte visível do monumento a Walter Benjamin, aquilo que eu fora ver. *Passagens*, o nome. Não o percebi de imediato, Alfons quase teve de apontá-lo para mim. Não sabia que era *aquilo*. Não sabia o que esperava, não esperava nada, mas não esperava aquilo: de onde eu estava, a uns dez metros de distância, na lateral em relação à peça, via uma lâmina de ferro enferrujado enterrada no chão, como um triângulo retângulo cuja hipotenusa caía em direção à encosta, em direção ao mar. Alfons Martinell me apontava o monumento. Aproximei-me, parei diante

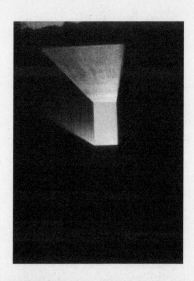

da entrada: como se fosse um corredor de ferro enferrujado descendo pela terra, em direção ao mar lá embaixo: duas paredes de chapas de ferro formando, com o teto, uma caixa que se prolongava ao longo de uns poucos metros, sob a terra, pra depois continuar descendo já a céu aberto num corredor estreito, enferrujado, e o mar azul lá embaixo ao final do funil. O mar sugava o que estivesse no corredor. Alfons desceu na frente, esperei que baixasse vários degraus, que estivesse vários degraus na dianteira. O vento me empurrava para baixo, o túnel me sugava para baixo: meus primeiros passos na descida foram incertos. Olhei para trás e agora um sol forte, apesar do vento, com o vento, entrava pela abertura da Passagem: me sentia numa fundição, como se o material a fundir fosse eu, com aquele jorro amarelo atrás de mim. À frente, lá embaixo, o mar. Eu não conhecia o monumento, não vira fotos do monumento, não sabia pelo quê esperar, não esperava nada: quase junto às ondas vi o reflexo de meu amigo Alfons. Via-o pelas costas e via à sua frente seu reflexo frontal impreciso, escuro, sem rosto definido, em alguma *coisa* à frente da imagem do mar. Desci mais: aquilo onde eu via projetado seu reflexo frontal era uma lâmina de vidro temperado instalada quase ao final do corredor, alguns metros antes do mar. Um tiro parecia quase ter aberto um buraco na lâmina sem perfurá-la de todo: eu via agora que poderia ter sido uma pedra de ferro, uma pedra daquela colina de

pedras-ferro atrás de mim, minério de ferro como eu descobriria dali a pouco: no chão junto à lâmina de vidro temperado havia uma lasca de pedra pontuda: vândalos, ali também. Dentro da Passagem o vento se tornara denso, assumira um estado sólido: fisicalidade: me comprimia contra as paredes, contra o piso, me empurrava para baixo, me envolvia como uma massa incerta mas material. Comentei com Alfons sobre a força da experiência: um antimonumento, um monumento virado para baixo, um monumento enterrado, um monumento que desce às profundezas, um monumento à profundeza, um monumento à queda. Um monumento que não era uma exaltação à memória de quem morrera na cidade lá embaixo: um monumento que parecia um prolongamento daquela morte: nenhuma metáfora naquele monumento: metonímia, antes: o monumento *pegado* à morte de Walter Benjamin, um monumento que *era* a morte de Walter Benjamin, que era o prolongamento direto, físico, de sua morte. O vento me pressionando, minha imagem obscura no vidro projetada contra o mar, minha imagem fantasmal no vidro: era eu mas eu não me via. Alfons Martinell também surgia no vidro. Repeti para ele, redundante: a força daquele monumento, um antimonumento. Uma

imagem óbvia, por um aspecto. Pensei na imaginação de quem o havia proposto, pensei na cumplicidade criativa dos que haviam ousado aceitar sua proposta. Um monumento à descida, uma descida sem fim, uma descida com um começo mas sem nenhum fim. Não era para se sair do interior daquela Passagem: não era fácil decidir-se a sair daquele corredor embora não fosse cômodo ficar ali. Quem sabe num dia sem vento, num dia de primavera ou de verão. Estávamos no inverno: janeiro. Num dia com turistas seria mais fácil sair dali, escapar dali, escapar dos turistas. Mas não havia ninguém ali além de mim e Alfons. Era uma Passagem mas não era para sair dali. Lá embaixo, junto ao vidro, olhei para a entrada na outra ponta, lá em cima, por um instante sem saber exatamente qual seria a entrada e em seguida sabendo perfeitamente, sem nenhuma dúvida, que a entrada ficava lá em cima e que não havia saída: o vidro em tudo transparente me protegia funcionalmente de uma desatenta ou buscada queda no mar, sem dúvida de uma queda *buscada* no mar (a cidade não suportaria outros supostos suicídios, *ali*) mas tinha também a função monumental de tampar ilusoriamente a saída: uma Passagem sem saída, sem o outro lado que eu no entanto podia ver. Eu podia sair dali, o vento era desagradavelmente forte, meus lábios se fariam sentir rachados no dia seguinte, ardidos, mas eu tardava em sair: talvez porque quisesse sentir até o extremo a experiência de Passagem que o monumento queria recompor. Decidi-me a ler a inscrição translúcida gravada no vidro temperado, difícil de distinguir contra o mar azul ou contra qualquer outra cor, inscrição que parecia flutuar no vidro tanto quanto as espumas brancas flutuavam acima da água abaixo: tive de voltar uma segunda vez ao monumento para anotá-la, dias mais tarde, e depois, meses depois, foi tão difícil decifrar o que eu havia escrito no caderno de bolso quanto havia sido difícil naquele primeiro momento lê-la contra o vazio, contra o pano de fundo da profundeza:

> *Es una tarea más ardua honrar la memoria de los seres anónimos que de las personas célebres. La construcción histórica está consagrada a la memoria de los que no tienen nombre.*

Como a pedra de Roseta, a inscrição aparecia em três línguas, não me recordo se uma segunda estava em catalão ou em inglês. A terceira era em alemão. Uma proposição talvez obscura, como o final da vida de Walter Benjamin. A primeira parte, bem clara. A segunda me parecia um tanto paradoxal, para mim que estava ali, naquele monumento, naquela construção histórica consagrada à memória de um *que tinha nome.*

24

*É tarefa mais árdua honrar a memória dos anônimos que das pessoas célebres. A construção histórica é consagrada à memória dos que não têm nome.*

E abaixo da última linha, a localização da citação nas obras completas de Walter Benjamin:

*G.S. 1, 1241*

E mais abaixo ainda, sua proposta mais conhecida:

*Não há documento de cultura que não seja também de barbárie.*

*Berlim 1892 — Portbou 1940*

Detesto essa disposição gráfica: o nome de uma cidade e uma data, um traço e o nome de outra cidade, outra data. Como se esse alinhamento pudesse de fato confinar ou determinar ou explicar a vida que esteve entre os dois extremos. E, pior, confina. Talvez por isso a deteste, essa disposição. Funérea. De mau agouro. Exatamente, detesto-a porque funérea.

Subi os degraus de volta pelo corredor de ferro enferrujado na direção da forja lá em cima. Tentava guardar na memória aquelas palavras para *depois*, improvavelmente, contá-las a Anna M. Alfons desaparecera de minha vista ainda enterrada no túnel. Emergi na esplanada: no chão, um tapete feito do mesmo ferro enferrujado e na mesma largura da Passagem seguia pela esplanada e se erguia um pouco do outro lado, junto à encosta da colina. Alfons me esperava diante da entrada do cemitério. O portão de ferro estava fechado, Alfons se perguntou decepcionado, em voz alta, se estaria trancado. O horário, talvez. Alfons estava decepcionado, queria mostrar-me o resto. Empurrou o portão e ele se abriu: o vento. Um cemitério simples, de povoado do interior: e no entanto inutilmente magnífico na

localização: disposto na encosta, a pequena baia bem fechada um pouco à esquerda, o mar aberto mais à direita, a montanha alta com a estrada à frente. O mar sem fim à direita, que vi. Subimos três terraços aplainados na encosta, em zigurate, assim como imemorialmente se abrem terraços, por ali, ao longo das encostas, para cultivar a vinha. Alfons Martinell me mostra o túmulo de Walter Benjamin, coberto por pequenas pedras-ferro, lascas, que as pessoas, parece, põem sobre a terra do túmulo e sobre a lápide do túmulo, umas sobre as outras. Costume judeu, creio. Numa situação comum, colocam-se flores sobre uma tumba, suponho. Não suponho: sei. Ali se dispunham *pedras* sobre o túmulo de Walter Benjamin. Pedras de minério de ferro, o mesmo minério de que estava feita toda aquela colina. Que a terra lhe pesasse mais ainda, essa a mensagem? Ou era apenas para que tudo ficasse no interior de um círculo com uma lógica de ferro? O monumento que prolonga a eterna queda, a pedra que não permite nem imaginariamente nenhum retorno, nenhum movimento, nenhuma leveza. Uma existência em pedra, uma tormentosa fuga diante do *National Sozialismus*, do nazismo da Alemanha e da França, e uma morte fria, se pode haver outra. E as pessoas colhem fragmentos de pedra do chão ao redor da tumba e os colocam sobre ela. Lamentando-me por meu gesto, também apanho uma pedra e a ponho sobre as outras, sem saber ao certo o sentido de meu ato e sem forças para recusá-lo. Na cabeceira do túmulo, uma lápide e uma inscrição:

> *La cultura es mesura sobre tut per las tombes i la profunditat di la cultura pels nostres cimentaris. El dret a un enterrament digne després de la mort, és també un des drits humans. Que així signi en nom de totes las víctimes enterrades en fosses comunes.*
>
> *Ajuntament de Portbou*
> *1998*

Algumas palavras do catalão demoraram apenas um pouco mais que outras a me propor seu sentido:

> *A cultura se mede sobretudo pelos túmulos e a profundidade de uma cultura, por nossos cemitérios. O direito a um enterro digno depois da morte é também um dos direitos humanos. Que assim seja, em nome de todas as vítimas enterradas em fossas comuns.*
>
> *Comuna de Portbou*
> *1998*

Pensei no cemitério principal de Barcelona onde alguns dias antes, ou terá sido depois, eu havia enterrado E., outro amigo espanhol: os verdadeiros palácios, as verdadeiras mansões góticas e modernistas que ocupavam seus terrenos: mais que deslumbrantes, delirantes. Não é um direito humano, o direito a um enterro digno, não no sentido de um direito do indivíduo: é um direito que a coletividade se atribui em nome do morto. Talvez seja um direito da coletividade, que se quer oferecer um alívio enterrando com dignidade aqueles a quem em vida pouca ou nenhuma dignidade se ofereceu. Não sei se me preocupo com meu enterro digno. O túmulo de Walter Benjamin. Após sua morte, Walter Benjamin foi enterrado numa fossa comum: depois se encontraram seus restos e lhes foi dada uma sepultura com a lápide oferecida pela municipalidade de Portbou: La cultura es mesura sobre tut per les tombes y la profunditat de la cultura pels nostres cimentaris. Sem dúvida: e no entanto quão insignificante sinal: e quão revelador: do quê, exatamente?

Quanto tempo se pode olhar um túmulo sem conseguir dele extrair algum conhecimento relevante além de uma vaga sensação, de uma excitação da sensibilidade que aperta o peito por uma fração de tempo e depois se desfaz e não retorna por mais que se leia e releia a lápide? Saímos do interior do cemitério, eu e Alfons. Fora, no mesmo canto da esplanada em que eu me abrigara do vento ao sair do carro, e o vento ainda me balançava ao andar, li outra placa:

> *Em memória de Walter Benjamin (1892 Berlim – 1940 Portbou) e dos exilados europeus entre 1933 e 1945, Dan Karavan criou na cidade fronteiriça espanhola de Portbou o espaço comemorativo Passagens.*
> *República Federal da Alemanha/Governo da Catalunha*

Espaço comemorativo: perguntei a Alfons por que "espaço". Por que já era *hábito do pensamento* usar essa palavra quando o monumento havia sido projetado e instalado, entre 1990 e 1994, quando de fato se escrevia "espaço" por toda parte onde a idéia de cultura estivesse presente? Ele me chamou, me fez subir por um quase caminho encosta acima, por cima de grandes irregulares blocos de pedras de ferro, provavelmente tudo aquilo era um grande e único *rochedo* aqui e ali coberto por alguma vegetação inconsistente. Caminhamos uns trinta passos para cima, pelo mato ralo. Surgiu uma grande placa quadrada de ferro enferrujado, mesma cor de Passagem, uns dois metros quadrados de área, instalada à beira de uma plataforma cortada na colina, logo acima do cemitério: no meio da placa, um cubo de ferro da mesma cor: como se fosse um pedestal: como se fosse um cadafalco: poderia ser o pequeno banco que os enforcados colocam sob o laço que os matará e que depois chutam com o pé, pensei ouvir Alfons dizer mas certamente ele não disse, não diria algo assim. Inevitavelmente, mas apenas depois de algum tempo de hesitação, subi no cubo de ferro, talvez uns 40 centímetros de altura: de cima dele não se vê muito mais do que se vê sem nele subir, pelo menos não uma pessoa de minha altura: imagino que eu deveria apenas, seria a intenção do arquiteto, *sentir alguma coisa diferente* subindo no cubo do que sentiria se nele não subisse. Esperei pelo sentimento que não veio. Desci do pequeno cubo e voltei a nele subir, no pequeno cubo de Dani Karavan que não era de ferro mas de aço corten, me disse em seguida Alfons. Então o artista, pois ele era artista e não arquiteto — e isso provavelmente explicava o monumento invertido, o monumento negativo — já fizera outras coisas naquele material: provavelmente eu teria preferido que tudo ali, no monumento a Walter Benjamin, fosse único e tivesse sido feito ali pela primeira vez. Não: tudo vinha numa linha que preexistia à proposta para Portbou: aquele material com que ele já trabalhara antes; ser de origem judia como fora Walter Benjamin; realizar preferencialmente obras adequadas para um único lugar, as obras *site-especific* como se diz; já ter proposto uma obra para outro cemitério; o fato de nunca querer impor uma forma e um material predefinidos mas procurar fazer da obra uma parte essencial do ambiente, como ali em Portbou; o fato de propor obras ligadas à memória do lugar, como ali; o fato de já ter proposto uma obra sobre os direitos humanos para o Museu Nacional Alemão de Nuremberg, cidade onde viveu Albrecht Dürer, cidade que conheceu os *meistersingers*, esses membros das corporações criadas para cultivar a música e a poesia, cidade cujo astrônomo local Regiomontanus desenhou as cartas de navegação usadas por Cristóvão Colombo em sua viagem de 1492, cidade que foi o terminal da primeira estrada de ferro da Alemanha, cidade sede de 1933 a 1938 das convenções anuais do Partido dos Trabalhadores Alemães Nacionais-Socialistas, quer dizer, do Partido Nazista, de 1945 a 1946 a cidade sede do tribunal que julgou os crimes de guerra nazistas: um ciclo de férrea e indeterminada lógica se fechava para mim (talvez sobre mim) quando pus de novo o pé no chão agora de aço corten da peça que constituía o espaço *Passagens* dedicado à memória de um homem morto de origem judia e de mente internacional chamado Walter Benjamin e que foi morrer em Portbou no cruzamento posterior daquela imensa história enferrujada. *Direção única*, chama-se um livro feito desse pensamento fragmentado com que Walter Benjamin encheu suas melhores páginas e que ele escreveu pensando numa mulher que amou. Direção única. Não sei. Quem sabe.

O vento era quase insuportável, ficaria pior ao longo da tarde, início da noite, como eu saberia depois. Na descida de volta até a esplanada me interessei por uma lasca de pedra solta no caminho, uma pedra enferrujada como as *Passagens*, uma pedra-ferro enferrujada. Eu a peguei mas Alfons me deu outra, de forma mais estimulante, larga num lado e afunilando-se na outra, em ponta, por uns quinze centímetros, *por unos quince centímetros*, como se diz em espanhol, como provavelmente Alfons diria. Lembrava-me um fragmento não de pedra mas de um fragmento de concreto que tirei do muro de Berlim, onde Walter Benjamin nasceu, e que depois cerquei comum *passe-partout* e pendurei na parede de entrada de minha casa, *in memoriam*. Em memória do Muro, sim, mas sobretudo em memória de mim no Muro, sei disso. Direção única,

provavelmente. A ponta se quebrou na viagem de volta mas o formato geral da lasca se manteve, enferrujado. Entramos no carro, descemos a única rua estreita, metade rua metade estrada, ligando o cemitério à cidade. Tudo fechado, ninguém nas ruas. Imagino ter dito que era domingo. Carros estacionados diante de prédios quando os prédios começaram a surgir na descida de volta ao centro da cidade, mas qual centro da cidade?, indicavam que talvez houvesse vida atrás das janelas fechadas, naquele mesmo momento ou em algum outro momento. Era domingo, mas nem mesmo os domingos são assim desesperadamente vazios. Nem mesmo ali. Impossível disfarçar o vácuo dos domingos e ali, em Portbou, o vácuo do domingo se transformava a meus olhos em vácuo final. Algumas casas e apartamentos seriam de veraneio, outros estariam ocupados por pessoas dali, pelas poucas pessoas dali. Ninguém na rua, ninguém nas ruas descendo a encosta. Nem mesmo um cão. Anna M. não gostaria disso. Carros que poderiam ter sido abandonados e janelas fechadas. Não olhei para trás para ver o cemitério, que já estaria oculto pelas curvas da estrada ou da rua que parecia estrada. *A profundidade de uma cultura se mede pelos seus cemitérios.* Pode ser. O carro se movia lentamente, como se fosse a única coisa que se esperava que fizesse: lentamente. Passamos por um hotel horizontal, não muito grande, fechado. Depois por outro, menor: fechado. Passamos por uma edificação maior que Alfons Martinell disse ter sido uma mansão particular e que agora era uma biblioteca: fechada. Hora de almoçar, comer alguma coisa, paramos o carro diante de um hotel-restaurante, a poucos metros da praia, da baía fechada, côncava: fora do carro, olhando para cima, para a colina, eu poderia imaginar o monumento. Por trás da vidraça do hotel as mesas pareciam postas no restaurante: um cão dormia à entrada: entramos: a recepção vazia. Ninguém à vista no saguão. Inútil insistir, saímos para a rua: o dia escurecera, o vento seguia. Alfons Martinell disse que ali ninguém saia às ruas em dias assim. Mas por que estavam fechadas até as persianas das janelas? De um dos lados do hotel abria-se a Rambla de Portbou, uma rua um pouco mais larga com duas vias de circulação para carros nos lados e um espaço maior no centro reservado aos pedestres, uma autêntica *rambla*, árvores sem folhas enfileiradas por uns cem metros, não mais, terminando num túnel que furava imensa rocha e saia na França, no outro lado. Alfons Martinell apontou para um prédio completamente degradado, descascado, abandonado, fechado: na fachada ainda se podia ler a sombra das letras formando o nome do estabelecimento, arrancadas depois de perderem sua função. A cidade vivera de expedientes burocráticos, Alfons dizia: despachantes, uma cidade de despachantes: as mercadorias paravam daquele lado, tinham de ser controladas, formalizadas, registradas, vistoriadas, carimbadas e passadas para a cidade ao lado, Cerbère, francesa, onde todas as *providências* burocráticas se repetiriam, Cerbera dizem os espanhóis. Cérbero, claro: o cão: a não-ficção é menos imaginativa que a ficção. E no entanto, nenhum outro nome melhor para aquele lugar do que o desse monstro nascido da união de outros dois, cão tricéfalo com serpentes enroladas no pescoço e dentes cuja mordida inoculava veneno, postado à beira do Styx, mítico rio que circunda o Inferno, os Infernos, e que permitia às sombras dos mortos, a que talvez chamamos *almas*, penetrar nos infernos, que são sempre mais de um, mas *não* deles sair e que simplesmente *destroçava* os mortais temerários que, ainda não mortos, dispunham-se à aventura acaso dispensável de conhecer os infernos em vida. Cerbère: como poderia ter sido outro o nome daquela cidade, nesta história, para esta história? Verdade que Cérbero não fora sempre tão impiedoso quanto a lenda registrava: alguns mortais, alguns semideuses, alguns heróis conseguiram acalmar o inexorável monstro, como fez Orfeu com sua lira. Mas poucos — e entre eles, nenhum que virou lenda depois de morto. Cerbère, do lado francês, Portbou do lado de cá: então para os franceses a Espanha era os infernos? Ou era a França o inferno? Impedir os vivos de penetrar na Espanha, na França. Impedir os secos & molhados de entrar livremente na Espanha e na França. E bastaria *um* Cérbero para vigiar os dois lados. As metáforas e alegorias não são dos poetas, é a não-ficção que as sugere. Cerbère. Depois que a União Européia finalmente de fato se efetivou pelo menos na desmedida esfera administrativa, nada daquilo tinha mais sentido: Portbou, Porto Boi, não mais era uma cidade de policiais arrogantes, de contrabando, de despachantes e de câmbio de moedas conversíveis e inconversíveis, não mais era o purgatório fiscal, não mais era uma passagem: passava-se agora por ela sem que a passagem fosse registrada: não era mais passagem. No primeiro banco público da Rambla, diante do despachante desativado e em ruínas, dois jovens sentavam-se: nem conversavam entre si, olhavam o nada instalado ao redor deles e de nós naquela tarde cinza, pois já era oficialmente tarde. Talvez nem nos tivessem visto, nem olhado: não acrescentaríamos nada à paisagem. Perguntei a Alfons de que viveriam eles, os jovens: Alfons estalou a língua nos dentes, num som próximo de "ttsss". como fazem os catalães. Não precisou dizer mais.

Deixamos o carro estacionado diante do hotel-restaurante vazio apesar do cão dormindo à porta aberta e saímos à procura de um lugar para comer, a pé: da praia até a estação de trem no topo da colina, a mesma que se estendia até a esplanada do monumento, deveriam ser umas oito quadras perpendiculares à baía e desde o túnel ao final da Rambla até o cemitério na outra ponta deveriam ser outras oito quadras: poderíamos ir a pé por toda parte na *cidade*. Por acaso, mas nada seria por acaso naquela cidade minúscula onde seria inevitável cruzar qualquer rua e qualquer pedaço de rua duas vezes ao cabo de alguns minutos, por acaso passamos diante do que Alfons disse ser a *Casa Walter Benjamin*, uma velha casa decaída de cor indefinida entre rosa e ocre, antes conhecida como o prédio da Comuna Velha no que ali passava por ser uma avenida, a avenida Barcelona, com uma foto do homenageado na fachada e que *não* era a casa onde ele havia morrido em 1940 mas que depois lhe havia sido dedicada. A Casa também estava fechada: abria de segunda a sexta das 11 às 13. Disse-me Alfons que era um Centro de Interpretação, um novo modo de casa de cultura, por assim dizer, cujas paredes estavam decoradas com *fotocópias* de *fotografias* de Walter Benjamin e que abrigava *fac-símiles* de documentos, xerox de documentos, outras fotos e recortes de jornal sobre a construção do monumento proposto por Dani Karavan, formando um todo que se apresentava, dizia Alfons, como um "centro permanente de exposição e pesquisa sobre a vida e a obra de Walter Benjamin e outras atividades sociais", Alfons Martinell me leu de um documento que trazia no bolso e que me passou. Havia planos para uma casa maior, mais digna, mais contemporânea, que talvez funcionasse melhor, esperavam os moradores da cidade que não eram ainda indiferentes ao que pudesse acontecer ao *ayuntamiento*, à comuna (se fosse uma), algo que servisse como um pólo alternativo de atração de turistas, numa espécie de substituto para o fim dos negócios fronteiriços. Nesse caso, eles teriam de abrir aos domingos, pensei provavelmente mais do que disse. Eu não via como aquilo poderia motivar nem mesmo uma romaria intelectual de pequenas proporções. E a casa estava longe de ser como a casa de Shakespeare, que começara a ser luxuosamente reconstituída em 1999, ou a de Freud, nem mesmo como a de Jefferson nos EUA.

Um carro passou por nós, devagar, e ouvimos outro mais em alguma ruela próxima. Vi a cinqüenta metros de distância de onde

34

estávamos um pequeno anúncio em néon, aceso. Poderia ser um restaurante: de fora não havia nenhum outro sinal de vida. Mal dava para ver dentro, quando nos aproximamos: havia um desnível em relação à rua, era preciso subir dois degraus para abrir a porta: era um restaurante e estava aberto, uma dúzia de mesas, não mais, algumas banquetas diante do balcão, um lugar muito simples que anunciava servir carne no espeto. Teria de ser ali. O garçom não nos ouvia, fazia de conta que não nos ouvia, indo de um lado para outro do estreito espaço, fazendo nada mas não nos ouvindo. O outro, que preparava as bebidas atrás do balcão e tirava as carnes do fogo, parecia ocupado demais para prestar atenção a qualquer outra coisa: deixei que Alfons se entendesse com seus co-nacionais, como se diz, sem muita vantagem. Passava das três da tarde, quase a hora em que certamente não serviriam mais nada: quem estava sentado comia devagar ou nem comia, conversavam sem pressa, olhavam a televisão idiota. Uma mesa estreita acabou vagando e nos instalamos para comer uma comida apenas minimamente tragável. Ao lado, uma família de viajantes alemães, eu não podia dizer que fossem *turistas* alemães: não turistas *para ali*, nada teriam a fazer por ali, no máximo estavam de carro e em trânsito para o sul, para a Espanha, ou voltando para o norte, para a Alemanha, através da França, de passagem apenas. A certa altura entrou no restaurante uma mulher que apenas acabara de ultrapassar o pico etário depois do qual a atratividade da mulher deixa de funcionar: acabara de ser jovem, acabara de ser madura e começava a ser alguma outra coisa além de madura: estava vestida numa moda urbana que não era dali, não daquela cidade de fronteira: tinha tudo para ser a *femme fatale* do lugar. O homem atrás do balcão, provavelmente da mesma idade dela, mais desleixado, olhava demoradamente para ela quando ela não estava olhando para ele. A mulher sentou-se ao balcão, pediu uma cerveja: uma criança pequena estava a seu lado, um menino, com aquele olhar de incompreensão generalizada diante de tudo que diz respeito ao mundo dos adultos, diante daquela cena em especial, e no entanto *sabendo muito bem*, sabia eu, o que tudo aquilo queria dizer. Eu ouvia indistintamente as vozes vindas da televisão, o som contido da conversa dos alemães a meu lado e tinha um real interesse em saber o que dizia a mulher no balcão mas nenhum som identificável vindo dela me alcançava embora a distância entre nós fosse pequena.

A comida era apenas tragável mas provavelmente eu e Alfons estivéssemos decididos a tirar dela o melhor proveito: provavelmente tanto eu quanto Alfons acreditávamos que de um almoço de domingo era preciso tirar o melhor proveito: poucas coisas são mais deploráveis num domingo do que um almoço estragado ou perdido. Lá fora esfriava ainda mais, o vento continuava soprando (e mais forte, como eu saberia depois) embora parecesse agora menos agressivo, pelo menos era a sensação que eu tinha dentro do restaurante. E lá fora nas ruas vazias não haveria ninguém, não havia alternativa ao restaurante e ao almoço: pelo menos ali dentro havia gente a nossa volta, a menos de um metro em qualquer direção à nossa volta, menos à minha esquerda delimitada pela parede, havia gente e de algum modo isso compensava o gosto da comida e o gosto do vinho, de todo à altura da comida: nulo. Comemos em silêncio durante um tempo, um pouco pela fome real intensificada pelo enfrentamento do vento na esplanada diante do cemitério e do monumento e um pouco pela idéia do almoço de domingo. E então Alfons disse que era uma pena a Casa de Walter Benjamin estar fechada porque distribuíam ali cópias do "documento Scheurmann", eu teria gostado de conhecer seu conteúdo. Alfons Martinell não me perguntou se eu conhecia o documento, pressupôs que não o conhecesse: estava certo. Disse-me que o documento levava o nome da pesquisadora que de certo modo contrariara mais recentemente a tese do suicídio de Walter Benjamin em Portbou, tese que eu de fato nunca pusera em questionamento, tese que eu na verdade assumira como correta pelo menos uma vez quando escrevi em algum lugar sobre a morte de Walter Benjamin fugindo do nazismo, do *National Sozialismus*, e como sendo um emblema não apenas daquele momento histórico como da questão mais ampla da liberdade de pensamento e de expressão e da liberdade de ir e vir pura e simplesmente, questão dramática para mim também, questão pessoal para mim também, com minha experiência dramática, não trágica, a minha pessoalmente, mas sem dúvida dramática, de uma ditadura, experiência que havia sido também a de Alfons na Espanha, experiência tão larga e tão pesada como a minha, provavelmente. Provavelmente mais. Eu tinha escrito uma vez sobre esse suicídio, de modo rápido, de passagem no meio de alguma outra coisa: nunca me ocorrera que poderia ter sido diferente, outra coisa. Verdade que nunca me havia preocupado com esse fato ou com a circunstância da experiência de Walter Benjamin em Portbou, e que essa experiência havia sido para mim apenas um emblema, um forte emblema mas apenas um emblema, da questão da liberdade. Eu tampouco havia ido a Portbou em *peregrinação* ao templo fúnebre de Walter Benjamin, idéia assim nunca me ocorreria, não em relação a ele, nem em relação a qualquer outro nome, Marx, Freud, Kant, Balzac, Jefferson, Rodin ou ainda Fidel depois que Fidel morresse: como sempre insisti em dizer, nunca tive *banzo de paizinho*, e se sempre empreguei essa expressão no fundo bastante pejorativa e conscientemente empregada de modo pejorativo foi sempre para deixar bem clara minha aversão, repugnância, ao *culto da personalidade*, qualquer personalidade e em particular a personalidade religiosa, política e também a intelectual, mas sobretudo a religiosa e a política, assim como a política e a religiosa, nas duas ordens, além da intelectual. Eu poderia ir à casa de Jefferson ou de qualquer outro *por uma razão estética*, nunca por outra coisa. Eu havia ido a Portbou *por uma razão estética*: ver o monumento a Walter Benjamin, uma viagem, uma pequena viagem que Alfons garantira valer a pena, como de fato valera, bem mais do que eu poderia ter imaginado. Walter Benjamin, ele mesmo, sua vida, sua morte, era um acessório inevitável àquela *experiência estética*, apesar de meu interesse por ele ser sem duvida um interesse *existencial*, quer dizer, me interessava por Walter Benjamin como uma *pessoa* com um destino trágico, como *escritor*, como *sensibilidade aguda* para a vida, como um investigador da própria existência: nunca me interessara pelo Walter Benjamin *pensador*, pelo Walter Benjamin *teórico*, mas pelo Walter Benjamin *existente*. E se havia ido a Portbou era por causa do monumento, quer dizer, por uma razão estética, não por outra coisa, motivo pelo qual nunca me preocupara com a veracidade da tese do suicídio de Walter Benjamin, suicídio que certamente não tinha nada de estético. Talvez fosse uma idéia feita, não tinha me ocorrido: uma idéia romântica, como Scheurmann ressaltara e como Alfons iria me dizer em seguida: idéia romântica e *idéia feita* porque situava a Walter Benjamin numa longa linhagem de suicidados da sociedade e numa linhagem um pouco menos longa dos que se haviam matado por meio da droga: Walter Benjamin se fascinara pelo haxixe e a lenda, já se tornara quase lenda, dizia que se matara com morfina. Não sei bem por que seria romântica a idéia de alguém se matando com droga, embora muita coisa e seu contrário pertença à idéia do romantismo, como mostrou o filósofo e historiador inglês das idéias Isaiah Berlin (1909-1997), inglês apesar de nascido em Riga, capital da Latvia, um país que se diz "um país na encruzilhada", um país na fronteira, quer dizer. Usar droga, recorrer à droga pode ser de algum modo romântico, enfim. Alfons não tinha ali consigo, naquele restaurante que poderia ter oferecido uma comida bem melhor, uma cópia do "Documento Scheurmann", mas podia resumi-lo com fidelidade. O atestado de óbito assinado por um juiz local designou a *causa mortis* de Walter Benjamin como uma hemorragia cerebral. Para os que conheciam a biografia de Walter Benjamin, a hipótese de um ataque cardíaco não poderia ser de todo afastada uma vez que ele tinha problemas no coração, Alfons Martinell não se lembrava quais, exatamente, ou não se lembrava se o documento Scheurmann os enumerava. E, claro, tampouco era impossível que ele de fato houvesse consumido morfina, que trazia consigo naquele dia, não, porém, com o objetivo de encontrar a morte mas apenas como tranqüilizante ou sonífero: uma dose alta demais ou simplesmente inadequada a seu estado de tensão naquele dia e naqueles dias poderia ter transformado o efeito sedativo da morfina em fatal overdose involuntária. A causa real de sua morte, disse Alfons Martinell reportando-se ao Documento, poderia nunca vir a ser determinada e era provável que continuassem a prevalecer as idéias, chamadas *românticas*, sobre um suicídio que, nesse caso, teria de ser do mesmo modo designado como romântico, o que para mim continuava a ser incompreensível ainda que eu mesmo tivesse inconscientemente assumido aquela hipótese, suicídio para mim no entanto motivado por puro desespero, um desespero pessoal, um desespero *de vida*, localizado, individual, e também um desespero *de mundo*, um desespero pelo estado do mundo naquele instante que com toda razão a qualquer um pareceria desesperado, mais ainda a um intelectual com fortes poderes analíticos. Essa era a essência do "Documento Scheurmann", que Alfons me resumia naquele restaurante a poucos metros de distância da Casa de Walter Benjamin em Portbou, que nunca havia sido sua casa e na qual ele nunca nela havia posto os pés.

*Ingeridos* os alimentos que nos haviam sido servidos pelo garçom francamente indiferente, no limite de uma hostilidade genérica, não havia motivos para prolongarmos nossa estada ali e saímos para a rua: a tentativa de salvar o almoço de domingo, que poderia ter sido um arremate para uma manhã no *asombroso* monumento, como dizem os argentinos, com toda evidência fracassara e agora, na rua fria e ventosa, desse fracasso tínhamos plena consciência. Quaisquer seis passos que déssemos em qualquer das quatro direções nos levaria aos limites de Portbou e para fora da cidade: voltamos para a praia, para a pequena praça diante da restrita baia onde deixáramos o carro. Paramos na calçada acima da areia da praia: à direita o cemitério era imaginável e à esquerda eu via novamente a montanha alta por onde havíamos descido até Portbou naquela manhã, como se estivéssemos vindo da França (*numa outra vida*, parecia, Anna M. e eu tínhamos feito o trajeto inverso), de onde de certo modo regressávamos de fato porque havíamos cruzado a fronteira, Alfons e eu, pelo menos duas vezes quase insensivelmente, a primeira atravessando um posto policial

semidesativado, ocupado por agentes que nem se dignaram olhar em nossa direção, a segunda apenas saindo de uma estrada vicinal no lado da Espanha e entrando em outra no lado da França. Olhei para a alta montanha a nosso lado: pensei que por ali, por alguma parte daquela montanha, majestosa porque não tão alta que nos esmagasse com sua imagem, como me esmagariam depois as de Bellagio, e nem tão pequena que se transformasse em incidente da paisagem, na tarde de 25 de setembro de 1940, como li depois num documento eletrônico de Christopher Rollason, um grupo de três viajantes clandestinos chegava a Portbou depois de uma jornada esgotante pelos Pirineus passando por Banyuls-sur-Mer, a quinze quilômetros em linha reta de Portbou — e as coincidências continuavam, porque Alfons morava em Bagnoles, do lado espanhol, mais abaixo, perto de Girona. Talvez apenas dois fossem de fato inteiramente clandestinos: o terceiro era um judeu de origem alemã, apátrida, ou um alemão de origem judia que portava um documento autêntico, Walter Benjamin, um passaporte provisório expedido pelo serviço diplomático americano em Marselha, válido para uma viagem *por terra* até Portugal e com um visto de trânsito espanhol também emitido em Marselha. Walter Benjamin procurava então fugir do regime de Vichy na França, em direção à segurança dos EUA que ele procuraria alcançar a partir de Lisboa. Entrando em território de Portbou, guardas fronteiriços espanhóis haviam detido o minúsculo, o irrisório grupo e pedido seus documentos. Walter Benjamin não falava espanhol, embora tivesse passado um tempo, anos antes, em Ibiza, a ilha ao largo de Barcelona a que depois eu também iria, sem planejar; falava francês mas isso poderia não ajudá-lo com guardas espanhóis no distante ano de 1940. Os policiais disseram a Walter Benjamin que não poderia continuar seu caminho, nem entrar na Espanha porque seu passaporte provisório não mostrava o *visto de saída* da França, que ele de fato não tinha: era um clandestino, portanto. Pergunto-me como se sabe agora desses detalhes, uma vez que Walter Benjamin não deixou nenhum relato a respeito e dado que nada mais se soube dos outros dois acompanhantes seus naquela inútil passagem; e que os guardas de fronteira tenham relatado a conversa tal qual ocorrera me parecia pouco provável. Mas assim dizia a narrativa. Um passaporte americano e um visto espanhol poderiam não ser bastantes de fato para a polícia francesa do regime de Vichy e Walter Benjamin teria então evitado, facilmente de resto, os pontos oficiais de saída da França. Ele era um ilegal na Espanha, não poderia entrar. E nesse ponto sucede outro evento inexplicado e talvez inexplicável: considerando a visível condição debilitada de Walter Benjamin, a polícia teria adiado até o dia seguinte sua expulsão de volta para a França colaboracionista e, de modo ainda menos compreensível, quem sabe movida por um de todo improvável mas não impossível sentimento de fraternidade ou por uma suposta e oculta simpatia republicana, como sugere Rollason, quem sabe por um suborno diria eu, em vez de recolhê-lo a uma cela da polícia local permitira a Walter Benjamin que passasse a noite num hotel barato da Avenida Del General Mola, um hotel chamado, por uma dessas demasiado freqüentes ironias da história — se história se escrevesse com H maiúsculo e tivesse um sentido teleológico como acreditaram os cristãos, os positivistas e os marxistas — Hotel de Francia. Essa história é improvável: esperavam os guardas que na manhã seguinte Walter Benjamin estivesse em seu quarto, de número 4, no segundo andar, esperando por eles, esperando pela expulsão ou pela prisão? Puseram alguém de vigia do lado de fora da porta de seu quarto, uma vez que se sabe de modo certo que dentro do quarto não havia mais ninguém, ou teriam posto alguém à porta do hotel, embaixo, na rua? Improvável. Contavam com que o intelectual Walter Benjamin na manhã seguinte se dirigisse voluntariamente à polícia, como todo bom intelectual, para ser devidamente expulso para a França, onde seria entregue à polícia francesa que em seguida o entregaria aos ocupantes alemães em cujas mãos ficaria um breve momento antes de ser expedido para algum campo de concentração e talvez gaseado e em seguida incinerado como se fazia com *seres humanos* no século XX? É possível que um intelectual agisse assim, pela tradição intelectual, por inação, como se diz, ou porque estivesse por demais cansado, cansado de fugir, cansado daquele mundo. Mas é improvável que aqueles guardas acreditassem que aquele apátrida com passaporte provisório agisse desse modo. O fato é que o deixaram ir para o hotel em cujo quarto de número quatro, no segundo andar, Walter Benjamin morreu de uma improvável hemorragia cerebral (a narrativa não fala em autópsia e ninguém faria naqueles dias uma autópsia no cadáver de um desconhecido, para todos os efeitos um indigente: morreu está morto, e morreu de qualquer coisa, isso basta para o atestado) ou de uma parada cardíaca motivada por uma dose ou overdose de morfina ou por suicídio mediante uma dose deliberadamente excessiva de uma morfina que deveria apagar de sua existência a possibilidade de ser devolvido à França no dia seguinte ou de seguir numa Europa em tudo e por tudo bárbara e imunda e nojenta. No dia seguinte, às dez da manhã, alguém entrou naquele quarto de número 4 do hotel da avenida

42

rebatizada com o nome de um militar adepto do franquismo e o encontrou morto. O dia era 26 de setembro de 1940.

26 de setembro de 1940: nesse mesmo dia tropas japonesas invadiam a Indochina francesa que depois se transformaria no Vietnã a respeito do qual é forte o impulso para descrever como "americano", quer dizer, o Vietnã americano; *nesse mesmo dia* assinava-se o tratado que definia o Eixo Roma-Berlim-Tóquio pelo qual o Japão reconhecia e respeitava a liderança da Alemanha e da Itália no estabelecimento de uma "nova ordem na Europa" [*sic*] e a Alemanha e a Itália reconheciam a liderança do Japão no estabelecimento de uma "nova ordem na Ásia oriental expandida" [*sic*], e esses três países concordavam em cooperar reciprocamente para que todos e cada um conseguissem seus objetivos, sobretudo se qualquer deles fosse atacado por alguma potência até então não envolvida na guerra na Europa ou no conflito sino-japonês, além de concordarem em não intervir nas relações que cada um deles mantinha com a "Rússia soviética" [*sic*]; *nesse mesmo dia* os Estados Unidos proibiam a exportação de combustível de avião e aparas de ferro e aço para o Japão; *nesse mesmo dia* acontecia no campo El Dorado, no Kansas, uma reunião de empresários do petróleo para comemorar os 25 anos de aniversário da descoberta desse combustível fóssil naquela localidade: tantas outras coisas acontecendo nesse mesmo dia *enquanto* Walter Benjamin morria no Hotel de Francia naquele dia pesado, carregado, que foi 26 de setembro de 1940. Verdade que eu então já havia aprendido com Jorge Luis Borges, escritor argentino de grande sucesso no século XX, que não existe esse *enquanto*, que esse *enquanto* é uma miragem quando não simples instrumento de tortura, de autotortura, que as pessoas se infligem: não simples masoquismo: tortura real, como quando se diz *enquanto ele passava dias difíceis na clandestinidade ela o traía com um amigo* ou *ele morria longe de casa enquanto seu filho, que ele nunca veria, nascia numa casa burguesa*; não existe esse paralelismo que converge para um ponto significativo: duas paralelas encontram-

se no infinito, infinito que esse *enquanto* quer representar como um ponto infinito no entanto enfim localizado na imaginação de quem o pensa ou enuncia, localizado *retrospectivamente* na imaginação de quem dele toma conhecimento *depois do fato*, como na imaginação de quem fica sabendo que *enquanto* fazia tal coisa entusiasmante e enlevadora ou passava por uma experiência terrível e mortificante sua mulher o traía com outro: o *enquanto* seria uma possibilidade apenas na imaginação de um ser supremo, atemporal, sem início e sem fim, presente em toda parte no mesmo instante e presente em parte nenhuma, ser esse que de resto nunca me emocionou, que era totalmente irrelevante para o homem traído, para o pai ignorante do filho tanto quanto para Walter Benjamin no quarto número 4 do Hotel de Francia e que não poderia ser eu nem um outro escritor qualquer que depois aproximasse aqueles eventos e os fizesse parecer uma trama na qual também Walter Benjamin estaria preso, tanto aqueles outros eventos quanto ele próprio, o escritor, e que assim não poderiam estar, presos quero dizer, mesmo porque essa trama era inexistente. E no entanto esse *enquanto*, a *possibilidade* do *enquanto* sempre me fascinara, antes e mesmo depois de conhecer Borges e sua lição anti-enquanto: eu nunca soube *disso*, dessa teoria quero dizer, em nenhum dos momentos reais, existenciais, em que o *enquanto* me fascinara quase ao ponto da paralisia extática; mas devo ter acreditado que no *enquanto* residia de fato todo o segredo da existência, toda a epifania, e que se eu pudesse entendê-lo entenderia toda minha *fascinação pela vida*, à falta de outro modo de dizê-lo: o enquanto, o enquanto, grande átomo, de todo inalcançável para quem estivesse dentro dele: Walter Benjamin nunca teve noção daqueles enquantos, que lhe eram então totalmente irrelevantes e que, se me pareciam a mim relevantes, era como por meio de uma apropriação indébita que, no entanto, dava à minha existência, pelo menos à minha existência ali naquele momento, naquele dia em Portbou, toda sua razão de ser e sua única razão de ser: o *enquanto* só podia ser portanto o roubo da existência de um outro, só poderia ser a manifestação de uma existência hipostasiada, por empréstimo, por falsificação — e no entanto obviamente não havia modo mais denso de existência. O *enquanto* como um momento de iluminação fugidia, iluminadora: epifania, de fato: poderia ser isso, é a pergunta, a *paixão fugaz* da qual se diz ter sido um vetor de orientação de Walter Benjamin, um vetor poético de Walter Benjamin, poderia ser o *enquanto* um outro modo de apontar para a primazia do presente que se diz ter sido fundamental na concepção de vida de Walter Benjamin ou, pelo menos, da concepção de história de Walter Benjamin, algo que é completamente estranho à vida e é mesmo o oposto da vida, a saber, a história, e à qual a teoria do enquanto empresta materialidade? Por um instante essa possibilidade me fez gelar o sangue e senti um calafrio, como quando a morte passa por perto, como se diz. Talvez fosse apenas o frio ventoso de Portbou misturado ao processo de digestão que já se iniciara e que não deveria ser feita andando por ruas geladas. Mas eu era então, como sempre, de todo indiferente ao lugar em que se deve fazer a digestão. Perguntei a Alfons se ele concordava comigo que o entendimento da idéia da primazia do presente como uma questão do processo da história, em vez de ser um elemento fundante da vida, era um modo de diminuir e desbastar a presença poética de Walter Benjamin e de insistir num Walter Benjamin teórico quando a única coisa que interessa e importava nele, pelo menos que importava nele acima de todas as coisas, era a poesia, a poesia em Walter Benjamin — mas Alfons respondeu que precisava ler mais a Walter Benjamin antes de me responder. E de súbito me dei conta de que, afinal, o dia 26 de setembro de 1940 era o dia *simbólico* da morte de Walter Benjamin, apenas uma convenção: ele havia ido para o quarto número quatro quando *ainda era* 25 de setembro, poderia ter morrido em qualquer momento da noite de 25 e a qualquer momento, é verdade, do dia 26 até as dez da manhã quando o encontraram morto, portanto o *enquanto* de Walter Benjamin com todas aquelas coisas que tão de perto disseram respeito à sua vida ou à sua morte poderia ser outro, inteiramente distinto do que eu supunha e do que as pessoas supunham, poderia simplesmente *não ter existido*.

Como melhor resposta ao que eu lhe perguntara, Alfons apontou para o prédio à nossa frente, dizendo que aquela era a segunda casa de Walter Benjamin em Portbou, talvez a casa real dele ali, se é que se pode chamar de casa o espaço de uma fugaz presença de Walter Benjamin naquele lugar, um lugar do qual talvez ele nunca tomou inteiramente consciência: Walter Benjamin era tanta coisa para Portbou, o que foi ou teria sido de fato Portbou para Walter Benjamin? Eu não me dera conta de que havíamos andado até ali desde a praia, embora tudo ali fosse tão perto que quaisquer dois passos em qualquer direção nos teriam levado até ali enquanto conversávamos talvez olhando mais para baixo, para o chão, por causa do vento e do frio, do que para qualquer lado. Lembrava-me apenas de que Alfons falara com alguém, com evidência um morador do lugar, um velho de óculos, perguntando-lhe algo. Uma cidade de velhos, uma cidade de velhos por toda parte: talvez por ser domingo os jovens não estivessem por ali, teriam todos ido a Figueres, que em catalão se pronuncia Figueras, ou Barcelona, pouco mais longe — Barcelona sobre a qual Walter Benjamin não deixou referências, cidade que talvez para ele fosse apenas um lugar onde os navios paravam para levá-lo até a ilha de Ibiza, não muito distante do continente e imersa num outro mundo catalão e na qual ele passou, em 1932, a partir de 19 de abril, os meses de abril a julho, e à qual voltou em 1933, uma estada não de todo muito feliz, provavelmente, e que incluía um caso de embriaguez dele mesmo, Walter Benjamin, em razão da qual, para sua grande e de certo modo inexplicável vergonha, teve de passar uma noite na casa de um outro amigo, um desses episódios da vida que acaba assumindo proporções avantajadas na biografia íntima de cada um e da qual no entanto só o biografado tem consciência e memória, cujo significado só existe de fato para o próprio biografado, que faz do evento um pilar de sua existência quando na verdade tanta outra coisa importante ou *supostamente importante* acontece ou aconteceu. Estávamos então no Carrer Del Mar, nome com que haviam rebatizado a Avenida Del General Mola da época em que Walter Benjamin ali morrera. O número 5 do Carrer Del Mar, o antigo Hotel de Francia, havia sido ele também em algum momento rebatizado Restaurant Internacional ou mais exatamente *Bar Restaurant Casa Alejandro: restaurant internacional* era o que aparecia numa placa de ferro ao lado. E, ainda, a menção "Especialidade en paella". Como o antigo hotel, também o restaurante era agora apenas um nome a persistir distanciado de sua função original: tudo estava fechado naquele prédio decaído, todas as portas e janelas fechadas. Um casal no último estágio da vida adulta antes da velhice definitiva e que passava naquele instante, a mulher um pouco adiante do homem, confirmou que aquela era *a casa de Walter Benjamin*, como insistiu o homem no tom de voz de alguém que poderia ser um retardado mental ou, quem sabe, vastamente inarticulado ou, quem sabe, de alguém simplesmente *aturdido* com a vida. *A casa de Walter Benjamin*, como se ele de fato tivesse *vivido* ali quando ele na verdade apenas havia *morrido* ali. Que ridícula terminologia, as pessoas não têm de fato a mais remota idéia do que dizem ou por quê dizem. O prédio que ainda mostrava vestígios de uma tinta provavelmente ocre estava todo descascado e o balcão de ferro no primeiro andar, enferrujado ao ponto da ruína. Obviamente, como se faz sempre nesses lugares, tirei uma fotografia que depois provavelmente veria uma única vez e nunca mais. Uma fotografia que quando revelada, caso se possa dizer de uma fotografia digital que ela se revela quando aberta no correspondente programa do computador, se mostraria necessariamente opaca, insignificativa. O que significava tudo aquilo em Portbou, afinal? Aquela não era *a casa de Walter Benjamin*, que talvez não morrera dia 26 mas sim dia 25, e que talvez não tivesse se suicidado mas morrido de um ataque do coração ou que talvez não tivesse morrido do coração mas de uma hemorragia cerebral por ingestão exagerada de morfina, ele que não era para ter parado ali e certamente que não era para ter morrido ali e que quando morreu teve o nome *escrito ao contrário*. Alfons me disse enquanto parávamos diante da casa que no dia 28 de setembro de 1940 uma missa havia sido rezada *in memoriam* de um certo dr. Benjamin Walter que era como haviam anotado o dele, *ao contrário*, atribuindo àquele homem que morrera *em trânsito* uma possível fé católica ou, em todo caso, ocultando, nesse Benjamin Walter (inteiramente plausível porque muita gente na cultura ibero-americana usa Benjamin como primeiro nome e Walter como sobrenome, embora não necessariamente associados assim, Benjamin Walter), aquilo que poderia indicar a alguém mais atento sua origem judaica. Constava também que a soma de dinheiro encontrada em seu cadáver teria sido o suficiente para pagar-lhe uma sepultura no cemitério local, que era certamente um cemitério católico, fato em si talvez menos surpreendente, dada a anotação de seu nome ao contrário, do que o dinheiro não ter sumido no instante em que o cadáver havia sido encontrado e ter permanecido como um registro oficial no processo correspondente até alguém decidir que com ele se poderia pagar uma sepultura para o homem *em trânsito*. A existência de uma primeira sepultura formal para Benjamin Walter, uma sepultura como as demais, não parece uma certeza, sabendo-se com segurança apenas que seus restos irão para uma *fossa comum* em 1945 para depois sair dali e serem colocados no túmulo que acabáramos de ver naquela manhã, eu pela primeira vez e Alfons pela terceira ou quarta ou quinta, o túmulo que continha aquela inscrição sobre o direito a uma sepultura com nome, inscrição que referendava a história da fossa comum e que pela história da fossa comum se justificava:

> *A cultura se mede sobretudo pelos túmulos e a profundidade de uma cultura, por nossos cemitérios. O direito a um enterro digno depois da morte é também um dos direitos humanos. Que assim seja, em nome de todas as vítimas enterradas em fossas comuns.*

O direito a não ser enterrado numa fossa comum, sobretudo quando se é vítima de violação de um direito humano, o direito a manter vivo, se cabe dizer isso, o nome, pelo menos o nome. Se de fato houvera algum túmulo pago com o dinheiro encontrado no cadáver, ninguém ao certo sabia: restara apenas o túmulo oficial que lhe dera outra vez a cidade de Portbou no cemitério de frente para o mar e ao lado do *monumento enterrado*, do monumento voltado para baixo, para as profundezas. Se o dinheiro permanecera na posse do cadáver, caso seja possível dizer isso, continuara Alfons, o mesmo, como alguns dizem ou preferem acreditar, não teria acontecido com uma *pasta* de Benjamin Walter contendo o que seria o manuscrito de sua última obra, um manuscrito de que nunca ninguém ouvira antes falar, que nunca se soube sobre *o quê* seria e que, se existiu, não se sabe para onde foi. A polícia política de Franco o teria levado para algum lugar como coisa suspeita, àquele eventual maço de páginas escritas nessa língua estrangeira, incompreensível e suspeita que é o alemão? Não se sabia. Mas é uma idéia que se supõe adequada para um escritor naqueles tempos pré-computador: que ele estivesse sempre com um manuscrito terminado ou em processo de conclusão, manuscrito que o escritor leva de um lado para outro, nesse caso um *último manuscrito*, um último *original*, original que nos dias de hoje não será mais necessariamente um *manuscrito*. A história do manuscrito confirmava de resto a lenda romântica da morte de Walter Benjamin como a morte de outro suicidado da sociedade ou, mesmo sem a imagem do suicídio, uma morte romântica mesmo assim: um foragido, um escritor tentando escapar de uma situação horrivelmente opressora, com uma personalidade depressiva, melancólica, saturnina ou, como se diz de maneira eufêmica e embelezada, uma personalidade sonhadora, algo de todo modo comprovado pela posse da morfina que se supõe ter sido ingerida por ele, ele que traria consigo a única coisa a que podia ainda se agarrar: um manuscrito, suas idéias, sua forma de apoderar-se de si mesmo e do mundo. Essa imagem romântica de Walter Benjamin não era aceita pelo Documento Scheurmann, me disse Alfons, o único de nós dois a tê-lo lido. Na sua intervenção no congresso sobre Walter Benjamin em Barcelona, não muito longe dali, Ingrid Scheurmann propusera que se pensasse em Walter Benjamin *de outro modo*, como um homem que enfrentara um *destino típico* de seu momento e típico também daquele momento presente em que ela falava no congresso e em que nós dois estávamos diante da "casa" de Walter Benjamin em Portbou: o destino de refugiado. Daquele modo, pensei, quer dizer, dizendo-se que ele tivera um *destino típico*, retirava-se de Walter Benjamin a imagem de um *destino pessoal* e lhe era atribuído o símbolo de um *destino coletivo*, nos termos de um certo discurso ideológico que não termina de morrer e segue em vigor em determinadas esferas, latitudes e longitudes. Deviam pensar que esse era o modo digno de introduzir Walter Benjamin na História, ele que sempre se ocupara da História porém não nessa perspectiva. Os Scheurmann, porque na verdade eram mais de um: Ingrid e Konrad, propunham de fato que se diminuísse a ênfase num Walter Benjamin como um indivíduo particularmente desafortunado para colocá-la na imagem de um Walter Benjamin *representante de um destino típico*: aquele da noção contemporânea do refugiado e da transumância, um destino historicamente típico de todos aqueles, dos quais ele teria sido apenas mais um, que tinham sido forçados a pôr o pé na estrada sem jamais conseguir chegar ao objetivo que se haviam proposto ou que foram forçados a escolher. E de símbolo do refugiado, *nessa operação típica dos congressos acadêmicos*, passava-se em seguida à idéia de Walter Benjamin como símbolo do emigrado: diante daquele prédio descascado que um dia fora ocre ou amarelo, aquela proposição pelo *cancelamento do indivíduo Walter Benjamin* em favor da noção de *símbolo desencarnado de uma História anônima*, ele que no entanto tinha um nome, que sempre tivera um nome a ser novamente reunido a seus restos num cemitério ou que pelo menos tivera seu nome recolocado numa lápide, *me provocava náusea*. Os mortos já não podem rejeitar as diversas bandeiras que lhes atribuem depois da morte, bandeiras que é injusto que suportem, que provavelmente não teriam aceitado suportar e que de todo modo lhes são impostas *depois*, como uma *interpelação* que, é bem provável, ele, Walter Benjamin, teria rejeitado porque nunca a praticaria, porque não havia indícios de que ele a tivesse praticado com outros ou aceitasse que se praticasse com outros. Bandeiras que aliás, como hoje diz uma cantora pop,

50

sempre acabam por matar ou em nome das quais sempre se mata. Naquele momento, em Portbou, naquele dia frio e ventoso, eu não via nem qualidades, nem lógica, nem respeito à sua pessoa, naquela convocação a ver de outro modo o sucedido com Walter Benjamin. Uma coisa era o monumento ao lado do cemitério, aquele corredor de ferro enferrujado sem saída, com uma saída apenas aparente, mergulhando na terra para ser sugado em vertigem na direção do mar lá embaixo: outra, a idéia de que Walter Benjamin pudesse ser símbolo da *emigração*, ele que havia sido um *viajante*. A simples idéia da emigração causava-me a mim, quase, uma vertigem, pela redução que continha. Walter Benjamin entrando na Espanha de Portbou vindo da França de Vichy *enquanto* ironicamente intelectuais e ativistas esquerdistas, como me dizia Alfons, faziam o caminho inverso, fugindo de Franco, que iniciara o golpe em 1936 e o consolidara três anos depois, e fugindo de Franco tanto quanto da Espanha de Franco, uma dupla necessidade para catalães e bascos sobretudo, para os bascos ainda mais, eles que tiveram a cidade de Guernica, por extenso Guernica y Luno, bombardeada em 1937 pela aviação alemã com a aquiescência de Franco naquilo que seria um ensaio geral para a guerra, primeiro, européia e em seguida mundial que eclodiria pouco depois, Guernica que Picasso pintou numa enorme tela naquele mesmo ano de 1937 em seu ateliê da Rue des Grands Augustins em Paris, quase à beira do Sena — o mesmo ateliê que Balzac atribuíra a um pintor de fábula em sua novela *A obra-prima ignorada* publicada cem anos antes, em 1831 — Picasso numa França na qual Walter Benjamin se exilara desde 1933 e onde fora apanhado pela perda de sua nacionalidade alemã em julho de 1939, mesmo ano em que poucos meses depois, de setembro a novembro, outra vez esse mês de setembro, passou pela experiência indigna da internação num campo de Nièvre, no centro da França, mais perto de Paris que de Portbou, o Campo dos Trabalhadores Voluntários de Nièvre, como era chamado nessa terminologia fascista de todas as cores ideológicas da esquerda e da direita que insiste na idéia do *trabalho* e na idéia da *liberdade*, como aquela outra inscrição mais conhecida, *Arbeit macht Frei*, no portão de entrada do campo de extermínio alemão na Polônia dito Auschwitz, um campo de extermínio, Campo dos Trabalhadores Voluntários de Nièvre assim como era "dos Trabalhadores" o nome do partido nazista de Hitler, nacional socialista. E ali estava Walter Benjamin em setembro de 1940 entrando numa Espanha da qual, *enquanto*, saíam intelectuais e militantes rumo à França como o próprio Alfons Martinell faria 30 anos depois *debaixo da mesma ditadura*, ele me dizia, França à qual Walter Benjamin não podia regressar, certamente pelo risco de ser enviado dessa vez a um campo de concentração e provavelmente à morte (que ele de todo modo encontrou em Portbou) uma vez que lá estava em vigor o regime de Vichy, do nome dessa cidade da França central, no departamento de Allier, à margem do rio Allier, famosa já na época por suas fontes termais e que então como depois venderia para todo o mundo sua água engarrafada símbolo de um consumo refinado, Vichy, onde Pétain, Henri Philippe Pétain, instalaria seu governo colaboracionista a 2 de julho de 1940, depois de assinado o armistício com a potência invasora e depois de ter-se tornado, a 10 de julho, chefe do estado que ficara fora do controle e administração diretos da Alemanha, um estado de orientação tão fascista quanto o de Franco na Espanha e tão nazista, nacional socialista, quanto o de Hitler na Alemanha, e para onde, França, Walter Benjamin não poderia regressar e para onde no entanto rumavam os espanhóis antifranquistas. Não uma emigração, não um refúgio: uma passagem para um lugar que não chegou a alcançar. Diante do edifício descascado Alfons lembrou como era de certo modo incompreensível que Walter Benjamin entrasse na Espanha de Franco enquanto espanhóis procuravam sair em direção à França, sem que muitos deles conseguissem entrar na França assim como Walter Benjamin não conseguira entrar na Espanha, ele que mesmo assim no entanto inexplicavelmente conseguiu que o deixassem passar uma noite naquele Hotel de *Francia* depois transformado em Restaurante *Internacional*: dizia-se que aqueles mesmos policiais que lhe tinham permitido o pernoite talvez o deixassem seguir caminho no dia seguinte, dizia-se, mediante "uma pequena consideração", talvez ao alcance de Walter Benjamin já que em seu cadáver fora encontrada uma quantia suficiente para pagar-lhe uma sepultura cristã por um período de cinco anos, até 1945 quando seus restos foram jogados numa fossa comum cuja real localização, para muitos, jamais havia sido determinada, de modo que não se sabia exatamente de quem eram os restos sob aquela lápide que havíamos visto naquela manhã no cemitério de frente para o mar e sobre a qual até eu havia depositado uma pequena pedra, num ritual que me escapava (Anna M. poderia talvez dizer-me algo a respeito — ou, mais provavelmente, não), assim como talvez tampouco se soubesse se de fato havia ali algum *resto*, como reconheceu Alfons, embora alguém devesse saber. Mesmo com aquela *pequena consideração* dos policiais *ou para com os policiais*, provavelmente Walter Benjamin nunca teria saído de Portbou porque a informação que corria era que o proprietário do hotel tinha relações com a Gestapo e a teria informado da presença daquele estrangeiro com passaporte provisório americano e sem visto de saída da França de Vichy, como teriam feito todos os proprietários e porteiros de hotel naquele momento *e depois*: sob todas as ditaduras os porteiros e síndicos de hotéis e prédios de apartamentos sempre informaram a polícia sobre os moradores, lá como *aqui*, embora a idéia de que o proprietário do Hotel de *Francia* tivesse ligações com a Gestapo pudesse ser antes fruto de exposição excessiva das pessoas, inclusive os acadêmicos, aos posteriores filmes americanos cheios de fantasia: mais provável é que aquele proprietário de hotel tivesse ligações com a polícia franquista ou com a polícia vichysta, naquela cidade repleta de burocratas e policiais e que parecia uma porta entre dois mundos quando era na verdade uma dobradiça para duas versões de um mesmo mundo, uma porta, Portbou, como sugeriam alguns sem nenhuma base concreta para isso, pela qual Walter Benjamin poderia ter passado outras vezes sem problemas em sua viagem para Ibiza, Eivissa em catalão, como ela voltou a se chamar depois da queda de Franco, que proibia o idioma local (Ibiza ou Eivissa que no entanto Walter Benjamin poderia também ter alcançado de navio, partindo de Marselha, e não por trem vindo da França até chegar a Barcelona e daí embarcar para a ilha). A hipótese de apresentar Walter Benjamin como *símbolo da emigração* me parecia uma sem-razão que a vista do prédio deteriorado só fazia aumentar, para mim que sentia naquele instante um ligeiro enjôo de estômago que em outras circunstâncias eu tomaria como sinal de fome. Nem símbolo da emigração, nem símbolo do perseguido, eu pensava naquela manhã de vento em Portbou. Seu destino não fora único, longe disso: pouco antes de sua morte, em agosto, o próprio presidente da província da Catalunha, que incluía Portbou, Barcelona e Ibiza, ou Eivissa, três cidades de Espanha a compor o mapa imaginário de Walter Benjamin naquela parte da Europa, foi preso para ser depois fuzilado, em outubro, mesmo mês em que se encontraram Adolf Hitler e Francisco Franco que, ele mesmo, morreria *na cama*, como se diz, na própria cama, em 1975, depois de 36 anos como ditador de Espanha e que teve um monumento público à sua glória no centro de Madrid até este ano de 2005, quando o novo governo espanhol eleito em 2004 ordenou que se eliminassem da cidade todos os restos de glorificação do ditador assassino e torturador, deixando-se apenas no lugar o pedestal vazio, numa solução inteiramente eficaz e sugestiva.

Tampouco isso, porém, autorizaria a pensar em Walter Benjamin como um símbolo do perseguido político: já seria bastante se ele pudesse transformar-se em símbolo de si mesmo, já seria uma *enormidade* se fosse reconhecido como símbolo de si mesmo — e o que pensei ter imaginado naquele momento foi que já seria bastante se fosse possível pensar, por um instante, que ele realmente havia existido e vivido uma vida, sua vida.

O mar à nossa frente, literalmente a nossos pés, era uma massa cinza-chumbo menos agitada do que o mar que víramos desde o cemitério mas ainda assim movente. A baia diante da cidade que sobe pelas encostas das colinas e que, na direção oposta, desce pelas paredes de um saco até tocar o fundo, é acentuadamente fechada, como se fosse a sala de um teatro clássico, de uma ópera de desenho clássico em forma de ferradura: seu palco italiano, o mar, com sua separação abrupta entre palco e platéia, abria-se à minha frente sem que eu pudesse ter a sensação de que essa abertura fosse infinita, fosse uma abertura para o infinito: a neblina, ou, antes, a água levantada pelo vento e pairando no ar como se fosse, absurdo, *poeira de água*, não me permitia enxergar muito longe: desde o cemitério eu vira um fenômeno que nunca presenciara antes: poeira de água, poeira de água levantada pelo vento batendo horizontalmente na superfície do mar e levantando essa poeira que se deslocava por algumas dezenas de metros antes de sumir e ser substituída por outra, ao lado de outras, ao lado de muitas outras. De cima era um espetáculo, um espetáculo quieto mas de um certo modo inquietante: estranho. Vista do nível do mar, como eu estava naquele instante, a poeira de água parecia mais distante e menos ameaçadora naquele quadro feito de mar cinzento, céu cinzento e de montanhas laterais de pedra de aço cinzento. Durante muito tempo *em minha vida* me senti bem, confortável, envolto no cinza da natureza. Provavelmente hoje também, provavelmente naquele instante em Portbou também. Nunca me ocorreria qualificar aquele cenário de *melancólico* e nunca me ocorreu pensar que eu poderia me alimentar da melancolia, como Walter Benjamin certa vez escreveu que era a praxe em Baudelaire numa passagem que sem dúvida alimentava a imagem de Walter Benjamin como um espírito ele mesmo melancólico que em Portbou romanticamente dera fim a sua vida, numa versão que agora, por meio de Alfons, eu sabia que poderia ser inteiramente falsa.

O celular de Alfons estava sem bateria, ele precisava encontrar um telefone público para comunicar-se com a mulher que estava em Barcelona e que aquela tarde iria de trem até Girona onde Alfons deveria apanhá-la antes de seguir para sua casa em Bagnoles, que se pronuncia Bagnolas, à beira de um lago e ao lado de uma diminuta e encantadora capela românica do século XI, magnífica pela austeridade e que eu já tivera a sorte de visitar em outro momento. Mas tudo em Portbou estava fechado, não havia telefone público à vista, Alfons pensou que o mais seguro seria subir até a estação de trens, na cota mais alta da cidade embora não na mais alta do entorno, uma esplêndida construção em ferro e vidro do início do século 20, desenhada por um engenheiro conhecido como o Eiffel catalão, Torras, e por cuja ponte de ferro construída naquela mesma Girona eu havia passado várias vezes admirando a elegância do traço sem conhecer-lhe o autor e sem saber que poderia ser tão antiga, assim como nada daquilo tudo, o cemitério, o Hotel de Francia, a morte de Walter Benjamin, me parecia tão antigo, embora por vezes sim, sob certos aspectos, sim, parecesse. Alfons tinha uma caminhada dura pela frente, dez minutos pelo menos para subir, outros dez para descer, mais algum tempo ao telefone: naquela meia hora eu subiria de novo ao monumento ao lado do cemitério, não ao cemitério, e Alfons me emprestaria o carro: anos antes ele costumava fazer caminhadas pelos Pirineus, estava habituado a marchar forte, talvez em suas andanças pelos Pirineus naquela mesma zona tivesse cruzado algum caminho que Walter Benjamin tomara para chegar desafortunadamente a Portbou, comentei isso com ele mas ele achava improvável, sem saber por quê uma vez que nunca se soube por onde exatamente Walter Benjamin chegara a Portbou vindo da França. Novamente na esplanada de onde sai o monumento de Dani Karavan eu podia agora ficar em pé de maneira um pouco menos desconfortável: o vento já não me jogava para trás ou para os lados, era apenas forte o suficiente para exercer alguma resistência aos meus movimentos: a esplanada está a uns quarenta metros de altura em relação ao nível da praia onde eu parara cinco minutos antes, talvez um pouco mais, e embora aquele ponto não fosse o mais elevado da colina, estava bem exposto ao Mediterrâneo, Mediterrâneo que Alfons amava quase sobre todas as outras coisas físicas ou *naturais* que o rodeavam, Mediterrâneo que eu queria amar também sobre todas as coisas físicas e a cujo círculo de influência me encantaria pertencer embora soubesse que nele jamais poderia penetrar. E o monumento à minha frente, com sua lateral de ferro enferrujado, e depois à minha frente a escadaria descendo em direção ao mar encapelado lá embaixo mal delimitado pela parede de vidro. O corredor com a escadaria me puxando para baixo como me puxara antes: não poderia ser mais alegórico, mais justamente alegórico do estado de Walter Benjamin em Portbou. Eu havia voltado ao monumento porque ficara com a sensação de ter-me afastado dele cedo demais, naquela manhã: deveria ter ficado mais tempo ali, pensara depois, talvez na esperança de que uma estada mais prolongada me passasse tudo que aquele monumento deveria passar, como eu ingenuamente achava às vezes que os monumentos deviam fazer: *passar* para os que o visitam *alguma coisa* do que se propõem representar. Eu sentia, mais do que *sabia* naquele momento, que a minha era uma intenção sem sentido. Mas apenas *depois*, bem mais tarde, me dei conta claramente do óbvio ao ver um trecho de descrição das *passagens*, dos halls de exposição, das estações, escrito por Walter Benjamin, quer dizer, me dei conta de que aquele monumento tinha *fins transitórios*, visava *fins transitórios*, criava situações transitórias. Eu não poderia ficar ali mais tempo do que sentia ser o tempo suficiente, como não ficaria naquela esplanada, nem em Portbou, como Walter Benjamin não pensara ficar em Portbou. Fins transitórios: tinha de admitir que eu lidava mal com essa noção mas naquele instante na esplanada eu não sabia, nem imaginava que lidasse mal com essa noção, apenas sentia que me incomodara não ficar ali, antes, o tempo suficiente e por isso voltara ao monumento. Desci devagar alguns lances da escadaria de ferro, quer dizer, de aço corten, me detive a meio caminho entre a entrada e a barreira de vidro trincado mas não quebrado uma vez que o vidro era laminado: mais tarde, bem mais tarde, quando descobri a passagem sobre os *fins transitórios* descobri também uma descrição das *passagens* de Paris que Walter Benjamin havia feito sem realmente fazer, pois apenas transcrevera um trecho de um *Guide illustré de Paris* que dizia serem as passagens, as *galerias* como às vezes denominamos neste lado do Atlântico sul a esses corredores ladeados por lojas e cobertos por uma estrutura de ferro e vidro que vão de uma rua a outra, como em Milão, "uma recente invenção do luxo industrial, esses corredores com teto de vidro, colunas de mármore, que atravessam blocos inteiros de edifícios cujos proprietários se solidarizaram com vistas a aquele tipo de especulação. Dos dois lados da passagem, que recebe luz do alto, alinham-se lojas elegantes de tal modo que uma passagem é uma cidade, um mundo em miniatura". Não havia mármore a meu redor, apenas ferro enferrujado, ferro preparado intencionalmente para enferrujar-se, e as lojas elegantes das laterais ali davam lugar *a outra coisa* embora ali também me chegasse do alto uma luz que me iluminava tanto quanto possível naquele dia de cor cinza refletido no vidro que em vez de estar por cima de mim, como numa galeria em Paris ou em Milão, estava à minha frente. Mas era certamente um mundo em miniatura: não um mundo em miniatura: um mundo condensado cuja matéria eu não conseguia apreender embora ela fosse evidente: aquela descida em direção ao fundo, ao mar revolto, aquele mergulho dentro da terra por alguns poucos metros cavados na rocha e a emergência em seguida sob um céu que era como se não mais existisse, cancelado pelo teto de ferro daqueles mesmos poucos metros anteriores que se prolongavam imaginariamente acima do visitante. Aquilo não era um lugar onde eu pudesse ficar, onde alguém pudesse ficar, não era nem de longe uma habitação como Walter Benjamin havia um dia escrito ser aquele o objetivo de algum utopista: transformar a passagem em habitação: talvez eu tenha então, retrospectivamente, identificado o horror que eu passara a sentir aos poucos (e cada vez mais) diante das utopias e dos utopistas: era porque *transformavam o transitório em morada*. Meu incômodo por estar ali era tão denso quanto da primeira vez e tão indefinido quanto antes: a rigor eu poderia descrever meu estado como de *confusão emocional*: se havia sido esse o objetivo do autor do monumento ele lograra êxito pelo menos em meu caso particular: revi em minha imaginação o leve sorriso nos lábios de Alfons quando, naquela manhã, dentro da passagem, eu lhe havia dito que *aquilo* era *muito forte*: perguntei-me se Alfons sentia o mesmo que eu, ele que mantinha aquele mesmo sorriso quando falava de "seu" Mediterrâneo, ou se era apenas eu que me via jogado repentinamente naquele estado de *confusão emocional*. O guia ilustrado de Paris que fizera por Walter Benjamin a análise das passagens da cidade que Walter Benjamin poderia ou deveria ter feito e que ele tomou em seguida, naturalmente, como se faz sempre nessas circunstâncias, como sendo uma descrição sua, dizia que aquelas passagens eram fruto da recente invenção do luxo industrial: eu acreditava, retrospectivamente, entender aquele trecho à luz de uma outra observação de Walter Benjamin cuja materialização plena ele não pôde ver em vida e cujo pleno significado portanto quase certamente nunca lhe foi de todo acessível como não o era a mim: eu entendia que aquela passagem que Karavan havia proposto para

Walter Benjamin situava-se de algum modo *na última linha de resistência da arte* que coincidia com *a linha de ataque mais avançada do mercado*, como se diz hoje embora Walter Benjamin tenha recorrido à expressão "mercadoria", que coincidia então com a linha de ataque mais avançada da mercadoria. Retrospectivamente, embora certamente era aquilo o que eu sentia naquele instante, perguntei-me se fazia sentido entender que os proprietários das edificações de veraneio de Portbou, solidarizados, quer dizer, mancomunados com os proprietários da má consciência, da memória histórica da Alemanha, haviam também se cotizado para *aquele tipo de especulação* cujo objeto era Walter Benjamin: afinal, Walter Benjamin era a única coisa que restara a Portbou e Portbou não podia talvez deixar que também *isso*, ele, passasse por ali sem deixar vestígio e sem deixar um benefício para a cidade, ficando então evidente que aquele monumento era também uma forma de exploração mercantil e que, portanto, a última linha de resistência da arte de vanguarda *coincidia exatamente* com a linha mais avançada do mercado (uma vez que aquele monumento era sem dúvida uma forma da arte de vanguarda). Perguntei-me, recorrendo ao que depois eu identificaria como meu *componente cínico* (que na expressão de Walter Benjamin se opunha, em complementação, ao *componente utópico*), elemento cínico esse que sem dúvida sempre havia sido um constituinte de meu espírito, perguntei-me se ocorreria a alguém propor Walter Benjamin, em algum congresso acadêmico, como *símbolo da especulação contemporânea da memória* e do *turismo da memória* e o que isso poderia significar. Mas isso não me importava naquele instante em que eu estava imerso num paradoxo: paradoxo, não confusão emocional (como me ocorrera que eu poderia estar em confusão emocional?). Um paradoxo emocional. Um estado de paradoxo. A menos de meio metro de cada lado, as duas paredes de ferro enferrujado, duras (claro), ásperas, nada de mármore aqui neste monumento: acima o céu cor cinza, aberto — mas as paredes de ferro que subiam não mais que meio metro acima de minha cabeça não me permitiam sentir que o céu estivesse ali: a luz sim, entrava, mas

60

o céu estava ali tão encoberto quanto se de mim separado por um teto de ferro e vidro: à minha frente o mar encapelado atrás do vidro laminado e atrás de mim, à minha frente na verdade porque agora me viro em sua direção, a entrada da passagem sem saída que num dia de sol talvez pudesse assumir a imagem de uma fonte de luz. Alguns dias depois eu descobriria numa livraria de Barcelona instalada num antigo mosteiro e dirigida, novamente a coincidência, por uma filha de Alfons, um livro de Walter Benjamin intitulado *Dirección única, Einbahnstrasse, Rua de mão única*: e me surpreenderia obviamente com a convergência de dados e situações a que em situações usuais se denominam de *coincidências* e que por certo não o são, sendo, como são, resultado de uma *construção de algum modo buscada*. Mesmo no interior daquele corredor (Walter Benjamin escreveu também que o *interior* é o asilo onde se refugia a arte mas eu não sabia se era de fato a arte que estava refugiada ali dentro — mesmo porque o monumento como um todo não estava num *interior* mas *fora*, num exterior, num lugar público) eu sentia a presença do vento me comprimindo para baixo mais do que me empurrando para baixo, me comprimindo para baixo com um certo respeito por minha pessoa mas com insistência, insistentemente: um êmbolo. Alguém escreveu a respeito de Walter Benjamin que *no fim de sua vida*, **towards the end of his life**, ele havia escrito isto ou aquilo, ou pensado isso e aquilo, não me lembro exatamente o quê. Ficara-me na memória aquela expressão: *no fim de sua vida*. Que coisa mais tola, mais sem sentido. Aos 48 anos da idade, Walter Benjamin nunca soube que estava no fim de sua vida, essa situação existencial lhe foi rigorosamente inacessível, lhe foi recusada, caso se prefira este outro entendimento, ou lhe foi poupada, na mesma linha de argumentação porém em sentido contrário: Walter Benjamin não sabia que se aproximava do fim de sua vida, mesmo se tivesse se suicidado em Portbou: ia para Portbou de passagem a caminho de Lourdes e depois Lisboa antes de chegar aos EUA com o visto provisório que o amigo Max Horkheimer lhe havia conseguido. Certamente não pensara que poderia ser ali detido, embora essa fosse uma possibilidade. Não se preparara para morrer ali, não pensara que poderia morrer ali: eu mesmo não poderia escrever, como de início cheguei a pensar em fazer na minha *narrativa*, tolamente, embora por minúscula fração de tempo, que Walter Benjamin havia ido a Portbou para ali morrer. Cheguei de fato a pensar em redigir assim a primeira frase desta narrativa, que tolice. Em todo caso, naquele mesmo ano de 1940 em que ele morreu em Portbou, Walter Benjamin escrevera, em suas *Teses sobre a filosofia da história* (que em italiano são conhecidas como *Teses sobre o conceito de história,* coisa no entanto bem diferente) a respeito de um *estado de emergência* (sobre o qual já escrevera muito antes em *Para uma crítica da violência*), em que vivemos e que não é a exceção mas a regra, certamente um estado de emergência em que ele mesmo vivia naquele momento de guerra e de fuga mas que de um modo ou de outro se vive *sempre* salvo nos fugazes instantes em que se vive uma experiência imediata que bem pode ser chamada de atemporal como no êxtase, no orgasmo e no prazer radical e no contato com uma sensação de natureza como aquela que eu tinha naquele instante na esplanada do monumento e à qual era impossível resistir. Um estado de emergência, ele havia escrito como em conseqüência de um insight, em suas próprias palavras, e a partir do qual era necessário desenvolver uma correspondente concepção da história, uma concepção que levasse à provocação de um *verdadeiro* estado de emergência que permitisse um enfrentamento mais adequado daquilo mesmo que diretamente estava na origem de sua morte em Portbou e da construção daquele monumento: o fascismo, cuja persistência *ainda* hoje não deveria surpreender ninguém, embora o fascismo por vezes venha disfarçado na roupagem daquilo que é supostamente seu contrário político. Que aquele estado de emergência, nos termos de Walter Benjamin, prevalecia em amplos territórios à minha volta para além daquele mar revolto, enquanto eu estava ali, era uma clara evidência, assim como era uma evidência que esse estado poderia voltar a declarar-se ali mesmo onde, como se diz, eu tinha minha *residência habitual*, quer dizer, bem longe dali, em outro país, em outro continente. Em minha imaginação, no entanto, *outros estados*

62

*de emergência* eram possíveis, embora em outro sentido, e provavelmente aquele monumento em cujo interior eu estava sendo insistentemente empurrado para baixo era um deles. Aquilo era um estado de emergência e me parecia evidente que eu também estava num estado de emergência: naquele interior a arte poderia refugiar-se mas não eu. Subindo de volta à esplanada e me expondo ao vento aberto vi a silhueta de Alfons Martinell lá embaixo, na calçada frente à praia, inconfundível em seu volume. Dirigi o carro encosta abaixo.

Na praia perguntei a Alfons Martinell se havia tempo para que eu me aproximasse do paredão de pedra cinza que conformava o lado esquerdo da baía de Portbou, diante da encosta do cemitério. Eu vira alguém andando no sopé daquela encosta, contornando o mar, e gostaria de chegar até lá, sem nenhuma razão específica. Tínhamos tempo, seria uma caminhada de uns cinqüenta metros pela areia até chegar ao paredão. Era como se alguém tivesse cortado a montanha com um cutelo: uma superfície de pedra descia em linha praticamente reta até o mar e um pequeno caminho incerto, quase na horizontal, estreito, permitia que se andasse ao lado da água. Pura pedra de ferro, montanha de ferro puro. A intervalos, viam-se áreas em que a pedra enferrujada manchava-se de amarelo, laranja e ocre. E por vezes formava-se em algum lugar uma poça de vermelho escuro. Não era uma superfície lisa, mas, sim, cheia de pontas, quase como lâminas, lascas que não caíam: cinza escuríssimo, quase preto, e a intervalos a ferrugem colorida. Avancei algumas dezenas de metros, o caminho virava à esquerda numa curva e do novo ponto alcançado a praia onde estava Alfons Martinell não mais era visível. À minha frente, numa cota bem baixa, a não mais de dois metros acima da linha d'água, algo que parecia a base de uma construção: um bloco de concreto do qual se projetavam, aqui e ali, as pontas da estrutura de ferro. De perto, não parecia as bases de uma edificação: não havia altura para isso, a encosta inclinava-se para a frente, nenhuma edificação poderia ser erguida ali. E havia pequenas aberturas horizontais, duas, deixando aberto um vão de uns vinte centímetros que dava àquele bloco de concreto o aspecto de uma casamata, um bunker: dali nada e ninguém que quisesse adentrar à minúscula baia poderia passar despercebido. Estranho. Talvez um bunker franquista, resto da guerra civil, como outros que mais tarde eu veria em Ibiza. Aquele exercício de imaginação era na verdade um desvio momentâneo da descoberta que eu acabara de fazer: olhando o mar cinza cercado pelas paredes cinzas a meu lado sob aquele céu cinza eu havia acabado de perceber de onde Dali tirara a visão de suas telas, de muitas de suas telas que se dizem surreais contendo aquelas famosas imagens de um mar e de pedras lascadas de cor cinza por vezes tingidas por uma cor alaranjada e amarela e ocre, como *A persistência da memória* por exemplo, num cenário que se disse sempre surreal e que era o cenário *dali* e

certamente de outras encostas com aquela entre Portbou e Cadaquès um pouco mais ao sul, onde Dali mantivera uma casa, naquela mesma região em que também se encontra Figueres, sua cidade natal hoje sede de seu grande museu-instalação. Eu me havia longamente entretido no passado com as telas de Dali e lera longamente sobre sua obra e fora preciso esperar *tantos anos* para um dia ir por acaso a Portbou ver o monumento a Walter Benjamin e *por acaso* sentir vontade de me aproximar daquele paredão de pedra de ferro sobre o mar para acidentalmente descobrir, sem nem de longe estar atento àquilo ou estar pensando naquilo, que pelo menos quanto à paisagem Dali *nada inventara*, apenas copiara o que via à sua frente com seus olhos: o mar liso como uma densa sopa de mercúrio pesado e a encosta em pedra de ferro cinza e enferrujada com a superfície feita de lâminas de pedra lascada. O paredão na minúscula baía de Portbou diante do cemitério a cuja entrada o monumento a Walter Benjamin mergulhava colina adentro para em seguida se abrir na direção do mar abaixo.

A saída de Portbou em direção a Girona se faz por uma estreita estrada que passa ao lado daquela que conduz ao cemitério e sobe ainda mais alto antes de descer em direção a uma outra baia e mais outra até que o litoral se transforme numa linha reta. Subindo a colina ao lado do cemitério, Alfons, ele que também amava Paris, disse que gostaria de ler mais a Walter Benjamin, sobretudo o livro das passagens cuja arquitetura menor compunha-se de um ensaio sobre Paris como a capital do século XIX e no qual Walter Benjamin discutia exatamente algumas *passagens*. Algum tempo depois li um trecho de uma carta de Walter Benjamin a Max Horkheimer, que o ajudara a obter o provisório passaporte ou visto norte-americano que de nada lhe valera afinal, e as palavras então lidas se projetam retrospectivamente sobre minha memória do instante em que nosso carro, na verdade o carro de Alfons, subia lentamente a montanha ao lado do cemitério. Walter Benjamin havia dito que naquele trabalho, naquele texto, ele via a verdadeira, quem sabe a única razão para não perder a coragem na luta para seguir vivendo. Palavras fortes, que não se dizem imotivadamente, palavras muito fortes. Com aquele estudo sobre as passagens de Paris, Walter Benjamin pensava obter uma bolsa de um banqueiro norte-americano, outra vez por intermédio de Max Horkheimer. Mas em maio de 1939 Horkheimer avisava que aquela esperança se desvanecera: o parecer do assessor do banqueiro havia sido desfavorável. Palavras como aquelas; um manuscrito em relação ao qual se solicitava uma bolsa dos EUA, no entanto rejeitada; o passaporte americano provisório que deveria levá-lo a Lisboa e depois aos EUA como tantos outros compatriotas e que ele não alcançaria jamais porque a guarda espanhola o rejeitaria embora inexplicavelmente lhe permitisse passar sozinho uma noite num hotel que já àquele momento não deveria ser entusiasmante; a morfina encontrada no cadáver — tudo isso devia ter contribuído para a imagem do suicídio ao lado de um manuscrito que sumira, imagem que agora, porém, para mim se desvanecera consideravelmente, e eu provavelmente disse algo assim a Alfons enquanto subíamos a encosta na direção de Cadaquès que, no entanto, não alcançaríamos naquele dia. Quando descemos quase ao nível do mar no outro lado da colina, alguns minutos depois, o tempo mudara muito: o vento amainara. E havia um sol surpreendente, para aquele tipo de dia e para aquela hora do dia. Alfons passou ao lado de um restaurante praticamente sobre o mar, onde ele disse comer com regularidade. Alfons sorriu e disse que poderíamos ter ali finalmente o almoço de domingo que não tivéramos em Portbou: almoçaríamos de novo, almoçaríamos uma segunda vez. Paramos o carro quase na praia, ficamos com uma das duas mesas ao ar livre ainda desocupadas. Não ventava ali, o frio era suportável ao sol. A garrafa de vinho branco que Alfons pediu servia de prisma para dividir a luz: o vinho era mediano mas a luz do sol atravessando-o transformava-o em uma *jóia do Mediterrâneo*, como Alfons certamente deve ter dito. Pedimos peixes pequenos na brasa cujo nome me escapou e um pouco de lula frita e camarões e mais alguns pescados pequenos que Alfons disse serem típicos dali. Habitualmente Alfons não bebia muito e de todo modo ainda teria de dirigir até Girona: tomei minha parte e a dele. Ergui um brinde silente a Anna M., ausente, numa memória que quase me irritava de tão insistente. A cada copo e a cada porção de peixe ingerida falávamos cada vez mais alto, cada vez mais soltos e distendidos: Alfons sorria o tempo todo. O sol sobre o restaurante durou pouco mais de meia hora: quando desapareceu e o vento dava a impressão de voltar a aumentar, entramos no carro rumo a Girona, de fato sem passar por Cadaquès.

# SUR

Sob um céu azul de doer na memória, em agosto de 2004, Buenos Aires, León Ferrari deu-me um caderno espiralado de grande formato reunindo cópias xerox de notícias de jornais datados de 28 anos atrás. Vinte e oito anos, um quarto de século e algo mais. O título do caderno, em três linhas superpostas: *Nosotros no sabíamos.* Nós não sabíamos. Claro que sabíamos. León Ferrari sabia, óbvio, todos sabiam muito bem, bem demais. León sempre fez da ironia uma linha central de seu trabalho. O título, era evidente, aludia ao que os alemães, ao que muitos alemães haviam dito finda a segunda guerra mundial. Nosotros no sabíamos. Claro que sabíamos. Os recortes juntados por León eram todos de 1976: maio de 76 o primeiro, vários de maio, depois junho, julho, agosto e setembro, muitos de agosto e setembro, vários do mesmo dia de agosto ou setembro, extraídos de vários jornais, às vezes identificados por León à margem do recorte, às vezes não: BHA, *Buenos Aires Herald*; C para *Clarín*; *Crônica*; N de *La Nación*; *Le Monde*; O para *La Opinión*; P de *La Prensa*; R para *La Razón* e *La Voz del Interior*. Alguns desses jornais desapareceram, não propriamente substituídos por outros, depois, mas cedendo espaço a outros, depois. Os recortes cessam em outubro, outubro foi o último mês de 1976 em que León Ferrari recortou essas notícias: "Enigmáticos crímenes descubren en Uruguay"; "Hallan otro cadáver en la costa atlántica uruguaya", "Frente a Colonia se Hallaron 3 Cadáveres Atados con Alambres". Alambres, arames. Os arames. Alguns recortes não incluem os títulos das notícias, as manchetes, apenas o corpo das notícias: "La macabra serie de hallazgos de cadáveres en el río de la Plata, sobre la costa uruguaya, sigue siendo motivo de la atención pública en el vecino país debido a que las víctimas, desnudas y atadas con alambres, presentan en todos los casos signos de torturas y mutilaciones". "A macabra série de descobertas de cadáveres no Rio da Prata, na costa uruguaia, continua motivo da atenção pública no vizinho país pelo fato de que as vítimas, despidas e amarradas com arame, apresentam todas sinais de tortura e mutilações". Ou " In Rosario, police sources reported the discovery of the body of David Alonso, 34, one-time advisor at the Metal Worker's Union and the Peronist Trade Union Youth". "Em Rosário, fontes policiais anunciaram a descoberta do corpo de David Alonso, 34, ex-assessor do Sindicato dos Metalúrgicos e da Juventude Peronista." E outras manchetes, tantas outras: "Aparecen cadáveres", "Encuentran muerto a un ex dirigente radical tucumano", "Ocho cadáveres en San Telmo" — não é um, não são dois de uma vez: oito —"Hallóse un cadáver junto al Obelisco", "Encontrado um cadáver junto ao Obelisco". "Four bodies near Congress", four, "Quatro corpos perto do Congresso", quatro, "Dos cadáveres fueran hallados en Bahia Blanca", que está a uns 300 km de Buenos Aires, a caminho do sul, a caminho da Patagônia, a caminho da ponta extrema do continente, "Halláronse 30 cadáveres en la localidad de Fátima": trinta, mais de vinte, vinte e mais cinco, vinte e cinco mais cinco, vinte e oito mais dois, vinte e nove mais um. Despertar cada manhã e ler os jornais, e ler esses jornais, e ler essas notícias. Notícias que *eles* queriam que lêssemos: o efeito multiplicador das notícias, o efeito aterrador das notícias. Por isso saíam, essas notícias, por isso deixavam que fossem publicadas, essas notícias. Nas cinco primeiras páginas do caderno preparado por León Ferrari contei 56 cadáveres. Nas cinco primeiras. Nas seguintes, continua o desfile de cadáveres: 30 cadáveres dinamitados em Pilar (dinamitados, explodidos a dinamite, despedaçados, feitos em pedaços pelo efeito da explosão de dinamite), dois na Grande Buenos Aires, la Gran Buenos Aires, como se dice, sete em Córdoba. Córdoba. Nove no Canal San Fernando. O canal de San Fernando fica no Partido de San Fernando, que está a 30 km da Capital Federal, que é como os argentinos gostam de designar Buenos Aires, que nesse ato locutório é um pouco despida de sua máscara própria para assumir outra mais neutra e ao mesmo tempo mais pesada, e a 95 km. da cidade de La Plata, capital da província de Buenos Aires; e faz parte da Gran Buenos Aires, o Partido de San Fernando, limitando-se em sua parte continental com os partidos de Tigre e San Isidro, com o rio Luján e o rio de La Plata, todos nomes que habitam as páginas de Borges e provavelmente Cortazar e que ressoam em minha imaginação como para outros, e por vezes para mim também, ressoam nomes como Saint-Germain ou Canal Street, mas há momentos em que Luján e San Isidro e Tigre soam muito mais fortes e poderosos que aqueles outros, e aí se encontraram nove cadáveres, no Canal de San Fernando. E os 20 e poucos corpos despejados nus de um avião militar, corpos ainda vivos que haviam sido anestesiados pouco antes sob o pretexto de que seriam vacinados pois iriam para uma prisão nas ilhas e precisavam proteger-se: 20 e poucos, mais de uma vez, nunca achados, portanto nunca contados por jornalistas corajosos ou que já não podiam mais suportar o silêncio, transmitindo as notícias que podiam ser veiculadas porque, afinal, serviam para intimidar os outros, nós todos. E o ex-presidente boliviano Juan José Torres, assassinado em San Andrés de Giles. La ciudad de San Andrés de Giles, a noroeste da Provincia de Buenos Aires, a 103 quilômetros da Capital Federal, sobre a Ruta Nacional Numero 7. Depois, os seqüestros: 3 em Trelew, e 5 religiosos assassinados em Belgrano (Belgrano, Trelew, o Obelisco, San Telmo, Chacarita, este, especialmente, o nome que eu vi na frente de um ônibus que seguia para esse bairro de Buenos Aires quando eu lá estive com Anna M., anos antes de 1976, e ônibus que tomamos ao acaso, entre tantos, simplesmente para ver aonde ia dar, e ia dar num bairro anônimo, simples, que para mim ou para nós não tinha nada de Buenos Aires porque não era a Buenos Aires dos prédios parisienses e dos cafés nas ruas arborizadas mas que provavelmente para um portenho sim, tinha algo de Buenos Aires, ou esses nomes, Chacarita, Belgrano, que deviam sair por inteiro das páginas de Cortazar e Borges, talvez de Sábato, e que eu acreditava pressentir nos desenhos de Quino, cujos personagens deveriam viver em bairros assim, alguns, talvez, e que tinham todos ressonâncias tão distintas, tão incompletas, tão densas, ou Colônia, de onde saíramos para Buenos Aires uma vez, por barco, e Reconquista ou Palermo), dois em La Rioja, depois os parlamentares, depois, páginas adiante no Caderno de Xerox que tenho agora aberto à minha frente na página 73, 73, os advogados de seqüestrados, depois as notícias sobre os refugiados, depois as notícias sobre os filhos dos desaparecidos. E também ex-ministros e ex-senadores: "Hallazgo de los cadáveres de Zelmar Michelini, ex ministro y ex senador uruguayo quien ultimamente se desempeñaba como redactor de temas internacionales de *La Opinión*; de Hector Gutiérrez Ruiz, ex presidente de la Cámara de Diputados del Uruguay, de la señora Rosario del Carmen Barredo de Schroeder y de un cuarto aún no identificado. Culmina así, luego de cinco dias de incertidumbre — el secuestro de los primeros se perpetró el martes último — un proceso cuyo trámite generó estupor e indignación en la Argentina y en el exterior". Estupor y indignación. Estupor. Estupor. "El señor Michelini era padre de diez hijos y se hallaba radicado en el país desde 1973, cuando fué clausurado el Parlamento uruguayo, en calidad de refugiado, no habiendo infringido en ningun momento las normas del derecho de asilo." Diez hijos. Diez. Dez. Ten. Dix. Dieci. Diez. Zen. E as notícias de pedidos de *habeas corpus*: "Familiares del periodista uruguayo radicado en Argentina...", "Familiares de Martín Beláustegui...", "El padre de Ricardo Zeff, de 18 ãnos...". E as pessoas procurando informações sobre parentes desaparecidos: "Diplomat seeks missing daughter. Former Uruguayan legislator and diplomat José Antonio Quadros yesterday made a public appeal to know the whereabouts of his daughter Ana Inés missing since July 13, when several Uruguayans living in

Buenos Aires also disappeared. Miss Quadros, 31, a mother of three, was living in Buenos Aires". "Diplomata procura pela filha desaparecida. O diplomata e ex-parlamentar uruguaio José Antonio Quadros fez ontem um apelo público para saber do paradeiro de sua filha Ana Inês desaparecida desde 13 de julho, quando vários uruguaios vivendo em Buenos Aires também desapareceram. A srta. Quadros, 31, três filhos, vivia em Buenos Aires". Aquele apelo, como os apelos agora dos parentes dos seqüestrados pelos terroristas no Iraque e que serão, vários, homens, mulheres e crianças, decapitados porque "colaboram com o inimigo". E mais seqüestrados: "25 people abducted. Refugees snatched by 40 gunmen. Twenty five people — all but one of them Chilean and Uruguayan refugees — were abducted early yesterday morning during a commando-style raid on the hotels were they were lodged under the protection of the United Nations High Commissioner for Refugees. Forty heavily armed men, brandishing machine guns broke into two small hotels in a lower middle class neighborhood of Buenos Aires between two and four am, roused the refugee families housed there from their beds and herded their menfolk away in a convoy of cars. The United Nations High Commissioner here announced last nigh-" e o recorte acaba aqui, datado de 12/6/76, BAH, *Buenos Aires Herald*, não continua na página seguinte, que é a de número 74. "25 pessoas seqüestradas. Refugiados levados por 40 homens armados. Vinte e cinco pessoas — todas, menos uma, de origem chilena e uruguaia — foram seqüestradas ontem pela manhã, durante uma investida de tipo militar, dos hotéis onde tinham sido alojadas sob a proteção do Alto Comissariado das Nações Unidas para os Refugiados. Quarenta homens fortemente armados, metralhadoras em punho, irromperam em dois pequenos hotéis num bairro de classe média baixa de Buenos Aires entre duas e quatro da madrugada, tiraram da cama as famílias de refugiados ali instaladas e levaram os homens num comboio de carros. O Alto Comissariado das Nações Unidas anunciou aqui na noite pas-". Entre duas e quatro da madrugada. Nunca me esquecerei

desse intervalo noturno, sob a ditadura. Entre duas e quatro. Ou entre três e cinco. Quase nunca depois das cinco. Sempre antes das seis, sempre antes de amanhecer totalmente. Essas horas da madrugada. Gravadas. O comboio de carros. Na Argentina, os Ford Falcon, os carros da repressão. No Brasil, as C 10 da General Motors, as peruas como se chamavam à época, não ainda vans, as odiadas C 10 da repressão, as odiadas C 10 da ditadura, suas quatro portas atrás das quais nos víamos sempre que algumas faziam uma curva rápida em alguma rua à nossa frente, as C 10 e os Ford Falcon, a automobilística da repressão, os carros da Fórmula R, R de Repressão. E as notícias sobre os refugiados, a pequena ponta da solidariedade: "Australia recibe a refugiados", "Dejaron el país otros 49 refugiados", "Viajaran 16 refugiados", "Viajan a México seis refugiados", "Viajó para Suiza un grupo de refugiados", "Regresan a Peru 12 amenazados", "En tres meses partieron 768 refugiados". Na página de apresentação do Caderno de Xerox, cujo título verdadeiro é *Nosotros no sabíamos*, embora eu o chame de Caderno de Xerox e poderia acaso chamar de Livro de Artista, Livro de Artista sobre a Ditadura, León anota que essas são as notícias que conseguiram escapar ao garrote da censura ou que se permitiu que viessem a público como advertências e recados do terror e que, embora longe de abarcar todos os crimes cometidos pelas forças armadas da Argentina, dão uma idéia do clima em que vivia a população e do grau de conhecimento que tinham aqueles que justificavam esses crimes dizendo "algum motivo há", quer dizer, "algum motivo deve haver para terem prendido essa gente, para terem seqüestrado essa gente", para terem matado essa gente, "algum motivo há", novo código penal dos repressores e seus simpatizantes e que em seguida seria substituído pela forma depois preferida "nós não sabíamos". E León especificava na introdução que daquele caderno haviam sido publicados quatro exemplares em 1976, quando ele já estava no Brasil, três outros também no Brasil, em São Paulo, em 1984, e outros quatro quando da exposição "500 anos de Repressão" realizada no Centro Recoleta, Buenos Aires, em agosto de 1992, ano em que muitos preferiram assinalar os 500 anos desde a invasão das Américas, quer dizer, da América, e que a partir de 1992, à medida que esses cadernos eram solicitados, fotocopiaram-se cerca de 20 exemplares por ano. Ele me deu um desses tantos, não sei exatamente de que ano, não estão datados. Quatro exemplares em 1976, três em 1984, quatro em 1992, depois 20 por ano desde 1992, um total de 251 exemplares. 118 cadáveres nas primeiras 11 páginas do Caderno de Xerox de León. Na metade desse volume de xerox com 83 páginas, aquele número de 251 é alcançado e superado. No total, todos os anos somados, talvez cerca de 30 mil entre assassinados e desaparecidos, diz León. Alguns dizem que é muito, talvez 10 mil *apenas*. Contra esse número, no outro prato da balança, as 251 cópias do *Nosotros no sabíamos*. No final de 1976, em algum momento entre 21 de outubro, data do último recorte, fim de ano, León Ferrari e a família vêm para São Paulo, esta cidade do Brasil. Partiram primeiro a mulher Alicia e as filhas Mariali e Julieta, depois León e provavelmente o outro filho. Aquele último recorte de outubro, extraído de *La Razón*, o último do Caderno, no canto inferior direito da página, tinha como título "Van a Cuba los Refugiados Uruguayos" e dizia que dez refugiados uruguaios haviam viajado aquela manhã para Havana, via Lima, com o amparo do Comitê Intergovernamental para as Migrações Européias e o Alto

76

Comissariado das Nações Unidas para os Refugiados, num vôo que partira às 9:30 de Ezeiza em avião da Aerolíneas Argentinas e faria escala em Lima, onde, previa o redator da notícia, os refugiados embarcariam na Cubana de Aviación com destino final a Havana. Não deve ser a última notícia lida por León antes de deixar a Argentina, mas deve ter sido uma das últimas que recortou ou uma das últimas que recortou e guardou consigo. Nessa página 83, a última do Caderno de Xerox, havia outros seis recortes, todos falando de refugiados: "Austrália recibe a refugiados", do *La Opinión* de 2 de setembro; "Viajaron 16 refugiados", do *Clarín*, 3 de outubro; "Viajan a México seis refugiados" do *La Opinión* de 7 de outubro; "Dejaron el país otros 49 refugiados", este inesperadamente sem data e sem indicação do jornal de origem; "Viajó para Suiza un grupo de refugiados", *La Nación* de 8 de outubro; "En três meses partieron 768 refugiados", *La Nación* de 10 de setembro e aquela de 21 de outubro, "Van a Cuba los Refugiados Uruguayos". Apenas nessa mesma página, mais de 1291 refugiados, um mil duzentos e noventa e um: 5 alemães, 28 argelinos, 288 argentinos, 8 austríacos, 9 australianos, 30 belgas, 4 brasileiros, 178 canadenses, 98 cubanos, 6 dinamarqueses, 1 espanhol, 74 franceses, 23 ingleses, 5 israelitas, 2 italianos, 50 mexicanos, 25 noruegueses (25 *noruegueses*), 28 neozelandeses, 56 holandeses, 2 portugueses, 111 suecos (111), 7 russos, 16 venezuelanos, além de 48 uruguaios, paraguaios, centro-americanos e outras nacionalidades, mais de 1291 pessoas naquela página com 7 pequenos recortes, os números flutuam à minha frente, minha contagem é incerta, essa *demografia do desespero e do horror*, as notícias dizem que em junho daquele ano 323 refugiados haviam deixado o país, 187 em julho e 260 em agosto, sendo que estes 260 de agosto foram absorvidos por 17 países distintos, dizia o porta-voz do Alto Comissariado das Nações Unidas apenas para "dar um exemplo", como disse, sem incluir outros países que recebiam os foragidos e asilados e exilados: Canadá, Suécia, França, Grã-Bretanha, Noruega, Cuba, México, Venezuela, Áustria. Os recortes mapeiam tanto a realidade exterior quanto o mundo interior de León Ferrari naqueles dias. Lendo todas aquelas notícias sobre os refugiados, León deveria estar-se perguntando se não deveria ele também partir, partir antes que fosse tarde demais. E ao mesmo tempo deveria hesitar sobre o momento justo da partida: se cedo demais, quer dizer, desnecessariamente cedo demais, depois talvez se arrependesse, por diferentes razões. Se pelo contrário a decisão fosse tomada tarde demais, um pouco tarde demais que fosse, o arrependimento poderia ser ainda mais arrasador: não era ele apenas que estava em jogo, os filhos também. Outros filhos. Os *outros* filhos. Quando partir? Deveria partir? Para onde partir? Conheci essa angústia da decisão. Em algum momento entre 21 de outubro e o final de 1976, León Ferrari partiu para São Paulo, primeiro a mulher e as duas filhas, depois ele e um filho.

Sentado no Café de la Paix ao ar livre em Buenos Aires numa tarde de inverno, diante do cemitério da Recoleta e do Centro Cultural de la Recoleta onde León faria uma exposição individual dali a três meses, repasso os dados contidos em seu *curriculum vitae*, seu *résumé* como insistem os americanos, palavra rude para descrever uma vida, rude sem ser incorreta, uma lista simples extraída de um arquivo de computador. À minha frente, na mesa branca do Café de la Paix, uma taça de vinho branco que na verdade é amarelo-ouro e através da qual vejo o azul limpo do céu de Buenos Aires, nenhuma nuvem no horizonte, num gesto que um amigo do momento um dia chamou de *sibarita*, termo que em princípio designa pura e simplesmente o habitante de Sybaris mas que agora significa apenas *voluptuário, sensualista* e que aquele amigo pensava que fosse um termo depreciativo, um insulto mesmo, talvez por causa do som da palavra que em português soa mal e que talvez lembrasse a esse amigo de então (que não pertence à cultura do português) outra palavra parecida, como sicofanta, cujo sentido específico de parasita ele talvez não conhecesse mas que lhe servia para supor que sibarita seria igualmente aviltante quando na verdade é apenas indicativo do habitante de Sybaris, cuja existência só veio a ser confirmada e conhecida, na sua forma original de Sybaris, em 1932 pela iniciativa de um certo Umberto Zanotti Bianco que naquele mesmo ano havia sido confinado em Sibaris, na Sicília, em virtude de suas idéias antifascistas, o que ali lhe permitiu descobrir o sítio arqueológico da cidade destruída em 510 a.C. pelos Krotons que contra Sybaris haviam desviado o curso do rio Crato, fazendo com que a cidade ficasse oculta por séculos, cidade fundada entre 730 e 720 antes de Cristo e que depois de Taranto foi sem dúvida a maior e mais rica e sofisticada cidade da Magna Grécia, com seus cem mil habitantes distribuídos em 510 hectares de terra, cidade que em 530 a. C. havia chegado a seu ponto culminante como metrópole logo em seguida à destruição de Siris, o que lhe permitiu controlar um vasto território contendo 25 outras cidades, sendo então destruída pelos Krotons para vir a ressurgir apenas mais de um século depois, com o nome de Thourioi, graças à intervenção de Péricles, o mesmo Péricles do século de ouro da Grécia ou do século de Péricles, e graças também à colaboração por exemplo do filósofo Protágoras de Abdera, que redigiu sua constituição, e do arquiteto Hipodamo de Mileto, autor de seu projeto urbanístico, ele que já havia traçado o plano do Pireu, porto de Atenas, todos estes outros tantos motivos para deixar bem claro que meu amigo de então não tinha a mais remota idéia do que dizia quando qualificava de sibarita aqueles gestos meus e meus costumes, que de fato o eram, sibaritas, como tinham de ser, naquele dia azul na Recoleta. Estou bem acomodado dentro de meu corpo, a mente, o espírito confortavelmente alojado no que parece ser a cabeça mas naquele instante espraiado pelo corpo, creio, o espírito todo. O espírito do corpo, o espírito no corpo, o espírito no copo. Sibaritismo fundamental. Nas outras mesas ao redor, na praça entre o Café e o Centro Cultural, as pessoas fazem o que fazem as pessoas num dia de inverno sob o azul inconfundível de Buenos Aires, que não é este azul dos Alpes que tenho agora na janela e que foi visto também por Caspar David Friedrich embora ele o deva ter visto do outro lado da fronteira e eu deste lado, do lado italiano, sobre Bellagio, no alto desta montanha, deste lado de uma fronteira que não existe mais e que, claro, continua tão dura quanto antes, tanto que se exige que todos os residentes temporários na cidade tenham seus dados registrados pela polícia e pela prefeitura. O *résumé* de León tem dezoito páginas, com linhas secas referindo-se cada uma a uma atividade, uma exposição, um prêmio, um livro, uma citação, um texto sobre sua obra ao lado do nome do respectivo autor do texto: procuro meu nome e ele ali está, como deveria estar, três vezes: foram mais, creio. Ou talvez só isso mesmo. Leio que sua última presença numa atividade na Recoleta, dois anos antes, foi num evento, terá sido uma mostra?, intitulada "Cruzada creativa: concientización de la afasia". Recordo que sua mulher, Alicia, escreveu um livro sobre a experiência com uma filha muda: nada sabia sobre o assunto, foi estudar para saber comunicar-se com a filha, escreveu a respeito. O vinho branco sorvido em goles minúsculos não atenua o impacto do vazio que de repente se abre em algum lugar dentro ou fora de mim: todas aquelas 18 páginas nada dizem da vida de León, o que é aquilo tudo afinal? Nada. Do outro lado da rua uma jovem ganha a vida pintando-se de tinta prateada, o corpo todo pintado de tinta prata, como se fosse uma estátua metálica, imóvel sobre um improvisado pedestal como se fosse uma estátua grega. Ocasionalmente alguém joga uma moeda num pano à sua frente e ela então se inclina lentamente, em reverente agradecimento. Mas isso acontece muito ocasionalmente. Uma jovem. Parada no dia azul de inverno em Recoleta ganhando a vida imobilizada como se fosse uma estátua grega. Daqui a pouco ela descerá do pedestal precário e se comportará aproximadamente como um ser humano: hesito entre qual das duas percepções dela me é mais penosa. Meu primeiro texto sobre León Ferrari é de 1984, diz o *résumé*: eu o conheci bem antes, no entanto. Um pequeno apartamento ao lado da principal avenida de São Paulo, em todo caso a mais chic, como se diz, numa cidade que não tem nenhuma avenida chic, menos ainda elegante. No apartamento, uma varanda envidraçada ou um espaço que havia sido uma varanda envidraçada e que agora era a continuação da sala, sem divisórias, uma sala terminando na vidraça sobre a rua, num segundo andar. Perto da vidraça León trabalha numa bancada que serve como centro de seu improvisado ateliê. Está terminando uma pequena escultura em arame que será oferecida em seguida, alguns dias depois, ao primeiro colocado de um concurso de piano para iniciantes: alguém pagará pela escultura. Digo arame mas não é bem arame, são fios de ferro duro, suficientemente duros e firmes para permanecerem em pé depois de fincados e amarrados a uma base de madeira, embora permaneçam em pé também porque estão presos uns aos outros por minúsculos outros fios soldados em cada uma das hastes num trabalho de oriental paciência, como se diz. León terá esquecido de incluir essa pequena peça, trinta centímetros de altura se tanto, em seu *résumé*: em todo caso, não sabe onde localizá-la: terá se esquecido dela. Um amigo comum que organizava o concurso pediu-lhe a escultura, uma peça diferente daqueles infames troféus costumeiros. León se diverte mostrando-me a peça. Ri e fala o portuñol que o acompanhará sempre. Tomamos um vinho barato que

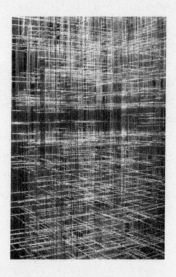

provavelmente eu levei. Uma semana depois convidamos León e Alicia para jantar em nossa casa, minha e de Anna M. León terá levado então um vinho barato, ele também: o vinho que agora tomo diante do cemitério da Recoleta, onde está enterrada Eva Perón e diante do Centro Cultural da Recoleta onde León terá uma retrospectiva dentro de poucos meses, é um pouco melhor, apenas um pouco. Quase nada melhor. Entre uma taça e outra, no entanto, vinte anos. *Vinte anos depois*, como em Alexandre Dumas. Com a diferença de que quando li Alexandre Dumas não podia imaginar que *aqueles* seriam meus vinte anos ou que *aqueles* "vinte anos depois" teriam aquela espessura particular. A bancada de seu improvisado ateliê no seu primeiro endereço em São Paulo está tomada por uma quantidade de peças disparatadas, papéis e arames, fios de ferro, soldador, papéis desenhados e papéis de heliografia. Deve ser então que relato a León, pela primeira vez e provavelmente última vez, minha ida e minha mudança para Paris, com Anna M., nos anos que sob a ditadura no país Brasil se puseram insuportavelmente escuros, assassinos. E daquela confusão de peças e instrumentos e matéria-prima e desenhos e papéis variados espalhados sobre a mesa, e que provavelmente confundo e misturo com as imagens de outro ateliê que León teve também em São Paulo, este sim um verdadeiro ateliê, grande, vasto, alto, precário, naturalmente ainda mais lotado e caótico e babélico que o primeiro, e que provavelmente confundo também com o ateliê que enfim agora tem para seu trabalho lá mesmo em Buenos Aires, numa casa só para isso e que acabo de ver há pouco mais de um mês, também numa grande confusão, e daquela confusão sobressaia a peça encomendada à guisa de troféu, uma miniatura de outras que viriam depois, 30 ou 40 ou 50 ou 30 tiras de arame duro, fios de ferro, fincados numa base de madeira e erguendo-se verticalmente a poucos centímetros uns dos outros de modo a formar um quadrilátero ou retângulo essencialmente vazio, apesar das múltiplos fios de ferro, vazio ou vazado, subindo na direção do teto do apartamento como uma pequena catedral. Suponho que desde então chamo essas peças de catedrais, *as catedrais de León Ferrari*. Provavelmente naquela mesma primeira noite em seu primeiro e pequeno apartamento em São Paulo, e depois que o termo *catedral* me sai naturalmente da boca, León me conta que seu

82

pai havia sido *construtor de catedrais*. Construtor de catedrais. *Les batisseurs d'empire*. Talvez tenha me contado *mais tarde* esse detalhe central de sua vida, numa outra ocasião, e eu retroprojeto essa informação para aquela noite, ao redor da garrafa de vinho medíocre (mas os vinhos medíocres têm uma certa vivacidade vagabunda real, não apenas imaginada — e quase nunca decepcionam). Naquela noite León quase certamente me narrou esse detalhe isolado sobre a vida de seu pai ou sobre sua própria vida, rindo ao final da frase, como sempre, como se aquilo tudo fosse uma piada existencial, uma incongruência, um disparate, quem sabe com um ou outro comentário adicional e preciso que me escapou — e apenas 30 anos depois, 30 anos depois ou quase isso, quando León consegue enfim publicar o livro que por décadas pensou fazer sobre o pai e quando passo por Buenos Aires vindo de outro lugar da Argentina e dele recebo o exemplar lançado um ano antes, tenho enfim a possibilidade de ver algumas imagens de seu pai, o construtor de catedrais, o construtor de catedrais na Argentina, provavelmente o último construtor de catedrais da história das catedrais não apenas o último construtor de catedrais na Argentina mas o último construtor de catedrais *tout court*, em qualquer lugar, pois catedrais não se fizeram e não se fazem mais (igrejas sim, por vezes, mais freqüentemente capelas, capelas modernistas como as de Corbusier e Niemeyer, capelas pós-modernistas algumas: catedrais não, não catedrais como aquelas, catedrais verdadeiras, catedrais historicistas), o último construtor de catedrais no século vinte, o único construtor de catedrais vivo no século 20. Talvez León me mostrou naquela noite uma foto de uma catedral projetada e erguida por seu pai, uma foto pregada numa parede, uma dessas fotos antigas em branco e preto, escuras, um pouco dobradas, talvez vergadas sobre si mesmas — uma imagem que não voltei a ver durante 20, 30 anos, até León me dar esse exemplar do livro que enfim havia conseguido publicar sobre a obra do pai. A foto de uma autêntica catedral. É possível que por alguns instantes, quando me falou do pai, eu tenha pensando que se tratava de um construtor de igrejas, pequenas igrejas, certamente de início pensei que ele se referia ao pai como construtor de igrejas, mas não, tratava-se de catedrais, e não de uma catedral porém de mais de uma, como esta de Córdoba, com seu portão principal encimado por uma sucessão de arcos ogivais sobrepostos, como na Notre-Dame de Paris, e com suas dezenas de estátuas na fachada, olhando para a praça fronteiriça, e suas dezenas de colunas finas, e suas duas torres retangulares, uma delas, a da esquerda, à direita de quem observa, terminando numa agulha convencional enquanto a da direita, esquerda do observador, é uma torre cega, como no tempo em que as catedrais demoravam 200, 400 anos para serem terminadas e em algum instante se desistia da segunda torre. A catedral historicista de Córdoba, assinada por Augusto César Ferrari. Igreja do Sagrado Coração, em Córdoba, uma catedral gótica com rosáceas e gárgulas, no interior da Argentina. E depois mais outra catedral em Córdoba, e outra igreja, e mais uma catedral, a de Nossa Senhora do Carmo, em Villa Allende, Córdoba, a foto acompanhada por dois desenhos de autoria do próprio arquiteto, o pai de León, um desenho detalhado, fotográfico, onde se vê cada bloco de pedra, e outro genérico, apenas com os traços exteriores do corpo central da catedral vista de fora e um pouco de cima, o transepto, a torre única na frente, terminando em fina agulha, e a agulha menor sobre o cruzamento do transepto com a nave central, e no canto direito inferior do desenho, num retângulo, a referência ainda em italiano: "Chiesa de V. Allende". Não eram catedrais, claro, porque não eram a sede local da igreja, mas arquiteturalmente era o que eram: catedrais. Depois, no mesmo catálogo, as fotos de família, várias, esta foto legendada "Viagem à Europa no navio *Principessa Mafalda*, 1922", e a família no tombadilho, junto a uma escada, o pai arquiteto construtor de catedrais, a esposa, mãe de León, com um bebê de colo, o filho mais velho ao pé da escada, que poderia ser eu em foto análoga 30 anos depois, e León em pé no quarto degrau da escada que o deixava ainda assim com a cabeça em nível inferior à cabeça do pai, vestido, León, quase como menina, o cabelo grande, sem forma definida, longo, encacheado, uma foto de família bem-

84

sucedida, todos vestidos *como se devia*: a construção de catedrais rendia, no início do século 20. Várias viagens de navio à Europa, várias fotos de família, vários projetos de catedrais não construídas, como esta num estilo gótico quase flamboyant encimada por uma torre no entanto pós-românica, quase como a torre de São Marcos, em Veneza, projeto para General Paz, Argentina, que não saiu do papel. Fotos da felicidade da família Ferrari, várias, a mãe e os filhos num jardim, as montanhas ao fundo que poderiam ser as de Bellagio que vejo agora da janela do estúdio na torre do castelo que depois virou *palazzo*, uma duas três quatro cinco seis sete oito fotos da família feliz, as fotos da felicidade, ao ar livre num mesmo jardim e em jardins diferentes. A família feliz. Imagens da família feliz. Imagens da felicidade *depois*, da felicidade percebida *a posteriori*, da felicidade que é filosoficamente contemporânea de si mesma mas não historicamente contemporânea de si mesma, felicidade que, parece, nunca pode ser historicamente contemporânea de si mesma, não costuma ser, quando se tem dois e três anos de idade como tinha León nessas fotos. E as muitas fotos de Veneza que o pai arquiteto tirou, fotos escuras de uma Veneza vazia, sem vaporetti, com uma única gôndola fazendo o traghetto, a travessia, levando duas pessoas de uma margem do canal à outra, em pé na embarcação como o gondoleiro, algo que na época da foto não constituía uma façanha especial como hoje, quando os traghetti se fazem em meio às ondas criadas pelos ônibus-vaporetti revolvendo as águas sujas. O catálogo está dividido em quatro seções: *cuadros, panoramas, iglesias y fotografías*, e por isso posso ver essas epifanias instantâneas de uma vida que cabe num volume de 318 páginas. Vejo os desenhos de catedrais de Augusto C. Ferrari, esse construtor que viveu o século de 1871 a 1970, seis anos apenas antes de León exilar-se no Brasil, esses desenhos que as fotos usadas para as reproduções mostram como se estivessem num papel ocre ou num papel velho, amarelado pelo tempo, e penso nas heliografias de León Ferrari. Heliografias não são do tempo de Augusto C. Ferrari mas León deve ter visto os desenhos que o pai usava para as catedrais e dali deve ter surgido a idéia para suas dezenas e dezenas de heliografias, como esta intitulada *Autopista del sur*, mostrando uma auto-estrada

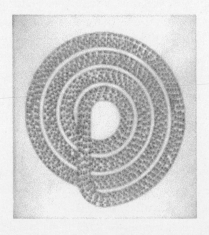

que dá voltas sobre si mesma e se fecha num labirinto sem saída e remete ao conto de Cortazar de mesmo nome, "Autopista del Sur", incluído, na edição que conheço, em *Todos los fuegos el fuego*, de 1966, e que comprei e li em Buenos Aires quando lá fomos, Anna M. e eu, em 1971, escapando da ditadura daqui e que lá não estava ainda forte, parecia, e que principia, o conto de Cortazar, com uma epígrafe num italiano que me soa ainda mais familiar agora aqui em Bellagio, *Gli automobilisti accaldati sembrano non avere sotiria... Come realtà, un ingorgo automobilístico impressiona ma non ci dice gran che*, três linhas extraídas de uma reportagem publicada em *L'Espresso* a 21 de junho de 1964, relatando um congestionamento de estrada que já àquela altura surgia como espantoso e que não era nada senão uma pequena amostra do que aconteceria 30 anos depois: *Os automobilistas acalorados parecem não ter saída... Na verdade, um engarrafamento automobilístico impressiona mas não nos diz muita coisa...* E que continua, nas primeiras linhas do conto, assim: AL PRINCIPIO LA muchacha del Dauphine había insistido en llevar la cuenta del tiempo, aunque al ingeniero del Peugeot 404 le daba ya lo mismo. Cualquiera podía mirar su reloj pero era como si ese tiempo atado a la muñeca derecha o el *bip bip* de la radio midiera otra cosa, fuera el tiempo de los que no han hecho la estupidez de querer regresar a París por la autopista del sur un domingo de tarde y, apenas salidos de Fontainebleau, han tenido que ponerse al paso, detenerse, seis filas a cada lado (ya se sabe que los domingos la autopista está íntegramente reservada a los que regresan a la capital), poner en marcha el motor, avanzar tres metros; detenerse, charlar con las dos monjas del 2HP a la derecha, con la muchacha del Dauphine a la izquierda, mirar por el retrovisor al hombre pálido que conduce un Caravelle [...], e que li numa Buenos Aires gelada num inverno de 1971, cem anos depois do nascimento de Augusto C. Ferrari, num livro cujos outros contos me impressionaram mais que esse. Como *Todos los fuegos el fuego*, aquele que dá titulo à coletânea e que assim começa: "Así SERÁ ALGÚN día su estatua, piensa irónicamente el procónsul mientras alza el brazo, lo fija en el gesto del saludo, se deja petrificar por la ovación de un público que dos horas de circo y de calor no han fatigado. Es el momento de la sorpresa prometida [...]" ou "Um dia assim será sua estátua, pensa ironicamente o proconsul enquanto ergue o braço, observa-o no gesto de saudação, deixa-se petrificar pela ovação de um público que duas horas de circo e calor não cansaram. É o momento da surpresa prometida...". A estátua, um dia, o *pensar irônico*, o público não cansado. As estátuas, um dia. Estátuas não mas fotografias, sim, de nus femininos tiradas por Augusto César Ferrari, que tinham tudo para ser incluídas naqueles pequenos livros de 10 ou 12 páginas de fotos de nus femininos impressas numa cor entre sépia e avermelhado que de algum modo me chegavam às mãos e me impressionava muitíssimo as idéias e os sentidos, para dizê-lo assim, quanto eu não tinha ainda 14 anos. Mais que essas fotos de nus femininos, que se poderia descrever como "nus artísticos", impressionam as fotos que tirou de homens despidos, a maioria fortes e sólidos homens italianos provavelmente sem muita qualificação profissional, caras de operários e camponeses, curiosamente todos circuncizados, que Augusto C. Ferrari dispunha em poses religiosas (um São Sebastião de corpo perfeito, grossas e bem-torneadas coxas que fariam a admiração da contemporânea iconografia gay) ou heróicas (colocando-os a sustentar uma pilha de tijolos sobre a cabeça, equilibrados sobre uma tábua, de modo a serem obrigados a fazer alguma força de reação a fim de sustentar o peso sobre a cabeça e manterem-se a si mesmos eretos, o que permitiria a Augusto C. Ferrari, mais tarde, desenhar homens sustentando colunas, como cariátides insólitas). Ou homens amarrados a colunas, mãos e braços atrás do corpo ou atrás das colunas, como se a ponto de serem executados ou flagelados nesse imaginário bíblico — torturados, na palavra de hoje —, alguns com uma cara de espanto, a boca aberta, olhando para cima, acocorados ao pé da coluna falsa e a ela amarrados, como se vissem a morte ou a dor aproximar-se numa cena que poderia ser a dos reféns seqüestrados que terroristas islâmicos agora executam diante de câmeras de vídeo, cortando-lhes a garganta lentamente ou lentamente separando a cabeça do corpo estrebuchante e que precisa ser segurado, para que depois a emissora de televisão árabe correspondente, que alguns dizem simpatizante, possa multiplicar por todo o mundo globalizado a força de sua fé e de sua decisão, imagens que podem ser vistas facilmente nos *web war sites* e que circulam pelo Iraque na forma de videocassetes que podem ser vistos à noite, depois do jantar, pela família reunida e interessada. Augusto César Ferrari punha-os nessa posição para pintá-los, foi pintor também, ele mesmo fazendo os desenhos e as pinturas que decoravam suas igrejas, um excelente diretor de cena pelo visto, capaz de extrair daqueles corpos amadores todo o profissionalismo de um gesto que nenhum pintor poderia imaginar sem o apoio da observação direta. E mulheres igualmente posando, como madonas renascentistas, como rainhas, como pecadoras. E um surpreendente Cristo, corpo perfeito que jamais passou por uma academia de ginástica inexistente na década de 20 na Itália ou na Argentina, desnudo, um pano aveludado parcialmente cobrindo a parte superior da coxa esquerda, deixando à mostra um amplo triângulo de pêlos púbicos, o rosto barbudo semi-virado para trás e para a direita, numa contorção piedosa. E fotos de meninas e meninos desnudos, os *putti* das pinturas "clássicas", ajoelhados, acocorados, sentados, puxando, dois deles, um de cada lado, um pedaço de pano seguro também pela mão de um adulto, de resto invisível, de modo que seus pequenos corpos se retesem na medida certa requerida por um afresco que depois ele teria ou imaginava que teria de aplicar em alguma aristocrática casa argentina ou nalguma catedral que nem por sonho pensava então construir. Todas fotos que Augusto C. Ferrari utilizaria para suas pinturas bíblicas, se cabe chamá-las assim. *A força do passado*, intitula-se o capítulo do livro sobre Augusto César Ferrari dedicado à sua obra pictórica. A força do passado, sem dúvida, naquelas catedrais em Córdoba. E do presente também, na visão de Augusto C. Ferrari, o pintor de *panoramas,* essas grandes reportagens visuais do século XIX, os grandes *espetáculos visuais* dirigidos às *massas urbanas*, equivalente ao cinema e à televisão de hoje, feitos de enormes telas pintadas dispostas sobre uma rotunda de 360 graus no interior de uma construção eventualmente também circular a cujo centro o espectador chegava atravessando um corredor escuro até alcançar uma plataforma de onde podia entregar-se à observação da imensa tela representando batalhas (como as que Napoleão quis mandar fazer para registrar suas glórias: mas não conseguiu, tampouco isso) ou alguma mítica cidade distante muito comentada e por ninguém vista, cidades distantes, tudo numa situação de intenso realismo visual, esse mesmo *efeito de real*, efeito de mundo, que hoje também se busca nas diversões eletrônicas coletivas dos grandes parques digitais globalizados espalhados pelo mundo, aqueles *panoramas* dispostos em vastos salões de 40 metros de diâmetro ou mais, abrigando telas de 120 metros de extensão por 14 de altura, vastas, imensas, e a cuja execução Augusto C. Ferrari, pai de León, também se entregou, ele que em 1910 viajou a Messina, na Sicília, para documentar-se com fotos e desenhos (dos quais nada se conserva, diz o catálogo) sobre o terremoto que havia arrasado a cidade dois anos antes, a 28 de dezembro de 1908, e com os quais ele poderá em seguida pintar a gigantesca tela do panorama *Messina distrutta*,

Messina destruída, "com a velocidade de um repórter", nela mostrando "os lugares mais interessantes, a gente desesperada, a praia coberta de escombros", uma tela circular de 124 metros por 15 de altura, da mesma natureza de outra na qual havia colaborado com Grosso, a respeito da Batalha de Maipu na Argentina e que tinha esse mesmo nome, *Panorama da Batalha de Maipu*, um "espetáculo visual funcional para o nacionalismo do regime conservador" argentino da época, diz o catálogo, preparado para estimular o caráter das pessoas por meio da glorificação do heroísmo. O panorama *Messina distrutta* era diverso, favorecia a *emoção* do espectador pela proximidade, no tempo, da catástrofe natural que havia arrasado a cidade siciliana poucos depois do Natal de 1908, no dia 28 de dezembro, no mesmo mês e quase cem anos antes, dia a dia, da tsunami que em 26 de dezembro de 2004, um dia depois do Natal, em resultado de um terremoto no fundo do Oceano Índico, arrasou ilhas e litorais do sudeste asiático na maior catástrofe da história moderna da humanidade, superior nos efeitos aos estragos causados pelas duas bombas atômicas despejadas sobre o Japão em Nagasaki e Hiroshima, quase cem anos antes dia a dia, o terremoto de Messina, nesse período de intensidades entre o Natal e o Ano Novo e que em 1910 resultou pintado no panorama de Augusto C. Ferrari exibido não em Messina mas em Turim, no Pavilhão Circular de Valentino, entre as ruas Esposizione e Donizetti, julho de 1910, local onde ficou vários meses antes de transformar-se numa das principais atrações paralelas da Exposição Universal de Turim em 1911, de onde seguiu para Londres, outro centro mundial dos panoramas, cidade que não se sabe se o autor do panorama siciliano, Augusto C. Ferrari, pessoalmente visitou. Os comentários da imprensa da época, recuperados pelo catálogo que León Ferrari conseguiu enfim produzir depois de ter o projeto na cabeça por 20 anos, são eloqüentes: "uma reprodução fiel e impressionante do grandioso espetáculo de Messina destruída pelo terremoto" — quase as mesmas palavras usadas para descrever o atentado às Torres Gêmeas de Nova York em 2001: *grandioso* e *espetáculo* — algo capaz de produzir "um sentimento de angústia: Não[sic]: a mente não conseguira imaginar, antes, a catástrofe, grandiosa em sua complexidade, tão evidente na reprodução de mil detalhes vistos na primeira hora... Nem a fotografia nos havia dado isso" — e esse é o ponto importante na reafirmação do *triunfo da pintura*, naquele momento como quatro séculos antes e como agora: nem a fotografia pode *dar* aquela sensação — "nem o cinematógrafo em seu forçado fracionamento das cenas fora suficiente para fazer reviver a tragédia..." que o panorama de Augusto C. Ferrari no entanto captara e oferecera, uma peça tida como de notável qualidade, uma obra-prima do gênero na época pelo tratamento da perspectiva — imaginar, planejar, executar uma perspectiva em 360 graus... — e pela fidelidade na multidão de detalhes. Vejo uma usadíssima e semi-rasgada foto de Augusto C. Ferrari sobre um grande andaime, pincel na mão, pintando, diz a legenda, o *Panorama da Batalha de Maipu*, em 1909, diante do que parece um moinho de vento à holandesa, já bem-definido pictoricamente, em seus detalhes: um moinho de vento holandês

em Maipú, Argentina. Depois outros panoramas viriam, o *Panorama da Batalha de Tucumán*, o *Panorama da Batalha de Salta*, telas tematicamente similares, fisicamente similares, 11 metros de altura por 96 de comprimento, exibidas em Buenos Aires num terreno entre as hoje valiosíssimas calles Carlos Pellegrini y Corrientes, cedido a Augusto C. Ferrari pela municipalidade, por um ano, em troca de 15% da receita bruta obtida com a venda das entradas. O *Panorama da Batalha de Salta* foi realizado em 55 dias com um único ajudante e inaugurado a 6 de julho de 1916 com a presença do presidente Victorino de la Plaza e grande cobertura da imprensa para o espetáculo que além da tela mostrava *efeitos de luz* somados à música *criolla* composta especialmente para a ocasião pelo maestro Lamberto Pavanelli, música que se encerrava com o som dos clarins conclamando ao combate, que coisa. O mesmo Panorama foi exibido depois em Rosário, em 1917, num galpão metálico, cilíndrico, de 114 metros de circunferência e 16 de altura, iluminado por 22.000 bicos de luz. "Esta tela será una de las más notables en su gênero de las exhibidas en Buenos Aires". Depois e antes disso, a decoração de interiores de igrejas e capelas, que Augusto C. Ferrari fazia a partir de suas fotos encenadas. E as catedrais construídas. O construtor de catedrais. O último construtor de catedrais. O último construtor de catedrais no século XX. O panorama.

No final de junho de 1971 parti com Anna M. para Buenos Aires, de ônibus, uma viagem de vinte e tantas horas, de São Paulo a Porto Alegre e em seguida, num trajeto ilógico, em vez de tomar o rumo óbvio do sul, enveredando pelo oeste de modo a penetrar na Argentina pelo norte, atravessando vasta extensão do país antes de chegar à Capital Federal. De ônibus certamente porque era mais barato porém igualmente porque, em alguma parte, talvez em menor parte mas em alguma parte, porque ainda nos tomava a idéia de que pelo ar não se veria nada do país e por mar era demasiado turístico, como nos dissemos. Vimos o norte da Argentina. Vimos as estradas do interior da Argentina. Em 1968 o PIB argentino havia aumentado em 5%, um índice que hoje vários países da região, como o país Brasil, considerariam, mais do que ótimos, fantásticos, míticos e que, obviamente, de fato pouco ou nada representam. A inflação não chegava a 10% anuais, o que era considerado uma maravilha, e a balança de pagamentos registrava um superávit de excelentes 200 milhões de dólares. Isso depois que em 1966 o presidente da república Arturo Illia, que havia recebido a visita de Jacqueline Kennedy, viúva do assassinado, 3 anos antes, presidente dos EUA, naquele instante na Argentina, ela, a Jackie, para passar uns dias numa estância de amigos na região de Córdoba, Illia então em 29 de maio ouve um discurso do ministro do exército, um militar, dizendo que havia um *vazio de poder* no país, anúncio que um mês depois, dia a dia, em 28 de junho, era seguido pela ocupação das emissoras de rádio e TV por tropas do exército e pelo cerco à Casa Rosada, sede da presidência da república argentina, quando Illia é comunicado, pelo general Julio Alsogaray, chefe do I Exército, que estava destituído do cargo, das funções e do poder. A crônica registra que Illia relutou em sair, aceitando os fatos apenas quando as tropas sublevadas ameaçaram invadir o palácio para desalojá-lo à força, como depois fariam no Chile com Allende, outras tropas que no fundo são as mesmas tropas, sempre as mesmas tropas. Uma foto de Illia no momento em que era tirado da Casa Rosada

assemelha-se notável e surpreendentemente, mas adequadamente afinal, a pinturas religiosas dos mestres do Cinquecento italiano, como a tela de Tintoretto que se pode ver no Museu da Accademia de Veneza, chamado Gallerie dell'Accademia, conhecida como *São Marcos libertando um escravo*, um óleo sobre tela de 1549, de 415x541cm. Na foto da expulsão de Illia de seu paraíso particular pode-se ver uma coluna que organiza verticalmente a cena, de trás da qual surgem dois torsos inclinados, como dois anjos, duas cabeças, pelo menos uma com a vasta cabeleira típica daquele ano, 1966, e que poderia ter sido a cabeleira de um personagem bíblico tal como se representavam os personagens bíblicos no século XVI; essa coluna está fortemente iluminada, como se um clarão divino descesse sobre ela; e, mais abaixo, um movimento em espiral da direita para a esquerda do observador, uma onda humana num cenário com arcadas e pórticos. Em 1967 os militares argentinos golpistas iniciam a aplicação de um plano econômico liberal que 30 anos depois seria conhecido como, na verdade, neo-liberal — e a moeda nacional argentina é desvalorizada em 40%. Provavelmente essa desvalorização, cujo efeito se prolongou no tempo, também nos animou a seguir para Buenos Aires, que, por causa dos romances que líamos, nos interessava mais que a Argentina. 1968, o ano de maio, é o ano em que o PIB argentino cresce em 5%. Mas a Central Geral dos Trabalhadores, na sua sigla internacional CGT, globalização de que não se falava e não se fala, diz que a reforma econômica beneficia apenas as classes mais altas: parte da CGT se declara de aberta oposição ao governo golpista. De modo até certo ponto surpreendente, num país dominado pelas botas e pela Igreja, aprova-se uma lei que permite o divórcio por mútuo consentimento, Lanusse é nomeado chefe do exército e em La Plata três navios petroleiros são incendiados, atribuindo-se o fato à sabotagem de esquerdistas. Em 20 de setembro é descoberto um grupo de guerrilheiros na região de Tucumã, a noroeste da Argentina, e depois de intenso tiroteio são detidos 20 jovens que se identificam como peronistas de esquerda. Enquanto isso, um grupo de sacerdotes católicos apresenta ao governo, ou melhor seria dizer: ao poder, um memorando exigindo a suspensão da erradicação das favelas. Uma das maiores tragédias da história do futebol mundial acontece no campo do River Plate, em Buenos Aires, quando 70 pessoas são pisoteadas no momento em que o público deixava o estádio e encontrava as saídas fechadas pela polícia, por medida de segurança política. Nesse ano acontecia também na Argentina o primeiro transplante de coração do continente. Em 1969 o governo do golpista Onganía continua jactando-se de seu sucesso econômico, como fizeram e fazem ainda hoje todos os governos, com tons de direita ou com tons de esquerda, de toda essa parte do vasto subcontinente americano: o PIB cresce em 7% e a inflação recua para 8%, dois pontos percentuais a menos que antes, o que é considerado uma vitória monumental. Mas o mal-estar social continua e cresce e nesse ano serão registrados 350 atos de violência pública, o mais grave sendo o Cordobazo, que começa em Corrientes quando um estudante morre a 5 de maio em decorrência da repressão policial. Seguem-se fortes manifestações em Rosário, ocupada militarmente. A 29 de maio a cidade de Córdoba é invadida por militantes de organizações operárias, que ocupam as sedes das empresas estrangeiras. O exército intervém e 14 morrem. A Universidade de Córdoba é fechada, como o serão várias outras, na Argentina e em outros países da região nessa e na década seguinte. A revista *Primera Plana* é fechada pelo governo e em seu lugar surge *Ojo*, a seguir também fechada. O filme *Teorema*, de Pasolini, tem sua exibição proibida no país. Mas as historietas de *Mafalda*, curiosamente (pelo menos para mim, que nunca havia me encontrado antes com esse nome *ao vivo*, para dizer assim) o mesmo nome do navio onde se tirou a foto da família Ferrari em 1922, a Mafalda do cartunista Quino, de algum modo circulam livremente pelo país com suas observações de conteúdo claro; quando chegamos a Buenos Aires, Anna M. e eu, a primeira coisa que fazemos é comprar vários exemplares de *Mafalda*, primeiro os lançados naqueles meses, depois todos os anteriores. Um tesouro. A coleção, 20 anos depois, se

95

dispersou tolamente dentro de minha própria casa: sumiu. A paz social, de que se orgulhava Onganía, estava rompida. Se houvera algum alívio, econômico e ideológico, para algumas camadas da população argentina quando do golpe de 1966, como quase sempre há a princípio, nessas ocasiões, nada mais disso restava três anos depois. Em 29 de maio de 1970, Dia do Exército, um ano exatamente depois do Cordobazo (assim como eu iria à Argentina, com Anna M., cem anos depois do nascimento de Augusto C. Ferrari, em 1971, e quase literalmente um ano, dia a dia e mês a mês, porque Augusto César Ferrari nasceu a 31 de agosto e eu e Anna M. chegamos a Buenos Aires em julho de 1971: esses ciclos ou círculos coincidentes, já se terá notado, se repetem assombrosamente nesta história), o general Aramburu é seqüestrado por um grupo de guerrilheiros (hoje talvez se dissesse "terroristas") que começávamos a conhecer fora da Argentina sob o nome de Montoneros. Os guerrilheiros, jovens de classe média e católicos, vestidos como militares, assassinam Aramburu (cujo cadáver foi localizado e identificado a 379 km da capital Buenos Aires, quase 50 dias depois do seqüestro), com o que Onganía se desgasta e é sacado do poder a 8 de julho por outro general, este de nome Levingston. Aramburu. Quis saber por que mataram Aramburu, nome que sempre me fez pensar no artista argentino Uriburu que na Bienal de Veneza de 1968, portanto dois anos antes da morte violenta de seu quase homônimo ou, em todo caso, daquele que portava um nome com ressonâncias muito próximas do seu, havia tingido de verde as águas do Grande Canal, numa intervenção de eco-arte, todas as águas do Gran Canal tingidas de verde, el verde Uriburu, como diz o artista. Aramburu. Por que Aramburu, um general a mais? De início me pareceu um general a mais. E no entanto, por que Aramburu? Quem havia sido Aramburu? Aramburu nascera na região de Córdoba, aí estava outra vez o círculo vicioso, em 1904, e havia exercido a presidência de fato do país em nome de uma certa Revolução Libertadora, como todas o são ou querem arrogantemente ser, sendo essa apenas mais uma — mais uma na Argentina, mais uma na América Latina às direitas e às

96

esquerdas — entre 13 de novembro de 1955 e 1º de maio de 1958, quando entregou o poder ao novo presidente constitucional Arturo Frondizi. Aparentemente, Aramburu, no momento do seqüestro, chegava à conclusão que não seriam as botas, nem as esporas, a conseguir abrir processos mais sólidos de *participação cívica* (seria o mesmo que democracia? Se sim, por que não se diz a palavra?) e, sim, os votos, razão pela qual havia se apresentado como candidato às eleições de julho de 1963, quando falhou na conquista de simpatias antiperonistas em número suficiente para vencer o radical Arturo Illia, o mesmo Illia que em junho de 1968 é arrancado do poder na foto de reverberações visuais renascentistas ou, em todo caso, na foto de reverberações iconográficas católicas, além de renascentistas ou, melhor, maneiristas. Radical. Arturo Illia, um radical. O que pode ter sido o radicalismo na Argentina me é quase impossível entender para além de fatos como o de ser a Unión Cívica Radical um dos partidos políticos de maior persistência na América Latina, com seus mais de 100 anos de cena pública dos quais no entanto apenas 27 passa no poder e o resto na oposição ou simplesmente excluído do sistema político; ou não sei muito mais que a descrição que Norberto Bobbio faz do radicalismo, termo que gradativamente passou a referir-se quase exclusivamente às formações de centro-esquerda que tinham sua base social e sua clientela eleitoral, que é uma muito boa palavra, clientela, entre as classes médias urbanas, algumas poucas rurais, entre a intelectualidade burguesa "progressista" e as burocracias estatais em expansão, e certamente as burocracias estatais em expansão deveriam constituir uma parte poderosa não apenas dessa clientela como do aparelho partidário propriamente dito; assim como não sei nada muito além do fato de que Hipólito Yrygoyen foi o primeiro a eleger-se presidente da república pelo radicalismo, em 1916 — ele que, para contrariar o presidente do antigo regime, Carlos Pellegrini, o mesmo nome *Carlos Pellegrini* que dará nome à rua delimitando o terreno com face também para Corrientes *no qual Augusto C. Ferrari mais tarde exibiria seus panoramas num acordo com a municipalidade da Capital Federal,* e desses retornos coincidentais é preciso ter clara noção, para contrariar então Carlos Pellegrini que gostava de dizer que *na Argentina não se governa, se manda,* Yrygoyen, opondo-se a isso, dizia então que pela primeira vez queria *governar*, embora com muitas imperfeições, dizem os cronistas; e também não sei nada além do fato de que o radicalismo considerado mais autêntico é aquele imbuído das idéias que vêm do Iluminismo francês do século XVIII, combinado com as correntes do idealismo romântico social da geração argentina de 1837 (correntes que de resto estão no Iluminismo original), defensoras da idéia de democracia como expressão da soberania popular participativa, e da idéia do indivíduo como um ser concebido para a liberdade em solidária harmonização com as necessidades da sociedade em seu conjunto e com as idéias da harmonia social, do diálogo, da tolerância, da pacífica superação dos conflitos e de um humanismo pacificista; e, também, não sei muito além do fato de que Arturo Illia era considerado um dos radicais com maior consciência explícita de tudo isso, ele que havia vencido as eleições de 1963 para ser arrancado do poder maneiristicamente em 1968; nada disso me dava uma idéia muito precisa do que na prática poderia ter sido ou era o radicalismo. O fato é que sete anos depois das eleições de 1963, dois anos depois da queda de Illia, o Cordobazo e o fracasso da reforma econômica liberal, que depois seria conhecida como neoliberal e que faria as delícias de mais de um governo de direita ou de esquerda, golpista ou eleito democraticamente, para usar essa palavra consagrada, inclusive no país vizinho que se chama Brasil, o Cardobazo e o fracasso econômico, como dizia, punham Onganía na porta da rua, pronto para ser despejado da Casa Rosada. Lendo à esquerda e à direta, foi-me possível formar o desenho de que se especulava com a possibilidade de que Aramburu pudesse ser o sucessor de Onganía, embora ele mesmo — alega-se, em alguns domínios — continuasse pensando na, como se diz, *saída democrática.* Nunca se saberá se Aramburu teria aceitado ser outra vez ditador: o seqüestro interrompe suas cavilações democráticas e faz com que vários admitam a hipótese

98

de que sua eliminação correspondia a uma desesperada tentativa de setores do *próprio grupo no poder* (do governo, como se diz) para preservar Onganía — o que faria dos opositores Montoneros nada além de bonecos manipulados por aqueles aos quais diziam opor-se, algo de resto demasiado freqüente na história da esquerda que gosta de rotular-se a si mesma, curiosamente, *latino-americana*. Os Montoneros, claro, tinham outra explicação: Aramburu havia sido "justiciado", palavra que não se pode deixar de associar, nestas circunstâncias, a *justicialismo*, o movimento ligado a Perón, nascido em 1895, observador militar, na década de 30, dos sucessos, como se diz, nazistas e fascistas na Europa e que em 1943 se une a um complô militar para derrubar o então governo civil da Argentina, formando-se um novo governo (poder, é a palavra) do qual ele, Perón, participa como ministro até ser mais e mais apoiado por setores da sociedade, o que lhe vale a eliminação do grupo dominante em 1945, quando é posto sob custódia por não mais do que 15 dias, uma vez que sua formosa ou atraente e dinâmica amante Eva, Evita, que mais tarde por pouco escapa de tornar-se um *sex symbol* nas telas de cinema americano do mundo todo, em versão colorida, à frente de um coletivo apoiado por organizações operárias exerce pressão para que o libertem, o que ocorre a 17 de outubro quando Perón aparece no balcão central da Casa Rosada para falar a 300 mil pessoas reunidas na praça à sua frente e às quais promete conduzir às eleições seguintes, em 1946, quando se elege presidente. Então, Aramburu havia sido *justiciado,* diziam os Montoneros ao justificar o ato de sangue que causara enorme alívio nas hostes do poder, por ter assinado os decretos 10.362 e 10.363 de 9 de junho de 1956, quer dizer, de 14 anos antes, que haviam legalizado o fuzilamento sem julgamento de 30 pessoas, elo genealógico dos 30 vezes 3 vezes 30 vezes *n* assassinatos e dinamitações de corpos que depois León Ferrari teria de ilustrar com recortes da imprensa em seu *livro de artista* **Nosotros no sabíamos**. Diz a crônica que ao ouvir a *sentença* Aramburu pediu que lhe amarrassem seus sapatos desamarrados e esperou a morte sem pestanejar. Não se sabe como morreu, oito anos depois, em 9 de maio de 1978, Aldo Moro, o presidente do partido italiano que então se chamava Democracia Cristã, "sentenciado" à morte e igualmente "justiciado" pelas Brigadas Vermelhas, que abandonaram seu corpo 55 dias depois do seqüestro (Aramburu ficou "em paradeiro desconhecido" por 49 dias até que achassem seu cadáver: deve ser esse o prazo médio para essas coisas) no interior de um Renault 5 vermelho, comercial, deixado emblematicamente em via Cattani, uma rua a meio caminho entre a via delle Botteghe Oscure e a Piazza del Gesù, onde estavam as sedes dos dois principais partidos italianos da época, a Democracia Cristã e o PCI, o *pitchi,* como se dizia à época (se dizia, porque agora o *pitchi* não existe mais), Partido Comunista Italiano, os dois adversários máximos do momento que,

para as Brigadas Vermelhas, deveriam dividir entre si, apenas os dois partidos e ninguém mais, muito menos as próprias Brigadas Vermelhas, toda a culpa pela morte do político e homem público, como se diz, que elas no entanto, as Brigadas, haviam assassinado: a culpa era coletiva, como se dizia, e era *dos outros*. Não se sabe como morreu Aldo Moro, se com os sapatos desamarrados ou com os laços dos sapatos adequadamente amarrados. Meu pai morreu num dia de agosto de 2002, pouco tempos antes de eu partir para os EUA para uma longa estada, e tampouco sei se estava com os sapatos ou não, e se estavam amarrados ou não. Também Artaud, Antonin Artaud, foi encontrado morto gelado aos pés de sua cama com *um sapato na mão*: a morte e os sapatos. E na década de 70 se me encheram os olhos de sangue até mais não poder. Naquele mesmo ano de 1970 os Montoneros realizam atos em outras cidades e assassinam agora (muitos jornais diziam "matam" mas a palavra é "assassinam"), conforme o princípio da gangorra ou da justiça simétrica, não a outro expoente dos *grupos no poder*, como diziam, mas a um líder sindical da CGT, quer dizer, da oposição, supostamente (quer dizer: supostamente de oposição). A 27 de outubro o Prêmio Nobel de Química é concedido ao argentino Luis Frederico Leloir, um francês de nascimento, de pais argentinos, e que viveu em Buenos Aires desde a idade de dois anos, quando todos na Argentina (todos não, uma parte sim, alguma parte, porque ele não era querido por todos, ao não ser querido nem pela esquerda, que o dizia reacionário, nem pela direita, que o tinha na conta de qualquer coisa, nem por muitos leitores que nunca se preocuparam em saber onde se situar a si mesmos nessa contenda) quando muitos na Argentina e fora da Argentina esperavam que o ganhador fosse outro Luis, Borges, Jorge Luis Borges, pela Academia sueca mais uma vez preterido, e outra e outra vez mais enquanto vivesse. Ouvido pela imprensa naquele instante, Borges declara, com sua tecida ironia, que a não outorga do prêmio a sua pessoa constituía apenas a confirmação de uma "conhecida tradição escandinava". Nesse mesmo ano, Borges, Jorge Luis Borges publica *El informe de Brodie*, que comprei (creio) no ano seguinte e que outro prêmio Nobel, este de literatura e em 2003, prêmio que Borges não recebeu, J.M. Coetze, em 1998, 28 anos depois, *os mesmos vinte e oito anos depois* que marcaram o período entre o instante inicial da compilação daquelas notícias de jornal por León Ferrari e o momento em que ele me dava um exemplar de *Nosotros no sabíamos*, Coetze, num artigo no prestigioso, como se diz, *New York Review of Books*, incluiria na *fase de declínio criativo* do mítico escritor de uma mítica Buenos Aires. Nessa Buenos Aires desaba nesse mesmo ano um edifício de 15 andares e morrem 30 pessoas, outras 30, a Argentina se afirma como o país que mais horas de televisão emite no chamado mundo ocidental e bombas em supermercados e assaltos a delegacias de polícia e quartéis do exército tornam-se comuns: 473 atos de violência acontecem no país nesse ano. Um ano depois chego a Buenos Aires pela primeira vez, com Anna M. Descemos do ônibus depois de vinte e tantas horas, numa rua ou numa praça (era de noite) que parecia bordejar uma massa de edifícios que começava logo em seguida, coisa que víamos sem no entanto termos a mais mínima idéia de onde estávamos, apenas víamos aquela massa de edifícios à nossa frente, àquela hora mágica do dia, a mesma que Magritte fixou numa de suas telas mais atraentes, *atraentes* no sentido em que se diz que um astro maior atrai corpos espaciais menores que contra ele se esborracham quando crêem dele se apoderar, emocional ou intelectualmente, pois para isso serve a arte, quer dizer, para esfarelar e esborrachar as coisas e as pessoas e as idéias, nada mais. E intuímos então, mais do que vimos, a massa escura de prédios contra o céu de um azul tornado ainda mais profundo por um resto de luz do dia, como na pintura famosa de Magritte: *O império das luzes*, sob o império das luzes estávamos: parados, olhando imaginariamente para a massa de prédios que se recortava em silhueta contra o céu azul de Buenos Aires. À nossa frente, descidos do ônibus, havia uma linha de táxis, entramos no primeiro com nossas malas, que talvez fossem uma só, e demos ao motorista o número de um hotel na Calle Florida. O motorista confirmou o endereço, repetindo-o para nós ao nos olhar pelo retrovisor, esperou nossa ratificação, que obteve, pôs o carro em movimento, virou a primeira esquina à direita, a 20 metros de onde o havíamos abordado, andou outros 20 metros, parou e disse: Aqui está, Calle Florida, hotel. Quase sorrindo, provavelmente porque ainda éramos jovens e belos ou em todo caso *bem apessoados,* certamente Anna M. o era, bela, ela que para mim sempre se pareceu com Ingrid Bergman em *Casablanca*, absolutamente idêntica, a mesma beleza, a mesma classe nos gestos, e de todo modo não parecíamos nenhum imigrante boliviano ou peruano em busca de trabalho, que naquele tempo não existiam ou não seguiam para a Argentina, o inferno começaria depois. Cortês. Amável, o taxista. Pagamos o valor da bandeirada, porque a corrida não marcou mais que isso, e perplexos e um tanto envergonhados com nossa ignorância e ao mesmo tempo animados pelo espírito jocoso e acolhedor do taxista portenho entramos no hotel menos que modesto em Calle Florida para começar no dia seguinte nosso périplo *em busca da cultura* numa Buenos Aires que nos parecia um paraíso diante do clima opressivo que reinava no país Brasil desde sete anos antes. Por que achávamos que na Argentina se podia então *respirar mais* e melhor é quase um mistério para mim, agora. Não sabíamos nada do que sabemos agora, apenas que o peso argentino valia menos que a moeda brasileira em vigor no momento, talvez uns 40% menos, pelo menos uns suficientes 20%, moeda brasileira que podia ser qualquer uma das tantas que tivemos nos últimos 40 anos, cruzeiro, real, cruzeiro novo, cruzado, o que for, e sabíamos que tínhamos ido a Buenos Aires para *respirar um pouco,* pedindo ao motorista de táxi que nos levasse ao hotel da Calle Florida, o que ele em seguida fez, dobrando a esquina e detendo-se a poucos metros de onde havíamos partido com um sorriso irônico mas gentil nos lábios, deixando-nos à porta do hotel modesto porém simpático (ou assim ele ficou na memória) onde ficamos em toda nossa permanência em Buenos Aires, sem nos importarmos muito com o precário elevador de porta pantográfica e o aspecto decadente do quarto, para nós sinais de um passado que há muito havia sido eliminado de São Paulo, cidade que elimina tudo, porque estávamos completamente apaixonados um pelo outro, ou pelo menos eu estava completamente apaixonado por Anna M., e se sabe como esses sentimentos fazem passar seus portadores, se assim se pode dizer dos sentimentos e dos que os sentem, por cima de outras tantas coisas.

Não sei, vendo agora as coisas em retrospecto, por que nos pareceu que na Argentina se respirava e se respiraria um clima imensamente mais livre que no país Brasil, de onde saíamos esmagados pelos *últimos acontecimentos*. De todo modo, em Buenos Aires fomos diversas vezes à Ateneo, aquela que nos parecia então uma vasta livraria da Calle Florida, a algumas poucas quadras de onde estávamos, comprar todos os dias pilhas de livros que não podíamos ler ali, na viagem, que nem queríamos ler ali porque estávamos ali para outra coisa, e dos quais muitos provavelmente ficaram sem serem lidos até agora enquanto outros sim foram lidos e relidos várias vezes. Acima de tudo, fomos ao cinema, numa sessão da tarde, ver *A batalha de Argel*, de Gilles Pontecorvo, totalmente proibida no país Brasil, como tantas outras, e que era no entanto uma película de 1965, não daqueles anos imediatos e mais próximos de nós mas *já de 1965*, uma película em branco&preto sobre a luta pela independência da Argélia frente ao poder colonial francês a respeito da qual havíamos lido amplamente na *Les Temps Modernes*, a revista dirigida por Sartre, que não assinávamos mas cujos números comprávamos regularmente assim que chegavam a São Paulo, sem que eu possa agora saber exatamente de onde saía o dinheiro para isso uma vez que o dinheiro que tínhamos então era várias vezes menos que aquele de que dispomos agora sem, no entanto, podermos agora comprar sistematicamente revistas francesas ou americanas ou de que procedência for pois a classe média vem sendo de modo progressivo mas firme limada e corroída e esmagada há 40 anos sob todos os governos deste país, o Brasil, dos facínoras militares aos liberais de centro e direita e aos *populares* de esquerda ou de qualquer outro tom político, e isso sem que as classes mais abaixo consigam qualquer ganho, na demonstração mais contundente de que a grande luta no país Brasil nunca foi, nos últimos 40 anos, a luta de classes *mas sim a luta entre o Estado e a sociedade*, sob governos dos facínoras militares, dos liberais de centro e direita e dos populares de esquerda e qualquer outro tom político ou, se for o caso de continuar falando de luta de classes, uma luta entre a classe política e a classe civil, entre a classe política e a sociedade civil. E estávamos então diante da projeção de *A batalha de Argel*, de Gilles Pontecorvo, esse grande panorama da luta anticolonial (não conhecíamos ainda, é evidente,

104

as batalhas intracoloniais de Augusto C. Ferrari) que nos levaria a ler (ou que talvez já tivéssemos lido) *Les damnés de la terre*, de Franz Fanon, que, estávamos convencidos, éramos nós mesmos, os condenados da terra, numa sessão vespertina numa sala com poucas pessoas, imaginando que por maior que nos parecesse, embora tolamente, a liberdade respirada em Buenos Aires, a qualquer momento alguém jogaria uma bomba dentro da sala onde se projetava esse filme que por vezes parecia um documentário e não um *feature film*, um filme de ficção, um filme *construído*, tão *convincentes* são as cenas de rua e o anonimato das caras dos atores, num tom de intensidade tamanha no entanto contrabalançado de algum modo, nos pareceu, por uma representação sensível, não maniqueísta, dos "bandidos", dos "malvados", quer dizer, do exército colonial francês. Jogariam uma bomba, achávamos, porque era isso que se fazia contra aquele filme quando exibido em alguns países, mesmo na França e sobretudo na França. O filme fora proibido em vários países por ser visto como um manual para a guerrilha revolucionária, como depois o seria o livro de Regis Debray, *Révolution dans la révolution*, que nos venderam por baixo do pano na Livraria Francesa de São Paulo, em algum momento de 1968, numa edição da Maspero, graças à cumplicidade da diretora da livraria, que acaba de morrer para provavelmente levar junto consigo o que resta do acesso à cultura francesa no Brasil, se for uma cultura, isto é, e que muitos de nós víamos, ao livro do Debray, mais do que um manual de uma guerrilha que nos parecia, a nós, inteiramente sem sentido (ir para a selva para fazer guerrilha contra o poder instalado na capital urbana), parecia-nos, isso sim, um roteiro para a morte de Che na Bolívia a 9 de outubro de 1967, mesmo ano em que apareceu o livro daquele que nos parecia um francês tolo e presunçoso em busca de emoções que não poderia encontrar na França (talvez na Argélia sim, se o tivesse desejado: mas na Argélia não havia nenhum mito romântico a defender) e que veio oportunisticamente alimentar na chamada América Latina (como a denominou marketeiramente um compatriota seu, um francês) o

105

mito romântico de uma revolução que, sabendo o que se sabe agora, não adiantaria nada, para dizer o menos, juízo de valor que se afirmaria mesmo que já então não engolíssemos esse Debray cujo livro contudo, mesmo de algum modo levando à morte de Che (melhor: foi ele, Debray, e não seu livro, que, com sua passagem pela guerrilha de Che, acabou revelando a presença do guerrilheiro argentino na Bolívia), era visto pelos militares de direita de toda parte, inclusive do Brasil, e digo isso como se houvesse alguma diferença entre militares de direita e de esquerda, o que obviamente não há, equívoco meu, como um manual da guerrilha (não era possível chamá-la de revolução porque, primeiro, não era uma, segundo porque também a ditadura no Brasil se dizia revolucionária) e estava portanto proibido no país. Também *A batalha de Argel* era visto como um filme incendiário mas a nós, naquela tarde cinzenta e fria em Buenos Aires, mais fria do que em outros dias anteriores, nos pareceu antes um apaixonante forte impactante *filme de arte*, o filme que se deve fazer. Dali fomos alguns dias depois, ou algumas noites depois, porque por acaso passamos na frente do teatro que anunciava a peça, um teatro de uma feia arquitetura modernista como o são quase todas as arquiteturas modernistas, em Corrientes, o teatro San Martin, algumas noites depois fomos ver uma representação de uma peça de Gombrowicz, Witold Gombrowicz, que, creio, não sabíamos que existia, a peça, pois só conhecíamos outras coisas dele, como *Pornografia* e *Ferdyduke*, mas compramos os ingressos embora a peça nos parecesse, pelas fotos, uma *comédia*, algo menor, e afinal não estávamos em Buenos Aires para ver comédias, mas fomos porque as entradas de modo surpreendente não nos custavam muito, feito o câmbio ajudado por aqueles 40% de desvalorização, e naquela mesma noite voltamos ao feio teatro modernista para assistir uma representação de *Yvone, princesa de Burgundia*, essa peça na qual me parecia que as espinhas desse peixe, a corvina, que desde então de modo consciente nunca comi por ter horror a espinhas, eram um personagem importante já que vários personagens humanos da emblemática peça tinham problemas com elas, a primeira peça desse polonês que havia chegado a Buenos Aires exatamente poucos dias antes do início da Segunda Guerra Mundial (Leloir, o prêmio Nobel, chegara logo no começo do século, o vigésimo), para escrever uma série de artigos sobre a Argentina (e isso eu desconhecia, que ele vivera na Argentina, quero dizer) onde, com a eclosão da guerra, decide ficar e onde, sem dinheiro, e sem que soubéssemos como, sobreviveu entre aquele momento e 1947, para acabar encontrando trabalho num certo Banco Polaco de Buenos Aires no qual permanece entre 1947 e 1955, sendo certo que a expressão Banco Polaco nos pareceu, a mim e Anna M., naquele momento muito mais que agora, consideravelmente estranha ou comedidamente hilariante, porque de *polacas* só conhecíamos, por tradição oral, as *prostitutas*, assim conhecidas no Brasil do interior, as polacas, que era como ficaram conhecidas, e os *golpes de estado* menos ou mais sangrentos, porém, sempre violentos, como aquele emblematizado na *outorga* da quarta constituição do Brasil, a terceira da República, conhecida exatamente como "a polaca" por inspirar-se na constituição *fascista* da Polônia e que instituía mais uma dessas pragas que periodicamente ou sem interrupção real assolaram e assolam o Brasil, quer dizer, o Estado Novo, inaugurado por Getúlio Vargas nessa data de 10 de novembro de 1937 quando as forças armadas, acostumadas a isso no Brasil como na Argentina, cercaram o congresso nacional, garantindo a transmissão pelo rádio do discurso de Getúlio naquela mesma noite e no qual ele anunciava exatamente a promulgação, quer dizer a imposição, dessa *polaca*, pouco mais de um mês depois que, a 30 de setembro, um outro general dessa nossa história maldita, o general Góis Monteiro, chefe do estado-maior do exército, divulgara, a essa entidade à qual sempre se convenciona chamar de *nação brasileira,* o "tenebroso [*sic*] Plano Cohen", suposta manobra comunista para a tomada do poder pela esquerda no Brasil através da luta armada, de assassinatos e da invasão de lares, coisa que de algum modo e sob alguns desses aspectos, ou todos eles — quer dizer, luta armada, assassinatos e invasão de lares, promovida por diferentes agentes — aconteceria 30 anos depois mas não sob um grupo e esquerda e sim, exatamente, sob a ditadura militar de direita iniciada em 1964 com outro golpe de estado promovido pela mesma linhagem de militares daqueles de 1937, plano Cohen, esse, forjado por membros da fascista Ação Integralista para justificar previamente o golpe que queriam dar e que viria um mês depois, um *golpe preventivo* contra a "ameaça vermelha", exatamente como esse outro de 1964, oh como Nietzsche sempre esteve certo (para desespero das esquerdas) quando então, a 1º de outubro, o governo pede ao congresso a decretação do estado de guerra e, claro, a suspensão de todas as garantias, dando inteira razão à idéia de que o *estado de exceção política entre nós é a regra*, não a *exceção*, como fica claro até hoje. Por isso para nós, Anna M. e eu, era risível, tragicamente risível, embora perfeitamente pertinente, afinal, tudo considerado, a idéia daquele *Banco Polaco* em Buenos Aires no qual o polonês Gombrowicz havia trabalhado de 1947, ano em que aparece, em espanhol, em Buenos Aires, sua segunda peça, *O Casamento*, até 1955, dois anos depois que seu segundo romance, *Transatlântico*, que lemos em segundo lugar nessa ordem inversa que costuma ser a regra quando se trata de *literatura contemporânea*, depois de *Pornografia*, havia sido publicado em Paris, e um ano antes que o breve e passageiro amolecimento da censura na Polônia, entre 1956 e 1957 (sendo certo que 1956 foi o ano da tentativa de revolta dos húngaros contra a dominação soviética e conseqüente invasão de Budapeste pelo exército vermelho, registrada na foto tirada do alto de um prédio e que mostra um tanque soviético cercado por 2 ou 3 jovens com pedras nas mãos, quando alguns prédios já mostravam sinais de tiros de canhão, revolta e invasão que terminaram do modo já conhecido e cujos sinais ainda eram visíveis quando estive na cidade, com Anna M., pouco tempo depois de nossa estada em Buenos Aires mas 25 anos depois daquela revolta húngara), permitisse a publicação de *Ferdydurke, Casamento, Transatlântico* e *Bakakai,* que nunca li, no território *daquilo* que então constituía ou era apresentado como constituindo a República do Povo Polonês ou República Popular da Polônia e que não era, claro, nem uma coisa nem outra, quer dizer, nem uma *república* do povo polonês nem uma república *popular* entre os poloneses, como ficou claro quando Solidarnosc apareceu, esse mesmo Solidarnosc que muita gente, no entanto, portando semelhantes bigodes aos daquele operário-presidente, Lech Walesa, ainda continua achando que nunca deveria ter vindo ao mundo. Naquela noite, no entanto, no teatro de feia arquitetura modernista na Calle Corrientes, ou seria Santa Fé, apenas nos divertíamos com as alusões da farsesca, pelo menos na representação portenha, peça de Gombrowicz sobre Ivone, princesa da Burgundia, encenação que os portenhos amaram ainda mais que nós, por razões políticas que deveriam ter, chamando ao palco repetidas vezes a atriz que fazia o papel-título para aclamá-la aos brados de "Brava! Brava! Brava" ou então "Brava, Maria Rosa! Brava!", "Brava, Maria Rosa!" e ela havia de fato sido bastante brava, ela que agora já deve estar velha e acabada, ela e todos na montagem, bravos todos eles, o que nos deixou satisfeitos e alegres e nos levou logo depois a tomarmos, eu e Anna M., um mediano vinho Trapiche que meu pai também tomava na versão brasileira, num restaurante simpático e muito famoso quase na esquina de Constitución, muito antigo, patrimônio etílico-cultural de Buenos Aires, como se diz, enquanto nos dávamos as mãos, Anna M. e eu, apaixonados que estávamos um pelo outro, ou pelo menos eu estava, já que não posso falar por ela, sob a atmosfera militar dos tempos. Não sei por que naquele momento Buenos Aires nos parecia mais respirável e francamente libertária. Talvez porque, ilusão, fossemos *turistas* ali. Quando falo desses anos e desse ano em particular, 1971, com algum argentino, ele ou ela de algum modo concorda que era assim ou que era *mais ou menos* assim porque de todo modo 1976, o terrível 1976 para os argentinos, não havia chegado ainda embora as coisas não andassem nada boas, como de fato, me dei conta depois, não andavam mesmo. Talvez essa *sensação de alívio*, a nossa que vínhamos de fora e a de alguns argentinos pelo menos quando são chamados a pensar sobre o fato *agora*, quer dizer, *depois*, à distância no tempo, em perspectiva e em retrospectiva, resultasse daquilo que talvez se possa chamar de *esforços* do general-presidente Levingston, mais um, no sentido de continuar com sua política de progressivo distanciamento em relação à cúpula militar, o que, óbvio, retirava-lhe o apoio dessas forças armadas que sempre se consideraram mais capazes, mais honestas, mais íntegras, mais nacionais que as forças da sociedade civil, por toda parte, e que sempre, foram, é evidente, o exato contrário de tudo isso. Entre suas infelizes decisões, Levingston incorre em mais uma quando nomeia um interventor para Córdoba, como fazem sempre os presidentes militares — nomear interventores, quero dizer, eles que são, eles próprios, os primeiros interventores — o qual, como primeiro gesto, declara que dali eliminará imediatamente a *subversão*, a nova palavra globalizada então em moda nas ditaduras latino-americanas todas, palavra certamente formulada pela escola militar norte-americana onde era treinada, e preparada para dar o golpe, a nata, se cabe usar a palavra neste caso, da sociedade militar latino-americana, isto é, disse ele, o interventor, que acabaria com a subversão em Córdoba de um só golpe, como se faz quando se corta a cabeça de uma víbora, ele disse. A declaração desse interventor provoca uma comoção conhecida como "El viborazo", não tão grave como "El cordobazo" do ano anterior mas igualmente inquietante para o grupo no poder, pois sempre há um — *grupo* no poder, quero dizer. Inquietante e significativo. Esse interventor é em seguida obrigado a renunciar e Levingston toma outras medidas que desagradam tanto aos cidadãos como à Junta Militar — *junta*, outra maldita e nojenta palavra da época — que acaba por sacar Levingston do poder que ele não tinha, embora o tivesse de sobra para oprimir o povo argentino, e em seu lugar designar como presidente *de facto* a outro general, Lanusse, Alejandro Lanusse, numa demonstração de que se havia alguma coisa de fácil na vida militar argentina era chegar ao posto de general e portanto ao de presidente, coisa aparentemente aberta a qualquer um, mas realmente a qualquer um (militar, claro), e a vários. Isso a 26 de março, alguns poucos meses antes que eu e Anna M. fôssemos a Buenos Aires pela primeira vez, em ônibus, num tipo de viagem que não voltaríamos a repetir, não em ônibus: a novidade já se esgotara, embora não a vontade de repercorrer Buenos Aires, em particular quando seu céu assume o tom azul inconfundível que chamo *azul de Buenos Aires* e que naquela nossa primeira viagem não foi muito freqüente. O império das luzes. Lanusse promete convocar eleições para dali a dois anos, 1973, e propõe as bases de um Grande Acordo Nacional, que eu inadvertidamente digito de início como Açodo e tenho de corrigir, um Açodo Nacional, o que de fato costumam ser essas tentativas pútridas, à direita e à esquerda, de manipular a *vontade nacional*, como se diz. Mas, Lanusse promete eleições e propõe esse Acordo ou Pacto Nacional, como fazem todos os que não sabem o que fazer uma vez no poder embora no poder queiram continuar, e talvez por isso aqueles meses de 1971 nos deram a impressão de que poderíamos ir a Buenos Aires pela primeira vez sem corrermos demasiados riscos de sermos seqüestrados como acontecia no país Brasil também naquele momento e como ainda acontece agora, 30 anos depois, embora os seqüestros agora sejam por um dinheiro mais imediato, e conduzidos não pelos grandes delinqüentes daquela época mas pelos minúsculos delinqüentes de agora, minúsculos porém não menos boçais, os seqüestros e os delinqüentes, daquele momento e de agora. Talvez por isso aqueles meses de 1971 também de algum modo parecem respiráveis a um argentino quando ocasionalmente lhe contamos que pela primeira vez fomos a Buenos Aires, eu e Anna M., num momento em que não se podia respirar no país Brasil mas que nos parecia que em Buenos Aires sim, se podia respirar, tanto que em Buenos Aires, em 1971 e quando a Buenos Aires regressamos no ano seguinte, 1972, porque de fato voltamos, vimos várias películas que estavam proibidas no Brasil, entre elas duas de Glauber Rocha, *O leão de sete cabeças*, que filmara na África em 1969, e *Cabeças Cortadas,* filmado na Cataluña no ano seguinte, nunca consigo escrever Catalunha, dois anos nos quais Glauber provavelmente já não tinha mais condições de filmar ou sequer de estar no Brasil, como nenhum de nós tinha, depois de ter feito *O dragão da maldade contra o santo guerreiro,* exibido em Cannes em 1969 e que lhe valeu então o troféu de melhor direção, 1969 que foi um ano depois do *golpe dentro do golpe* no Brasil, em dezembro de 1968, e um ou dois anos antes de acentuar-se ainda mais, insuportavelmente mais, a repressão militar no Brasil, o que em seguida nos levaria, a mim e Anna M., para a França. Lanusse nomeia ministro do Interior, quer dizer, nos países latino-americanos da época e não só da época, a pessoa normalmente encarregada da *repressão policial interna*, da segurança interna como se diz, *homeland security*, enquanto a *repressão militar* propriamente dita ficava diretamente nas mãos dos militares, nomeia ministro do interior então a Arturo Mor Roig, que impulsiona o chamado Grande Acordo Nacional e que entrega a Perón, na casa mantida pelo líder justicialista em Madrid, o cadáver de Eva Perón, num gesto que o próprio ministro qualifica, para não despertar especulações, de simples "ato de civilização cristã" sem qualquer conotação política. O cadáver de Eva Perón. Entregar em Madrid o cadáver de Eva Perón. Favor entregar em Madrid, na casa de Juan Domingo Perón, este cadáver de Eva Perón. Pedir a assinatura do destinatário no canhoto do formulário a devolver em seguida ao remetente. O cadáver de Evita Perón. Atravessando o Atlântico para ser entregue a Perón em Madrid. Um cadáver transatlântico. Como deixaria de ter significação política um cadáver de Eva Perón, por mais absurda que pareça a idéia de entrgá-lo em domicílio em Madrid, embora essa idéia ainda hoje não pareça de modo algum absurda a um argentino, é algo que se torna difícil de imaginar, hoje e à época. Mas ao ministro Roig parece apenas um ato de civilização cristã, é o que diz. O cadáver da segunda esposa de Perón, a dinâmica amante que anos antes o havia tirado do regime de custódia para entregá-lo à multidão impaciente de 300 mil argentinos reunidos na praça diante da Casa Rosada, os restos de Evita Perón, como se diz, haviam estado enterrados em Milão, a 70 quilômetros de onde estou agora, do outro lado das águas azuis e pesadas do lago de Como, sob um nome falso, o cadáver, não eu, desde 1955. O cadáver de Evita Perón não cruzava o Atlântico agora, quer dizer, no momento

112

daquela devolução, já o fizera antes. Estamos pela presente devolvendo a V.Excia. o cadáver anexo etc. Favor acusar recebimento. Agora cruzava os Alpes e, dependendo do trajeto, os Pirineus, ou a parte inicial ou final dos Pirineus, como se preferir, aquela próxima ao Mediterrâneo, na fronteira com a França. Enquanto o cadáver de Eva Perón era entregue a Juan Domingo Perón, seu amante e depois esposo, em sua residência madrilenha, a inflação na Argentina pulava para os 40% ao ano, permitindo que fôssemos a Buenos Aires tranqüilamente, eu e Anna M., ou bastante comodamente, a comprar livros de Cortazar (que a direita não deixava ler), de Borges (que a esquerda não podia ler) e de Bioy-Casares, que esse sim todos podiam ler porque era demasiado metafórico, e a ver películas em preto&branco, como as de Pontecorvo e Glauber Rocha. Mas depois que nos fomos de Buenos Aires, alguns meses depois, a onda de atentados e greves cresceu assustadoramente na Argentina, apesar (ou talvez por isso) de Lanusse encontrar-se com o presidente chileno, Salvador Allende, então ainda vivo pois só seria levado ao suicídio dois anos depois, *quase dia a dia*, já que o assalto ao Palácio La Moneda, de Santiago, aconteceu em 11 de setembro de 1973, exatos 28 anos, dia a dia, *os mesmos 28, exatos dia a dia*, antes do ataque terrorista às Torres Gêmeas de Nova York, o World Trade Center, e provocado por aviões também como no ataque em Santiago ao palácio presidencial, o que nos deveria recordar que os aviões, inclusive os de carreira, sempre foram e continuam a ser *aviões militares*, como o demonstram as condições em que viajam os passageiros em classe econômica, aviões desenvolvidos por razões militares e mantidos em vôo apesar da falência das companhias que deles "cuidam" por razões militares, além de governamentais, quer dizer, por motivos da sociedade política ditos *de segurança nacional*, uma vez que em vários países disso que se chama América Latina os aviões de carreira são os mais modernos em vôo, do que é emblema o avião novo de pelo menos um presidente de república, exatamente o presidente *popular* do Brasil. Então, os atentados na Argentina, enquanto Lanusse se reúne com Allende para resolver o litígio do canal de Beagle ao mesmo tempo em que acerta com a Grã-Bretanha a idéia de *vôos regulares,* quer dizer civis mas sobretudo militares, para as militares Malvinas, que os ingleses chamam de Falklands e que, sob um nome ou sob outro, levariam os militares argentinos à derrocada final e à debandada do poder, eles que com a invasão das Malvinas acreditavam enfim estar iniciando seu próprio esplendoroso e perpétuo IV Reich ibero-espanhol ao sul dos trópicos, em mais um gesto desvelador da risível incapacidade dos militares latino-americanos não fossem as cores trágicas com que sempre insistem em pintar seus atos excremenciais. E dois meses e pouco depois de termos deixado Buenos Aires leio nos jornais sobre o trágico acidente com um táxi-aéreo (hoje se chamaria de avião executivo) caindo no Rio da Prata, Rio de La Plata, e matando vários integrantes do corpo de baile estável do Teatro Colón de Buenos Aires, a Meca do bom teatro de ópera e da música erudita em toda essa região geopolítica, como se dizia à época, que ainda se insiste em chamar demagogicamente de América Latina ou Latinoameríca. Vi a foto do avião sendo puxado por uma draga para fora do rio, a cauda primeiro, e os corpos dentro da cabina, os bailarinos do Teatro Colón onde quase 30 anos depois León Ferrari daria um concerto tocando uma de suas enormes esculturas de arame (que, pelo tamanho, neste caso, não podem mais ser chamados de arame mas de cabos de aço embora guardem a mesma aparência) enquanto no espaço à frente da peça conhecida uma bailarina argentina improvisaria uma dança, como se diz, contemporânea. As mortes em grupo são chocantes, compreensivelmente chocantes embora incompreensivelmente mais chocantes que a morte de um só indivíduo, de uma só pessoa, como a morte a um só tempo desse grupo de bailarinos do estável do Colón de Buenos Aires ou os mais de 220 mil mortos pela tsunami no sul da Ásia em dezembro de 2004, num só dia num só instante, que são apenas um pouco mais do que os mortos em Hiroshima e Nagasaki, em poucos instantes, e que são apenas um pouco menos do que os 299 mil mortos norte-americanos na Europa durante a segunda guerra mundial. Enquanto isso, enquanto acontecia o

114

acidente com o avião executivo que levava o corpo de balé do Colón, Perón, é de conhecimento geral, continuava seu jogo desde Madrid, enviando mensagens ao povo argentino ("Povo argentino!" ou "Argentinos!" ou "Argentinos e argentinas!, assim como se diz "Brasileiros e brasileiras!" ou "Brasileiras e brasileiros", para pagar tributo ao *espírito da época*, ou "Povo de minha terra!" ou "Compatriotas!" ou "Meus concidadãos!" ou "Companheiros e companheiras!" ou "Companheiras e companheiros!": igual, lo mismo) que variavam do convite à tranqüilidade ao chamamento à violência, conforme o destinatário e a ocasião. Mantém, Perón, conversações reservadas com enviados de Lanusse, sinal inequívoco de que os militares já não sabiam o que fazer, e ao mesmo tempo rompe essas negociações, pois negociações eram, ao substituir seu emissário de bons relacionamentos políticos, um senhor de nome Paladino que a história registra pouco, por um outro que logo saltaria às primeiras páginas dos jornais, Héctor Cámpora, que, muitos argentinos estão convencidos, era um de seus mais submissos seguidores. Enquanto isso, na Argentina, as organizações guerrilheiras — que os militares já chamavam de terroristas: a União Européia hoje não faz mais nenhuma distinção jurídica entre guerrilheiros e terroristas — seguem multiplicando-se por cissiparidade, em movimento típico das esquerdas embora seja pouco recomendável chamá-las todas de esquerdistas, e dão origem, ao lado dos Montoneros, às FAR, FARP, ERP e tantas outras siglas como as tivemos também no Brasil e tantos outros lugares, ALN, MR8, FARC, toda essa sopa indigesta de letras, esses exércitos e forças que nos querem à força libertar de um modo ou de outro de alguma coisa apenas para nos sujeitar a outra, a todo custo e custe o que custar, e que na Argentina seguiam assestando golpes contra os militares por se sentirem respaldadas pelo apoio, freqüentemente explícito, do máximo líder justicialista, Perón, Juan Domingo Perón, que pouco antes havia recebido em sua residência madrilenha o cadáver ou os restos, o que sobrara, ou o que fosse, de Eva Perón, enterrada durante vários anos em Milão sob outro nome, quer dizer, portanto, duas vezes enterrada: soterrada, enterrada sozinha, *como lhe compete* diria um amigo argentino. E mais ao final desse ano em que havíamos ido pela primeira vez a Buenos Aires, o corredor argentino Rubén di Palma recebeu o título de automobilista do ano (naquele momento ainda não se dizia "piloto") ao conquistar dois títulos que, se supõe, deviam ser enormemente importantes: o de Turismo Carrera, como se dizia na Argentina, e o de Sport Protótipo. Ao mesmo tempo, o pugilista argentino Carlos Monzón mantinha sua coroa mundial dos pesos-médios e Carlos Reutemann, que 30 anos depois, quando já se tornara governador da província de Santa Fé, seria cogitado para candidato à presidência do país nas eleições afinal vencidas precariamente por Néstor Kirchner, de nascimento Néstor Carlos Kirchner Ostoic, consagrava-se, Reutmann, imagine, como vice-campeão de Fórmula 2. Talvez aqueles meses de 1971 tenham de fato sido de algum modo mais respiráveis, apesar do cheiro de pólvora por toda parte: Buenos Aires seguia mudando seu aspecto ao converter toda a extensão da Calle Florida em via exclusivamente pedestre: nenhum outro taxista compreensivo poderia mais nos levar por 20 metros, a mim e a Anna M., Calle Florida adentro — o que, claro, como já se percebeu, é pura força de expressão.

Florida adentro. A viagem à Itália é uma inevitabilidade e aqui estou de novo talvez para a viagem decisiva à Itália, no alto desta montanha em Bellagio, na Villa Serbelloni de onde posso ver o lago Como de um aço cinza profundo à minha direita e à minha esquerda, contido pelas altas montanhas entre as quais vejo, decididamente, as pinturas sublimes de Caspar David Friedrich e compreendo que muito do que pensei ser o crepúsculo em suas telas, quem sabe por influência de Nietzsche, podia de fato ser a aurora. Desde Bellagio, a 70 quilômetros de Milão onde os restos de Eva Perón estiveram enterrados sob nome falso desde 1955 até serem entregues a Juan Domingo em sua residência de Madrid, outro céu de luz azul, creio poder compreender ainda melhor por que a León Ferrari essa idéia de *civilização cristã* lhe pareceu sempre

116

incompreensível e inaceitável, ou lhe pareceu incompreensível especialmente a partir de algum momento, ele que, *naquele mesmo ano* de 1955 quando Evita Perón era enterrada sob nome falso num cemitério de Milão, começava sua *carreira artística*, como se diz, começava sua *vida artística*, como também se diz, na suposição de que o artista tenha uma *outra vida* que não seja artística, o que é uma total sandice, ou, como ele mesmo diz, León Ferrari começa a *produzir arte*, não em Buenos Aires, onde nasceu em 1921, nem em Milão mas não muito longe de Milão: em Roma, cidade onde naquele ano faz algumas peças de cerâmica. Naquele mesmo ano de 1955, por um desses movimentos que parecem inexplicáveis na vida de um artista, *cuja vida é livre*, como se costuma dizer, ou cuja vida se desdobra ao sabor dos acontecimentos faustos e infaustos que se lhe podem sobrevir, naquele mesmo ano de 1955 em que a identidade funérea de Eva Perón era reiniciada ao passo que a identidade artística de León Ferrari se afirmava, León volta para a Argentina onde faz esculturas usando diferentes materiais, cerâmica, gesso, cimento, madeira, barro, e onde, entre 1961 — ano em que Jânio Quadros renuncia à presidência do país Brasil dando início a novo período de instabilidade, exceção, escárnio e maldição — e 1964, quando no Brasil se produz mais um golpe de estado por iniciativa dos militares e que durará 20 anos, nesses 4 anos León Ferrari fará peças de fios de aço inoxidável, que se pode descrever como *arames*, exibidos pela primeira vez na Galeria Galatea e na Galeria Van Riel. Em 1964 entre outras coisas ele faz uma série de manuscritos ou escritos desenhados, dos quais depois me daria dois, feitos de palavras escritas de tal modo que a forma pela qual são escritas transforma-se em parte de seu significado, tanto quanto faz parte do significado de uma palavra o tom de voz em que é pronunciada. Vários desses manuscritos elaboraram-se a partir da escolha de palavras raramente utilizadas e cujo sentido León não conhecia, num vocabulário ao qual deu um sentido arbitrário. Em seguida, faz *A árvore que engravida*, *El árbol embarazador*, primeira de suas obras em que critica o cristianismo. Um ano depois, em 1965, para o Prêmio Di Tella, León apresenta quatro trabalhos criticando a intervenção americana no Vietnã. Um deles chamava-se *A civilização ocidental e cristã, La civilización occidental y cristiana*, que ele descreveu como uma escultura religiosa de Cristo na cruz formada por um modelo de avião bombardeiro da Força Aérea Americana, um FH 107, obra que foi rejeitada pela organização do Prêmio, no entanto considerado progressista, por uma razão que só pode ser descrita como política, o que joga muitas luzes sobre as *entidades progressistas*. As outras três

peças eram caixas que se perderam e das quais sobrevive apenas a fotografia de uma. Os *atos de civilização cristã* que o ministro do interior Roig via no seu gesto de devolver o cadáver de Evita Perón a Juan Domingo já eram percebidos por León Ferrari como outros tantos sinais do que ele na verdade chamava então de "bondosa crueldade", a ideologia da *bondosa crueldade* como ele a descreverá num livro afinal publicado em 2002 recuperando desenhos e colagens e montagens feitas desde muito antes, e que ele introduz no livro com um prefácio que começa destacando como o ocidente sente uma singular e dúplice paixão pela crueldade, numa cultura que considera *injusta* a crueldade que sofre Jesus em certo momento e *justa* quando se aplica a milhões de pecadores que sofrerão inelutavelmente e para sempre, como dizem que sofrerão os textos ditos sagrados. E continua, naquele prefácio, descrevendo como esse duplo conceito de justiça forma parte dessa cultura ocidental — e não apenas, de fato, da cultura ocidental, mas isso ele não dizia naquela época porque isso ainda não emergira então, como também da cultura oriental que hoje se reconhece sob o qualificativo de *islâmica*, um duplo conceito formado iconograficamente, no caso da cultura cristã, por imagens de virgens, anjos e pombas brancas sobre os quais os artistas cristãos pintaram a dor lamentada: corações sangrando, coroas de espinho, crucifixos e a cabeça degolada de Batista (como depois outras cabeças seriam degoladas no Iraque) e crucifixos, inumeráveis crucifixos que nos rodeiam adornando cemitérios, espelhos retrovisores de táxis, quartéis, delegacias de polícia e, apesar da separação entre Estado e Igreja, tribunais de justiça, além de ser possível encontrá-los no peito dos assaltantes imundos que matam suas vítimas por quase nada, pelo prazer de matar, pela impunidade de matar, e entre os seios de mulheres bonitas, por vezes um pouco *acima* do rego dos seios de mulheres bonitas e outras vezes *bem no meio* do rego entre os seios das mulheres bonitas. E segue constatando, León Ferrari, como alguns mesmos pincéis, os de Fra Angélico, de Giotto, de Miguelangelo, puseram sua destreza a serviço da *intimidação religiosa* pintando o que lhes parecia ser uma *crueldade justa*, um merecido castigo que se impunha aos pagãos e ímpios: os dilúvios, a destruição de Sodoma, o apocalipse, os juízos finais, os infernos. Los infiernos. E os crentes e incréus coincidem em não questionar essas obras, diz León, os crentes porque a tortura faz parte de sua ética e os incréus porque, *viciados pela estética*, continua Leon, não percebem a ética: se o quadro está bem pintado não importa que exalte um crime. Aqui é evidente que não posso concordar com a proposição de León e que, se devo concordar com alguém mais que não eu mesmo, concordarei antes com Godard que, mesmo aceitando em princípio o que diz León ao reconhecer que talvez se tenha mesmo que escolher entre a ética e a estética, no entanto afirma que não é menos evidente que, seja qual for a escolha que se faça, ao final do caminho sempre encontraremos a outra opção de início marginalizada, e isso porque a definição mesma da condição humana deve residir na *mise en scène* propriamente dita, coisa que, na minha leitura, leva à conclusão inevitável de que a tônica é dada sempre pela estética que, corretamente desdobrada, conduzirá à ética adequada. É possível mesmo que nem León esteja de acordo o tempo todo com León, do que na verdade estou mais que certo. Em todo caso, e pelo menos por ora, os desenhos e colagens e montagens que compõem o livro são mostrados num capítulo intitulado *Nunca más* formado por um material que ilustrou uma coleção de fascículos publicados à razão de um por semana durante 30 semanas, 30, em 1996, pelo jornal *Página 12* de Buenos Aires, por ocasião do vigésimo aniversário da mais recente ditadura militar argentina — e a expressão "mais recente" no lugar de "última" não pode ser vista aqui como mero acaso ou fruto de uma opção inconsciente. A primeira reprodução vista nessa sessão do livro mostra uma cruz cristã formada por fotos do ditador argentino general Videla, então ditador supremo, e do cardeal Quarracino, à época núncio apostólico em Buenos Aires, disposta, a cruz, por León, sobre uma reprodução do Juízo Final de Peter Brueguel. A segunda reprodução apresentada pelo livro nessa seção mostra o frontão do Colégio Militar de La Nación encimada, na colagem de León, pela águia nazista dos anos 30, 30, repousando sobre uma coroa de louros envolvendo a suástica e abaixo da qual, no interior escuro da entrada principal do Colégio, foi montada pelo artista a imagem de um anjo tocando a trombeta apocalíptica, imagem de autoria de um artista anônimo, extraída por León Ferrari da Bíblia de Wittenberg, de 1535. E seguem-se as outras montagens impressionantes: a fachada da catedral de Buenos Aires, na Plaza de Mayo, sobreposta a uma cena dos infernos extraída de um desenho que integra a coleção Douce da famosa Biblioteca Bodleian, de Oxford, a Bodleian Library, que é ainda mais famosa assim em inglês, e um fragmento de uma gravura representando as torturas praticadas no inferno, integrante do livro "Grant Kalendrier des Bergieres", na

qual se vêem sobretudo mulheres velhas e feias acorrentadas sendo varadas por lanças pontiagudas que lhes penetram o baixo ventre ou lhes entram pelo corpo adentro a partir da vagina, e homens também, lancetados pelas mesmas varas sustentadas por diabos meio-humanos meio-animais aos quais um oficial da marinha argentina, de costas para o observador, bate continência, ou esta outra com o dilúvio de Gustave Doré, onde se vêem dezenas e dezenas de corpos desnudos de homens, mulheres e crianças, corpos fortes e belos em suas contorções apesar do trágico da situação, num efeito sem dúvida não alheio às mãos e pensamentos do artista, afogando-se nas águas revoltas que separam as terras ou subindo uns sobre os outros em direção a árvores retorcidas que aparecem como último e temporário refúgio, numa cena sobre a qual aparecem de frente, batendo continência para o povo, quer dizer, para o observador da obra, numa tribuna, a junta militar de plantão naquele momento composta por Videla, Massera e Agosti, triunvirato, três virs, três varões, três desses machos coletivos que se ocultam nos coletivos que são os partidos políticos e os exércitos, flagrados numa fotografia divulgada pela Secretaria de Informação Pública da época, ou esta outra montagem de que não posso deixar de falar e que mostra outra foto divulgada pela mesma Secretaria de Informação Pública da Argentina na qual também aparecem os mesmos três militares Videla, Massera e Agosti, em continência, mas desta vez acompanhados pelo cardeal Aramburu, um outro Aramburu, vistos como se estivessem diante de um grande mural, como aqueles nacionalisteiros pintados por Rivera no México só que este, armado por León, feito de uma enorme gravura espanhola medieval exibindo também os Suplícios Infernais: uma mulher que tem a língua puxada para fora da boca e cortada por um demônio, um corpo humano de sexo indeterminado seguro de cabeça para baixo por dois demônios e que está a ponto de ser cortado na vertical, começando pelo entre-pernas, mediante uma grossa faca curta segurada por um demônio que aparece usando um uniforme de demônio, e corpos com os braços amarrados às costas e suspensos pelos cabelos... Há também uma outra, com a fachada em colunata da Escuela de Mecanica de la Armada, à qual voltarei, sobreposta a um detalhe do Juízo Final pintado por Memling, uma iconografia infinitamente mais realista que a anterior, aquela da gravura medieval espanhola, e que se parece com uma fotografia dos corpos encontrados em Auschwitz e republicada incessantemente neste mês de janeiro de 2005 nos jornais da Europa toda, da União Européia toda que se quer cada vez mais União, quando se cumprem 60 anos, 30 x 2, da entrada das tropas aliadas naquele campo de extermínio nazista construído em terras de Polônia, uma recordação que se repete com o objetivo de *não deixar esquecer*, Memling, Hans Memling, um artista estabelecido em Bruxelas entre 1430, quando se supõe que tenha nascido, e cuja morte certa se deu em 1494, e cujo nome se escreve também, por vezes, Memlinc, e que na pintura escolhida por León Ferrari aparece como possuidor de um estilo surpreendentemente realista para a época e sem dúvida premonitório, visto em retrospectiva, por lembrar demasiado de perto os fornos dos campos de concentração e extermínio construídos pela Alemanha nazista, a Alemanha do National Sozialismus. Esses corpos esquálidos que León Ferrari toma emprestado de outros artistas para fazer suas colagens ilustrativas dos ato de *civilização cristã* que ele prefere chamar de *bondosa crueldade* serão mais tarde, 13 ou 14 anos mais tarde, por ele mesmo transformados em voluptuosos corpos de nus femininos, como esse de uma autêntica *pin-up* que León enxerta sobre uma cena bíblica de um artista qualquer do 500 mostrando um eremita no deserto tendo uma alucinação, ou na verdade vendo *a coisa em si*, e a alucinação (pois a coisa em si nesse caso é sempre uma alucinação) é o corpo volumoso, carnudo, vermelho, de uma sensual e por todos os ângulos atraente mulher nua amarrada a uma cruz num ritual sado-masô e oferecido inteiramente ao ermitão, corpo desnudo de mulher no qual León imprime palavras em Braille, portanto, em relevo, bem sobre o corpo nu, pelo qual o observador também pode deslizar seus próprios dedos, ou que León transforma, ainda, nos corpos semivestidos e semidesnudos de duas freiras, *pinups* elas também embora semivestidas, sentada uma no colo da outra e acariciando-se e beijando-se mutuamente, a batina de uma delas erguida até a metade da coxa pela qual a outra desliza a mão, sobre a coxa e sobre uma meia de nylon daquelas que ainda necessitavam liga, as duas freiras retratadas num átrio medieval numa obra que León denomina "Amai-vos umas às outras", parte dessa série que em 1989 León chamará de *Bíblia,* ilustrações para as Santas Escrituras das

quais tem cinco volumes com cerca de 250 colagens coloridas, ainda largamente inéditas. E ainda do livro *La bondadosa crueldad*, e esta não se poderia deixar de mencionar e descrever, numa fotomontagem mais simples esteticamente, esta outra peça onde León Ferrari recorta um trecho de uma reportagem publicada no *El Clarin* de 5 de agosto de 1976, uma quinta-feira, em que se anuncia, em manchete, que Em um acidente faleceu monsenhor Enrique Angelleli, e que narra, no corpo da matéria, que se desconheciam os detalhes do trágico *acidente de carro* em que resultara ferido outro sacerdote, dizendo ainda o texto que o prelado morto, de forte personalidade, pertencia aos setores mais progressistas da Igreja e havia sido pouco antes protagonista de duas polêmicas com o governo militar, assim como no Brasil também se anunciaram, naquela mesma época e depois, vários "acidentes de carro" que mataram jovens e menos jovens e até um ex-presidente da república.

A Escuela de Mecanica de la Armada, a ESMA, então. A Escuela de Mecanica da Armada, situada na Capital Federal, como gostam de dizer os argentinos, sobre a Avenida del Libertador a oeste, calles Comodoro Rivadavia y LeopoldoLugones a leste e calle Santiago Calzadilla ao sul. No porão, um grande corredor central ladeado por colunas de concreto entre as quais erguia-se um portão de ferro verde, com guarda armada, marcando o lugar aonde eram levados os detidos recém-ingressados como primeiro passo para a obtenção de informações. Ao fundo, as salas de tortura de números 12, 13 e 14 e à direita da porta verde, a enfermaria, o dormitório dos guardas e o banheiro. Para ventilação havia pequenas aberturas dando para o pátio interior, a 20 cm do chão, numa disposição geral que durou até dezembro de 1978 quando o local foi modificado em preparação para a visita da Comissão de Direitos Humanos da Organização dos Estados Americanos. Um dos espaços especificamente destinados aos prisioneiros era conhecido como a Capucha, que ocupava a ala direita do prédio, um recinto em forma de L, sem janelas e com apenas pequenas aberturas de ventilação que davam para celas diminutas denominadas "camarotes", nessa terminologia particular das ditaduras e dos torturadores cujo léxico e gramática um dia se organizarão. Esses "camarotes" eram definidos por painéis de madeira compensada com 2 metros de altura, encimados por uma grade metálica junto ao teto, delimitando espaços *habitáveis* entre duas linhas distantes de 60 a 70 cm uma da outra, em cada um dos quais cabia um prisioneiro sobre um minúsculo colchão. Não havia luz natural em parte alguma do recinto e a ventilação era forçada por dois extratores de ar que faziam muito barulho. O piso era de cimento, constantemente repintado. Os banheiros estavam entre a Capucha e o Pañol e nesse espaço ficavam também 3 salas destinadas às prisioneiras grávidas. El Pañol, O Paiol, não era o paiol ou não era mais um paiol, porém, o depósito onde se colocava o produto do saque praticado nas casas dos seqüestrados, um espaço abarrotado por uma quantidade impressionante de móveis, utensílios variados, roupas. Em fins de 1977 uma parte do Pañol foi utilizada para a construção do que se denominava à época La Pecera, O Aquário, série de pequenos escritórios unidos por um corredor central ao qual se chegava por uma porta controlada por um guarda munido de um livro para registro de entradas e saídas. Nesses escritórios ficavam alguns prisioneiros, durante parte do dia, cujos movimentos podiam ser controlados por um circuito fechado de televisão operado por controle remoto, daí o nome de O Aquário, La Pecera. E, ainda, a Capuchita, lugar onde originalmente ficava a caixa d'água que abastecia todo o piso da caserna dos oficiais, lugar onde também havia duas salas de tortura e outro espaço onde se mantinham os prisioneiros tal como na Capucha, 15 a 20 tabiques que separavam os seqüestrados uns dos outros. As condições de sobrevivência aqui eram ainda piores que na Capucha. A Capucha era usada pelos membros do Serviço de Inteligência Naval para torturar e manter seus próprios seqüestrados separados daqueles da ESMA propriamente dita. A Capuchita prestava-se à Força Aérea e ao Exército. Em 1977 prepararam-se duas outras salas para "interrogatório", usadas também por um certo Grupo de Trabalho quando os espaços da Capucha estavam todos lotados de prisioneiros, de seqüestrados. O prédio da ESMA não era apenas um centro clandestino de

detenção em plena Capital Federal, Buenos Aires, mas um lugar onde funcionava o eixo operativo de uma complexa organização que buscou ocultar, com o extermínio de suas vítimas, os delitos que cometia, um grande centro onde foi organizada uma extensa variedade de atividades delitivas clandestinas executadas por um grupo especial no entanto vinculado à mesma estrutura hierárquica definida pelo sistema da Armada. Passamos diante do prédio da ESMA quando estivemos em Buenos Aires, Anna M. e eu, impossível não fazê-lo, todos esses edifícios militares têm uma presença que não se pode deixar de observar na Capital Federal, Buenos Aires, toda marcada por essa presença, antes e depois da ditadura de 1976, assim como ainda hoje em várias rotatórias que delimitam as entradas e saídas da cidade de Santa Rosa, capital da província de La Pampa, a várias centenas de quilômetros ao sul de Buenos Aires, se podem ver inúmeros canhões sem uso que apontam para o nada, para cima, para frente, para o futuro provavelmente, preventivamente apontam para o futuro, e que apontam para os que chegam, assim como ainda hoje se podem ver na cidade de Rosário, a 320 km de Buenos Aires, vários canhões estacionados nas praças e espaços públicos, apontando para o nada, para lugar algum mas certamente para as pessoas, para o futuro, para os argentinos antes que para os estrangeiros porque não chegam muitos estrangeiros a Rosário — o *inimigo interno*, como dizem as ditaduras, sem se olharem ao espelho —, numa prática obsoleta e no entanto atual da qual ninguém parece dar-se conta. Passamos pelo prédio da ESMA, que hoje se vai converter num museu da memória, Anna M. e eu, quando estivemos em Buenos Aires pela primeira vez em 1971, mas não vimos a ESMA, porque não sabíamos, porque não se podia adivinhar — e isso é o que me faz por vezes despertar à noite, sem muita razão: não se podia mesmo adivinhar? Mas, *como* não se podia adivinhar se os sinais estavam todos ali mesmo?

Em 1972, ano seguinte àquele em que estive pela primeira vez em Buenos Aires, com Anna M., e ano em que retornamos a Buenos Aires porque o ar ali ainda nos parecia mais respirável que aquele que pesava sobre o Brasil no auge de seu "milagre econômico", como diziam os militares brasileiros numa fórmula que depois seria repetida menos ou mais com as mesmas palavras por diferentes governos de centro-direita, de centro e de esquerda, León Ferrari participou de uma exposição coletiva que por pouco não vimos, exposição em que exibia um anúncio publicado na revista norte-americana de esquerda *Ramparts* onde se via a foto de um veículo de assalto policial destinado a reprimir manifestações urbanas acompanhada, a foto, por uma descrição de todos os gadgets com os quais o veículo estava equipado. Em setembro desse mesmo ano, mas aí já tínhamos saído da Argentina outra vez, León Ferrari participou do Salão Independente com uma cópia de um artigo publicado no *Le Monde* de 19 de setembro daquele ano relatando os tiroteios ocorridos na localidade argentina de Trelew e transmitindo o depoimento dos sobreviventes da repressão, peça que León complementava com um significativo depoimento feito de recortes de jornais e revistas, textos e fotografias como estes que integram *La bondadosa crueldad* e que organizavam uma narrativa cujo epílogo, dizia o autor do artigo, *ainda estava por ser escrito*. De fato ainda estava por ser escrito. Entre 1972 e 1976 León Ferrari formou parte do Fórum pelos Direitos Humanos e do Movimiento contra la Represión y la Tortura e em 1976 publicava, em edição do autor, xerocopiada ou fotocopiada como se dizia e se fazia à época, uma série de recortes de jornais com notícias sobre os atos da ditadura e da repressão ao qual deu o título de *Nosotros no sabíamos* e do qual 28 anos depois, os mesmos 28, me daria um exemplar. Por "motivos políticos", diz sua biografia oficial — mas sabemos quais foram —, em 1976 deixou a Argentina e instalou-se em São Paulo, país Brasil, onde retomou sua atividade como escultor em metal e onde novamente experimentou com diversos materiais e técnicas: fotocópia (como se dizia à época que ainda não conhecia o xerox e o fax), mail art, heliografia, microficha, videotexto, livro de artista e gravuras. O epílogo ainda estava por ser escrito, de fato, e León Ferrari é econômico nas palavras que usa para referir-se à própria vida: o livro *La bondadosa crueldad* tem uma dedicatória em quatro palavras, *a mi hijo Ariel*, um dos milhares dos já então *desaparecidos* argentinos sob a ditadura e que mais tarde, se soube, havia sido assassinado na ESMA, Escuela de Mecanica da Armada, por um capitão de nome Astiz. A 9 de outubro de 1967, três anos depois do golpe militar que encerrou um período de justificada ou injustificada euforia econômica e cultural no país Brasil, o argentino Ernesto Che Guevara era *justiciado* em La Higuera, Bolívia, pelo suboficial Mário Terán que, por ordem do coronel Zenteno (um coronel nesta história, entre tantos generais: um dos poucos — como Perón, no início: é que os generais quase nunca vão para o campo de ação), aperta o gatilho: "quando entrei no quarto, ele (Che Guevara) estava sentado no chão no canto esquerdo. Sem dizer nada disparei várias vezes contra o peito dele, esperei um pouco e fui embora... Não falamos nada, eu e ele, nem um cumprimento, nada. Não havia nada a dizer". Esse depoimento do homem que

128

apertou o gatilho contrasta com informações desclassificadas da CIA neste exato momento em que escrevo e que dizem que na verdade Che teria falado com seu carrasco, frases mais bem situadas numa película de Hollywood orientada pela CIA do que verossimilhantes. O epílogo não estava de fato realmente escrito, de modo algum. Há pelo menos duas versões para a última frase de Ernesto Che Guevara, dita a seu carrasco: "Lembre-se que está a ponto de matar um ser humano". Ou, vendo que o homem hesitava: "Tranqüilo, está a ponto de matar um homem". León Ferrari era reservado com as palavras que usava para referir-se à sua história pessoal, quando o encontrei pela primeira vez em São Paulo no modesto apartamento ao lado da mais "elegante" avenida da cidade que não é nada elegante, a cidade e a avenida, aquele apartamento cuja varanda envidraçada havia sido transformada em continuação da sala de jantar para permitir a León um espaço que ele pudesse denominar de seu ateliê, e onde pela primeira vez vi suas então pequenas peças de arame que logo chamei de suas *catedrais*.

Mas que o epílogo não estava então escrito, e provavelmente não estará por algum tempo, ficaria bem evidente ao final de 2004. Em agosto desse ano e também em novembro retornei a Buenos Aires, voltando de dois outros lugares em extremos distintos da Argentina. Em agosto pude ver o azul do céu de Buenos Aires, o azul de Buenos Aires, que me coloca sob o império das luzes sempre, sentado no Café de la Paix em Recoleta, diante do Centro Cultural de la Recoleta, sibariticamente tomando uma taça de vinho branco, e em novembro pude fazer o mesmo porque embora a temperatura já tivesse subido bastante o verão ainda estava longe de haver chegado e o mesmo céu azul estava lá, apenas agora levemente matizado por algumas réstias de nuvens brancas que significavam umidade no ar, e eu estava outra vez na Recoleta, diante do Centro Cultural, tomando outra vez um vinho branco. Na tarde daquele dia marquei um encontro com Léon Ferrari em seu novo ateliê, toda a parte inferior de uma casa que ele havia comprado, o andar térreo, não a casa toda, num bairro de classe media baixa de Buenos Aires, a quinze minutos de táxi de onde mora, graças a umas obras em papel que recentemente vendera, e bem, ao Museum of Modern Art de New York. A casa, a parte inferior da casa comprada por León, era bastante ampla, com uma boa sala na frente e depois o que se poderia chamar de copa e talvez um quarto sem janelas para fora mas com porta abrindo para um pátio interno, além da cozinha e, fora, ao lado desse pequeno pátio de onde se podia ver a parte superior da casa vizinha num estilo de algum modo art deco, um banheiro de serviço e alguns espaços de depósito: tudo tomado pelas obras de León, espalhadas por toda parte, penduradas por toda parte, algumas mais recentes e outras mais antigas, como dois grandes e magníficos *quadros-escritos* que eu não me lembrava de haver visto antes e que dominavam, soberbos, uma das paredes. E ali estavam centenas de peças, algumas com as baratas de borracha compradas em lojas de brinquedos, baratas feitas de borracha preta imitando baratas naturais, com as quais León enchia e quase tapava as imagens dispostas numa caixa, e outras obras feitas com seus arames, e matéria prima espalhada por toda parte. León estava agora comprando brinquedos infantis em quantidade para com eles iniciar uma nova série de *obras de arte*. E então León Ferrari me falou da exposição quase retrospectiva que dali a algumas semanas abriria no Centro Cultural de la Recoleta, diante da praça onde tomo minhas taças de vinho branco sibariticamente, rematadas por um café expresso feito por um dos melhores baristas da cidade, ou pelo menos da Recoleta, e onde está também o Cemitério da Recoleta, local que agora acolhe ou abriga o corpo de Eva Perón, o mesmo que antes estivera anos enterrado sob nome falso num cemitério de Milão não muito distante de onde estou agora, Bellagio, informação esta — que o corpo de Evita está agora na Recoleta — conhecida mesmo por fãs de Celine Dion, como se pode ver no *site* que a cantora mantém para seus fãs de fala espanhola e que ali, no *site*, depositam seus textos e imagens para que outros fãs de Celine Dion de fala espanhola se inteirem do local onde vivem os demais fãs de

mesmo idioma e onde uma fã dessa *intérprete popular*, como se diz, fala de sua cidade, que é justamente Buenos Aires, BsAs, Bzaz como digo, e inclui, para que outros fãs conheçam um pouco de sua cidade, uma foto, *dentre todas as possíveis*, da entrada do Cemitério de la Recoleta. Perguntei a León que peças ele iria incluir na exposição e ele respondia Oh, muchas, inclusive aquela *La civilización occidental y cristiana*, de 1966, que mostra um Cristo crucificado numa enorme réplica, 1,60 m de altura talvez, de um avião bombardeiro da Força Aérea Norte-Americana, cópia de um FH-107, que estivera na inauguração do Museu de Arte Latino-Americana de Buenos Aires, o MALBA de Bzaz, e que seu proprietário quisera comprar sem conseguir pois León apenas vende o que quer e somente quando não tem outro recurso para manter-se. Essa e outras peças, como as ilustrações para as Escrituras Sagradas que fazem parte da série *Bíblia*, além de outras peças extraídas de *Nosotros no sabíamos* e de *La bondadosa crueldad*, e algumas das peças que chamo de *catedrais*, estariam na exposição. A exposição se abriu e — como já acontecera com ouras exposições suas anteriores em Bzaz, inclusive uma no Centro Cultural de Espanha que ficava na mesma Calle Florida a que inadvertida mas simpaticamente cheguei de táxi mais de 30 anos antes, só que na outra ponta da Calle Florida — pouco depois foi fechada não apenas por causa da manifestação pública dos que são contrários ao tipo de arte que Léon faz como, e acima de tudo, em virtude de uma decisão de um juiz que acatara a denúncia de uma organização ultracatólica denominada Cristo Sacerdote, transformada em ação judicial depois que o arcebispo de Buenos Aires, Bzaz, qualificou publicamente a exposição de *blasfema*. O governo da cidade de Buenos Aires, no entanto, recorreu da decisão que mandava fechar a exposição de arte do artista León Ferrari e o tribunal de alçada, a Cámara de lo Contencioso Administrativo, numa decisão apertada, pelo voto de dois de seus três membros, ordenou a *reabertura* da mostra mediante uma sentença revocatória da decisão judicial anterior num documento tido como "histórico" por artistas, intelectuais e pela imprensa. Um pouco antes da publicação da decisão dita histórica daquele tribunal de alçada, numa nota publicada pelo jornal *El Clarin*, aquele mesmo de onde León em 1976 havia recortado várias notícias sobre mortos e desaparecidos, León comentava uma declaração recente do porta-voz do episcopado de Buenos Aires que havia declarado não ter de pedir perdão pela responsabilidade da Igreja durante a ditadura porque tinha 16 anos quando se dera o golpe de 1976, ao que León respondia, pelo jornal, que o porta-voz da Igreja desviava o assunto, já que ninguém lhe pedia, a ele, que pedisse perdão. O que se pedia à Igreja era muito mais, escrevia León, o que se pedia era que dissesse tudo o que souberam e sabem os 250 capelães que visitavam os 300 *camarotes* da ESMA e o que sabiam e sabem os sacerdotes e bispos que se reuniam com os criminosos de uniforme em festas religiosas e militares na Casa Rosada, sede do governo argentino, e na catedral de Buenos Aires sem nunca denunciarem aqueles crimes. E León dizia que a Igreja nunca se livraria daquela mancha enquanto não ajudasse as Mães a punir os responsáveis pela morte de seus filhos e não ajudasse às Avós sem filhos e filhas a encontrar seus netos roubados pela ditadura. E León seguia dizendo que o porta-voz fingia ignorar que uma das diferenças centrais que León tinha com a Igreja era que a Igreja sustenta no catecismo editado pela Conferência Episcopal

132

Argentina que os ensinamentos da Igreja afirmam a existência do inferno e a eternidade do inferno, dizendo que as almas dos que morrem em pecado mortal descem imediatamente ao inferno e ali sofrem as penas infernais, o que significa, escrevia León, que milhões de almas ali permanecem sob castigo durante milênios, esperando que chegue o Juízo Final para serem então julgadas, assim que seus corpos sejam ressuscitados, e serem então submetidas ou submetidos, seus corpos, ou junto com seus corpos, a um novo suplício da carne e dos ossos, ao passo que, com suas obras de arte expostas na Recoleta, no centro cultural da Recoleta ao lado do cemitério da Recoleta onde está o corpo de Eva Perón aguardando o dia do Juízo Final, o que León pretendia afirmar era exatamente o contrário disso tudo, quer dizer, que, como muitos e muitos outros habitantes deste planeta, ele estava contra toda tortura física ou mental exercida contra os bons e os maus, contra os católicos e os ateus, contra os corpos e as almas, aqui ou acolá, e que ele não acreditava no inferno e que discriminar a humanidade em bons e maus e promover o castigo de uns pelos outros era uma das causas dos *extermínios que balizam a história da humanidade*. E León continuava perguntando, com um rosto angelical que só pode imaginar os que o viram pessoalmente, rosto emoldurado por vasta cabeleira hoje cinza que lhe desce pelos dois lados da face e enquadram um semblante calmo e distendido sempre marcado por amplo, aberto e infantil sorriso, *como podia* a Conferência Episcopal resolver a contradição entre respaldar os direitos humanos neste mundo e violá-los no além?

Pouco depois a justiça revogava a proibição contra a mostra de León Ferrari na Recoleta, numa resolução assinada pelo presidente do tribunal, Horacio Corti, que em suas considerações diz que "a liberdade de expressão deve proteger a arte crítica, e que se uma arte é crítica ela molesta, irrita e provoca. A mostra retrospectiva *León Ferrari 1954-2004*, em que se exibiam 400 obras representativas de um dos artistas mais reconhecidos da Argentina, havia sido inaugurada dia 30 de novembro de 2004 na sala Cronopios, cronópios que assim vêm descritos no famoso texto assinado por Julio Cortazar "Historias de cronopios y de famas", uma das peças fundamentais da história dessa que se chama ainda de América Latina: Cuando los famas salen de viaje, sus costumbres al pernoctar en una ciudad son las siguientes: Un fama va al hotel y averigua cautelosamente los precios, la calidad de las sábanas y el color de las alfombras. El segundo se traslada a la comisaría y labra un acta declarando los muebles e inmuebles de los tres, así como el inventario del contenido de sus valijas. El tercer fama va al hospital y copia las listas de los médicos de guardia y sus especialidades. / Terminadas estas diligencias, los viajeros se reúnen en la plaza mayor de la ciudad, se comunican sus observaciones, y entran en el café a beber un aperitivo. Pero antes se toman de las manos y danzan en ronda. Esta danza recibe el nombre de "Alegría de los famas". / Cuando los cronopios van de viaje, encuentran los hoteles llenos, los trenes ya se han marchado, llueve a gritos, y los taxis no quieren llevarlos o les cobran precios altísimos. Los cronopios no se desaniman porque creen firmemente que estas cosas les ocurren a todos, y a la hora de dormir se dicen unos a otros: "La hermosa ciudad, la hermosísima ciudad". Y sueñan toda la noche que en la ciudad hay grandes fiestas y que ellos están invitados. Al otro día se levantan contentísimos, y así es como viajan los cronopios.// Quer dizer, Quando os famas saem de viagem, seus costumes ao pernoitar numa cidade são os seguintes: Um fama vai ao hotel e averigua cautelosamente os preços, a qualidade dos lençóis e a cor dos tapetes. O segundo se traslada à delegacia e lavra uma certidão declarando os móveis e imóveis dos três, bem como o inventário do conteúdo de suas malas. O terceiro fama vai até o hospital e copia as listas dos médicos de plantão e suas especialidades. / Terminadas essas diligências, os viajantes reúnem-se na praça central da cidade e comunicam-se suas observações e entram no café para beber um aperitivo. Mas antes dão-se as mãos e dançam em roda. Essa dança recebe o nome de "Alegria dos famas". / Quando os cronópios saem de viagem, encontram os hotéis lotados, os trens já partiram, chove a cântaros e os táxis não os querem transportar ou lhes cobram preços altíssimos. Os cronópios não desanimam porque crêem firmemente que essas coisas acontecem com todos e na hora de dormir se dizem mutuamente: "Que linda cidade, que lindíssima cidade". E sonham toda a noite que na cidade há grandes festas e que os convidam. Na manhã seguinte levantam-se contentíssimos e é assim como viajam os cronópios. Pois foi nessa sala desses cronópios que o cronópio León Ferrari havia inaugurado sua exposição dia 30 de novembro de 2004, à qual haviam acorrido mais de 30 mil pessoas em pouco mais de 15 dias, já sabedoras da reputação de *ser pensante por conta própria* que tem León, reputação que eu ia descrever como sendo contestatória ou provocadora mas que é simplesmente a reputação dos que pensam por conta própria e dos que sempre pensam de *outro modo*, de modo distinto, e distinto sobretudo dos *coletivos* todos. Em fins de dezembro de 2004 a mostra havia sido suspensa por ordem da juíza *Elena*, e aqui vai uma dessas ironias da história dos famas e cronópios, *Liberatori*, Elena Liberatori, que não se perca pelo nome, como dizia minha avó que tinha a crença dos simples no poder das palavras, e que havia justificado sua decisão porque "neste momento a sociedade vive com a sensação de um sentimento religioso lesado", baseando-se a seguir no artigo 1071 do Código Civil segundo o qual "a mortificação de terceiros em seus costumes ou sentimentos é uma intromissão arbitrária na vida alheia". Anteriormente e essa decisão da Liberatori, o cardeal de Buenos Aires, Jorge Bergoglio, com o qual León Ferrari manifestava sua divergência central sobre a noção de inferno e das torturas, havia qualificado de blasfema a exposição em uma carta pública dirigida aos fiéis e na qual os convocava para sessões de jejum e orações em "ato de reparação e pedido de perdão para reparar a blasfêmia que envergonha a cidade". Para León Ferrari, nas palavras dele recolhidas pelo diário espanhol *El Pais*, a mostra servia para denunciar a presença da intolerância e seu fechamento apenas havia confirmado o que ele sempre dizia, numa mostra que, destacava, tinha o mérito de ter posto à luz do dia alguns temas como o da discriminação da

Igreja, nas palavras de León, filho de um arquiteto e pintor italiano que se dedicara a construir e decorar igrejas e que é ele mesmo um artista com reconhecimento internacional que já nos anos 60 e 70 havia sofrido uma perseguição que o levara ao exílio, tendo um filho seqüestrado durante a ditadura militar que massacrara o país entre 1976 e 1983, filho esse que continua desaparecido e que na verdade, sabe León, foi assassinado em algum momento daquele período no interior da ESMA, o filho desse artista que tem obra integrando as coleções do MOMA de Nova York e do Reina Sofia de Madrid, entre outros museus, e que tem se marcado pela crítica feroz aos ícones da Igreja Católica mas não apenas a esses como também aos militares assassinos e não apenas a isso limitando seu gênio criador, um gênio criador que, como diz León, teve uma educação religiosa e passou um tempo desterrado no inferno, de onde pularam fora suas obras, ele diz: *de onde pularam fora minhas obras.* A decisão do tribunal de alçada foi considerada "fantástica" no país, e logo em seguida, abrasados de calor, sufocados e quase sem ar, suportando uma temperatura de 36 graus centígrados, dezenas de pessoas no dia seguinte esperavam pacientemente que chegasse sua vez de entrar no centro cultural do bairro da Recoleta, situado ao norte de Buenos Aires, Bzaz, que nada em comum tem com o norte de São Paulo ou do Rio, sendo antes, a Recoleta, um bairro não apenas elegante como bonito, onde voltava a ser exibida a mostra antológica do artista argentino de 84 anos em 2004. Ninguém havia convocado aqueles visitantes, nem se anunciou publicamente a que horas se abririam as portas no dia seguinte: as pessoas apenas compareceram no dia seguinte, muito cedo, como ali estiveram desde o primeiro dia da mostra antes da proibição, em defesa da liberdade de expressão e para celebrar uma nova batalha contra a censura, como disse a porta-voz do centro cultural, numa declaração que um colega seu completava dizendo que a reação das pessoas em defesa do artista havia sido o verdadeiro e emocionante acontecimento naquilo tudo, naquela história toda. As pessoas que estavam na fila esperando a abertura liam as notícias sobre a decisão do tribunal, decidida por

136

dois votos a favor e um contra a reabertura, numa sentença que ordenava que se mantivesse a restrição à presença de menores de idade na mostra e se procedesse à fixação de cartazes alertando publicamente os potenciais visitantes sobre o conteúdo da exposição e o fato de que algumas obras poderiam chocar seus sentimentos religiosos, mesma advertência que deveria, incompreensivelmente, porque não era o caso de supor que apenas aquele volume teria essas características, ser colocada também nos *catálogos* relativos à mostra. O fundamento decisivo da sentença incidiu sobre a defesa da liberdade de expressão, mas tocou também em outros pontos importantes, como o fato de que *"a arte é crítica das idéias arraigadas e das crenças majoritárias ou minoritárias"* e que nessa crítica a arte arma um diálogo com as crenças religiosas, morais, sociais ou políticas, dimensão crítica diante da qual se pode ter uma diversidade de reações emocionais e intelectuais que no entanto não justificam a eliminação do direito de expressão artística. A sentença tocava também em outro tópico importante levantado pela Associação Cristo Sacerdote, o fato de que a mostra realizava-se em um lugar público e que, portanto, segundo aquela Associação, não poderia ofender aos católicos, ao que a resposta do juiz Corti disse que na realização de sua política cultural a cidade deve atuar de forma pluralista, de acordo com um sistema baseado na proibição da censura e no respeito à liberdade criadora em sua diversidade estética, o que fazia, também por exemplo, dizia o juiz, com que não se pudesse entender como tentativa de impor crenças católicas ao público a inclusão, na programação de 2002 do Teatro Colón, que pouco mais de 30 anos antes havia perdido a quase totalidade de seu corpo de baile num desastre aéreo no Rio da Prata, e o juiz não estava portanto falando em teoria mas referindo-se a um fato concreto ocorrido dois anos antes da sentença, a inclusão nessa programação de uma obra de Paul Claudel, esse conhecido propagandista da igreja católica, para dizer o menos, e autor de *As sandálias de Satã, Les souliers de Satan*, e que aos 18 anos teve uma revelação, *enquanto* assistia missa em Notre-Dame, na forma de uma voz que *vinha do alto* e lhe dizia *Deus existe!* e que foi ministro plenipotenciário da França no Rio de Janeiro e outros lugares e que mesmo opondo-se aos nazistas ocupantes de seu país França escreveu uma ode a Pétain chefe do governo colaboracionista de Vichy e mais tarde escreveu outra ode a De Gaulle, o general De Gaulle que combateu Pétain e Vichy e que disse que o país Brasil não é um país sério, no que tinha toda razão, sem que o acusassem, a Claudel, de oportunista, dizendo ainda o juiz que se toda a atividade cultural do governo incluísse apenas um certo tipo de arte seria possível pensar que, pelo menos obliquamente, se estaria diante de uma forma de impor certas opiniões, quando na verdade num Estado de Direito a diversidade vem protegida acima de todas as coisas — embora, será preciso registrar, a ninguém havia ocorrido dois anos antes pedir a interdição do espetáculo com a peça do escritor católico-radical Paul Claudel, assim como a ninguém ocorrera naquela ocasião pedir ou impor ao Teatro Colón que ostentasse à sua entrada cartazes dizendo que certas passagens da peça de Claudel poderiam ferir a sensibilidade atéia ou outra dos espectadores, numa clara demonstração dos dois pesos e duas medidas. O juiz dizia ainda ser certo que o direito à intimidade garante a seu titular o desenvolvimento de sua vida e de sua conduta dentro do âmbito privado, não resultando suficiente para se pedir a proibição de algo que esse algo moleste ou fira a sensibilidade de outrem fora desse âmbito privado porque se assim fosse o direito à intimidade poderia converter-se em perigoso instrumento de censura de opiniões não compartilhadas, e que haveria violação da intimidade caso se impedisse uma pessoa de livremente professar seu culto ou caso se pretendesse impor-lhe uma determinada convicção religiosa, fato que patentemente não existia naquele caso uma vez que a comunidade católica pudera manifestar-se livremente contra a mostra, prova indelével de que a liberdade de consciência não havia sido afetada. A *decisão fantástica* daquele juiz, no dizer de muitos argentinos, prosseguia dizendo que a ocorrência de atos de violência contra uma mostra, de resto levados a cabo, isso o juiz não disse ou não podia dizer, pelas próprias pessoas que depois entraram com o pedido judicial de encerramento da mostra, não poderiam justificar o pedido para que ela fosse fechada, algo que apenas uma *sociedade articulada ao redor do medo* poderia imaginar fazer, acrescentando ainda que não é por meio do fechamento de uma mostra que se preserva a ordem mas pela educação e pelo próprio exercício da liberdade, fórmula que Tocqueville, antes desse juiz, já havia expresso de outro modo dizendo que os problemas decorrentes do excesso de liberdade se resolvem sempre com mais liberdade, não com menos. E o juiz terminava sua sentença dizendo que ao governo da cidade de Buenos Aires Bzaz cabia incluir cartazes advertindo sobre eventuais efeitos, nos espectadores, de algumas das obras exibidas, o que indicaria a prudência das autoridades administrativas da cidade, sentença com a qual a procuradora-geral da cidade manifestou sua concordância, dizendo que ficava claro o valor da liberdade de expressão e que procederia à reabertura da exposição assim que possível, o que se daria efetivamente no início do mês de janeiro seguinte àquele dezembro de 2004.

Ao final do volume dedicado a Augusto C. Ferrari há uma Bibliografia que se inicia com uma nota observando que apesar da obra realizada em sua larga vida e da atenção que lhe concedeu a imprensa em sua época, Augusto César Ferrari permanece ignorado pelos críticos e historiadores de artes plásticas, arquitetura e fotografia. Quase no meio desse volume há uma fotografia do panorama que Augusto C. Ferrari realizou sobre a Batalha de Salta. As condições técnicas da fotografia e talvez sua idade, assim como o fato de ser uma reprodução o que o leitor do livro vê, fazem com que seja preciso olhar duas vezes, e com cuidado, para perceber que a figura observável na extremidade esquerda da foto e da página, já quase fora dela, é na verdade Augusto César Ferrari e não uma figura da batalha de Salta ali pintada por Augusto C. Ferrari, tão fundida está a imagem do pintor na pintura que fazia, uma vez que a luz refletida em seu paletó ou jaqueta branca é tão branca e da mesma intensidade que a luz branca que define umas tábuas colocadas no andaime que lhe servem de base para pintar a tela que, diz o olho, deve na verdade estar atrás dele, a alguns centímetros longe dele, e apesar de que a figura que quase representa o pintor e arquiteto Augusto C. Ferrari sendo pintado por Augusto Cesar Ferrari usa botas visualmente em tudo iguais às dos militares representados no segundo plano da foto, mas primeiro plano do panorama, montados em seus cavalos e aparentemente, e isso é o curioso (ou é o fato algo incômodo da situação), aparentemente iluminados pela mesma luz branca que, vindo no panorama pintado da esquerda para a direita do próprio panorama, direita para esquerda do observador, parece sair da tela e alcançar também e do mesmo modo, no mesmo ângulo, as tábuas brancas do andaime e a figura de Augusto César Ferrari, que no entanto não deixa sombra sobre o pouco que resta de tábua de andaime atrás de si, ele que nesse ponto está praticamente fundido com o resto da cena pintada. Ariel, a quem também o volume sobre Augusto C. Ferrari (1871-1970, como se diz) é dedicado, ao lado de outras pessoas à frente das quais ele no entanto aparece, na penúltima fala que tem em *A tempestade* antes de sair de cena, diz: Bebo o ar à minha frente, e volto / I drink the air before me, and return.

Até hoje o jornal *Página 12*, de Buenos Aires, publica toda quarta-feira, gratuitamente, numa página especial, anúncios padronizados dando fotos e detalhes de filhos, irmãos, pais, mães, netos desaparecidos durante aqueles anos e pedindo informações. Às quartas. Todas as quartas.

30

*As recordações fragmentárias cujas imagens me assombram têm um caráter obsessivo.* Não me lembro quem disse isso. Provavelmente muitos. Existem recordações fragmentárias que não tenham um caráter obsessivo? Escreve Cláudio Magris que a memória, sendo a mãe das Musas, é o que forma e dá sentido à vida, protegendo-a do nada e do esquecimento. E lembra que na tradição hebraica, um dos mais profundos atributos de Deus é o de recordar "até a terceira, à quarta, à quinta geração". Estremeço diante dessa idéia. Penso que, nesse caso, Deus é como esses reis de algum povo dito primitivo cuja função é atrair para si todos os males que poderiam cair sobre o grupo — as doenças, as calamidades, os maus-olhados — com isso deixando incólumes seus súditos, que na verdade são seus *operadores,* os verdadeiros senhores desse rei. Tanto que podem puni-lo, dando-lhe fortíssima surra, por exemplo, de modo a fazê-lo expiar, em nome e no lugar da tribo, alguma coisa pela qual a tribo pudesse ser responsável ou vir a ser responsável. Deus, nesse caso, lembraria por mim até a quinta geração. Não posso lembrar até a quinta geração. Não posso lembrar nem muito menos que isso. O fantasma de Funes me assombra, esse personagem de um dos contos de Borges, Jorge Luis, que de modo quase unânime é considerado em tudo surpreendente e por outros, que podem resumir-se a mim, aterrorizante. Funes, de *Funes El memorioso,* conto coletado em *Artifícios* que depois integrou Ficciones, e do qual o autor diz que é uma *larga metáfora del insomnio,* uma longa metáfora da insônia, e que o narrador diz recordar (embora não tenha o direito de pronunciar esse verbo sagrado, a que um único homem sobre a terra teve direito e esse homem já morreu) com uma escura flor na mão e vendo-a como ninguém a vira antes, é uma pessoa simples, alguém do interior, filho de uma passadora de roupa e dotado de uma memória infinita à qual nada escapa: todas suas observações, todos seus feitos, todos seu sentimentos presentes e passados persistem em sua memória, todos os movimentos da água do mar sobre a areia da praia, todos os desenhos que formam as nuvens no céu todo o tempo, e a tal ponto que, afogado por esse universo de detalhes em expansão, Funes *não pode formar idéias gerais* e, portanto, não pode pensar. Uma idéia sugestiva: e se por um instante Deus fosse um Funes, como diz Borges, um "espectador solitário e lúcido de um mundo momentâneo, multiforme e quase insuportavelmente preciso?" E se Deus estivesse aí para *de fato*, para *realmente* nos resgatar dos males também da memória? Há por certo nessa idéia um pouco de atrevimento, uma ponta de blasfêmia até, porque, imaginando talvez um defeito no conto perfeito de Borges, esse Funes que nada esquece não pode pensar e, portanto, lúcido não pode ser: o mundo e as gerações seriam, antes, uma massa não sem sentido mas na qual tudo teria o mesmo sentido, uma massa feita de sentidos equiprováveis, quer dizer, uma massa feita de fatos arquivados que podem receber qualquer um dos sentidos disponíveis, quer dizer, que podem significar *qualquer coisa*. Solitário sem dúvida, lúcido certamente não. E nesse caso esse mundo memorizado nunca poderia ser *preciso*. Seria um mundo aleatório. O que lhe dá sentido é o esquecimento. O esquecimento pontual: esqueço isto e esqueço aquilo, e o sentido do restante surge da relação que se estabelece entre o que sobrou na memória e aquilo que a memória esqueceu. O esquecimento baliza o sentido do mundo. A função de Deus portanto não é lembrar: não pode ser ou então Deus não pode ser quem se diz que é. É nesses vazios da memória que se torna necessário mergulhar para tornar a memória uma dimensão sem obsessões. A memória sem obsessões será, acaso, a experiência do presente, a memória como presente. Há um vazio em minha memória, por exemplo, no dia 31 de março de 1964, vazio que talvez se estenda ao dia 1º de abril de 1964. Ou a vários outros dias seguintes. E uma necessidade, pela primeira vez como que desesperada, de precisar o foco dessas imagens. Os cadernos de anotações estão por toda parte, pequenos, médios, maiores, cadernos do tamanho escolar, desses com páginas cartesianamente quadriculadas fabricados em França, inúmeras páginas soltas por todo lado mas sobretudo cadernos e cadernetas, dessas de levar no bolso, que nunca li, porque escrever não é ler, nem reli e que provavelmente nunca lerei, o que me leva a perguntar incessantemente por que afinal escrevi tudo aquilo. Há de tudo nesses cadernos e cadernetas, esboços de desenhos ineptos ou feitos com muita pressa, como todo o resto na vida, me parece, desenhos e esboços que teriam saído bem melhores se lhes tivesse concedido um mínimo desse tempo que me parecia tão valioso, e, além desses desenhos e esboços para projetos visuais que nunca se realizaram, passagens de livros lidos e a serem escritos. Esta cena em que Anna M. aparece desnuda no banheiro contra a luz que entra pela janela do fundo: o banheiro está às escuras salvo pela claridade penetrando por trás, restrita, por essa janela, e Anna M. está desnuda, o vestido leve e o sutiã e a calcinha caídos aos pés porque pedi que os deixasse cair. É a primeira vez que ela se mostra desnuda e parado à porta não me atrevo a entrar — o momento é impróprio, talvez — mas não há espaço para divagações sobre os motivos pelos quais não entro e não a toco, nesse momento: Anna M. parada contra a luz do resto do dia, desnuda, de frente para mim. Mas o objeto dessa procura nas notas é um só e bem preciso: Renato. Mas há demasiados vazios nas notas — e nesse caso, como tirar daí algum significado, como propor a isso algum significado, supondo, é o que me ocorre neste instante, que seja necessário propor a *isso* algum significado. A memória de um Deus que deva lembrar-se pelo menos até a quarta geração será uma memória de justiça e caridade, como lembra Claudio Magris, uma recusa de deixar prescrever o mal e o resgate de suas vítimas. Mas essa, penso, é a memória de um Deus, e se há uma coisa em que *nunca pensei* ao escrever aquelas notas espalhadas pelos cadernos era em ter ou transformar ou *descrever* minha vida como sendo ou tendo sido uma vida exemplar, como uma vida naquele tempo, no meu tempo de vida, cuja narrativa pudesse passar para as gerações seguintes ou para as testemunhas seguintes como tendo sido uma vida exemplar para aqueles tempos, quer dizer, uma vida típica daqueles tempos. E no entanto, mesmo sem dar-lhes um significado não posso fazer outra coisa que não recordar aqueles vazios obsessivos: Renato. Há um vazio, por exemplo, no dia 31 de março de 1964, que talvez se estenda ao dia 1º de abril de 1964 e aos dias seguintes: chegando à São Francisco, à Faculdade, à Faculdade do Largo de São Francisco, para encontrar nas paredes os buracos das balas disparadas pelos membros do CCC, Comando Caça Comunistas, o grupo de estudantes como eu mesmo e com os quais eu nada tinha a ver pois andavam armados e já andavam armados antes do Golpe (eu era um calouro, entrava naquele ano na faculdade, aquele eram meus primeiros dias na faculdade, não tinha a mais remota idéia do que era a vida real na faculdade) e que com a deflagração do golpe de estado sentiram-se livres e endossados na tentativa de eliminar os estudantes *subversivos*, como se dizia, ou de pelo menos intimidá-los o suficiente para mantê-los quietos, passivos, à distância. Minha sensação era de estar por fora daquela situação, como de fato objetivamente eu estava: não podia ser de outra forma, acabava de chegar, acabava de entrar na faculdade. Diante dos buracos de bala nas paredes, a sensação de outra vez estar fora, de *não fazer parte*. No dia anterior, na casa de Anna M., eu estava no sofá com ela, entregue à exploração de seu corpo, à minuciosa embora não exposta exploração de seu corpo sob a saia, sob sua roupa mais íntima para dali extrair o cheiro que me deixava simplesmente alucinado, quando a TV deu a notícia de que as tropas fiéis ao presidente deposto, e que estavam todas ou praticamente todas em São Paulo, haviam desistido da resistência e se juntado às forças golpistas ou simplesmente haviam desistido da resistência. Mais provavelmente, desistido da resistência e se juntado às forças golpistas. Meu sentimento de alívio foi enorme, não apenas por poder então prosseguir nos dias seguintes com a exploração do corpo de Anna M. como por não ter de meter-me naquele conflito que não me dizia respeito. Aquela não era minha guerra, dizia, como se alguma pudesse ser. Nada mais remoto, quer dizer, removido de mim, do que as idéias e as palavras e os gestos e os comportamentos daquela massa humana que algumas semanas antes, 19 de março de 1964, saíra às ruas em São Paulo na Marcha da Família com Deus pela Liberdade para manifestar oposição às medidas anunciadas, muito mais anunciadas do que efetivadas, pelo governo João Goulart e que levou de fato uma ampla

quantidade de pessoas, da classe média e outras, numa iniciativa que respondia ao comício feito por João Goulart uma semana antes, a 13 de março, para anunciar o que seriam no futuro suas *reformas de base*. A Marcha, diz a página web, havia reunido setores da classe média temerosos do "perigo comunista", assim entre aspas aparece escrito na página, com o que essa página web pretende sugerir que o *perigo comunista* não existia, tudo resultando de uma conspiração que, como se lê mais abaixo, havia sido organizada pelo IPES,um instituto fundado por empresários brasileiros com o apoio econômico das empresas norte-americanas instaladas no país e dirigido por um general, outro general, o general Golbery do Couto

148

e Silva, depois diretor do SNI — Serviço Nacional de Informação, órgão com atuação central na repressão à *subversão*, e cüja função, desse IPES, diz a página web, era coordenar a derrubada de Jango, João Goulart, para isso recebendo não apenas dinheiro norte-americano como também informações da CIA, como "consta", diz a página web, assim entre aspas, e cujos métodos de atuação, continua a página web do DHBB Dicionário Histórico-Biográfico Brasileiro da FGV, consistia em convocar as esposas de empresários para uma reunião na qual seriam "doutrinadas [*sic*] sobre como o comunismo poderia ser prejudicial a elas e, principalmente seus filhos" [*sic*] e em seguida convocar as esposas dos empregados das empresas participantes, "sendo estas mulheres doutrinadas [*sic*] pelas esposas dos patrões com fins filantrópicos e religiosos" [*sic*], querendo a página obviamente dizer com o emprego do termo *doutrinadas* que se aquelas pessoas não passassem por aquele processo, fosse qual fosse, elas não teriam *espontaneamente* se dado conta de que o comunismo poderia ser prejudicial a elas e principalmente a seus filhos, nem se manifestado por vontade própria contra o comunismo, que naturalmente essa página web não encara como merecedor da oposição e rejeição daquelas pessoas e de outras, naquele momento como também, é óbvio, agora neste dia de 2005 quando o DHBB é oferecido para venda ou consultado gratuitamente na web, mesmo porque a mesma página web continuava dizendo que aquelas "marchas", que ela escreve assim entre aspas, com todo o sentido de ressalva e de ironia que as aspas podem por vezes ter, e como vem escrito no *site* que traz o selo, quer dizer, o patrocínio da grande estatal do petróleo brasileiro ou grande estatal brasileira do petróleo e que está sob as ordens diretas, no que diz respeito ao modo pelo qual deve gastar seu dinheiro em "cultura", da secretaria de comunicações da presidência da república no "novo" governo Lula da Silva, as "marchas", diz a página, eram preparadas com a distribuição de panfletos que continham as palavras *liberdade* e *democracia*, vejam só, palavras que, como supõem os autores dessa página web, são irrelevantes, tão irrelevantes como o medo ao comunismo e, além disso, nocivas, inadequadas, irrelevantes, pois as marchas contra João Goulart eram preparadas com a distribuição de panfletos que continham as palavras *liberdade* e *democracia* — instante em que me recordo como me sentia e me sinto inteiramente distanciado daquela massa que havia marchado com Deus e pela família e pela liberdade mas também dos *outros* de então, aqueles contra os quais a família marchara, e dos *outros* de agora que em muito casos são os *mesmos* outros *de então*, e que seguem no mesmo caminho *de antes* ao redigir descrições, do que então se passou, como as dessa página web. Nada em comum, realmente nada em comum. Para mim é sempre surpreendente que pessoas de resto *bem estruturadas,* e de cujas bocas jamais esperaria ouvir coisas assim, como por exemplo um escritor alemão, pudessem admitir *depois,* passados os fatos, como haviam se surpreendido com o fato de que, chamados para a guerra, e, incrível, para uma guerra má, como havia sido a guerra promovida pela Alemanha, essas pessoas se tenham descoberto a si mesmas *compartindo* certos sentimentos de pertença com o maior número, com as outras pessoas — com o povo, como se diz, com um povo. Surpreende-me como certas pessoas pudessem mesmo reconhecer, depois, *mais tarde,* que haviam sentido "o êxtase do altruísmo", esse sentimento de ter, no caso deles, como dizem, e pela primeira vez, como dizem, alguma coisa em comum com o próximo — por exemplo, com os compatriotas alemães, como li nas palavras de um escritor que no entanto tinha tudo para saber, no momento em que aceitou ser parte da guerra, que a guerra que seu país provocava não podia ser justa, o que lhe tiraria toda possibilidade de poder compartilhar com alguém mais qualquer outro sentimento que não fosse o de repulsa e estranhamento. Esse sentimento me fazia ter certeza de que não podia ser aquela *razão declarada* — compartilhar o destino de morte ou de vida no combate comum, na defesa suposta da *pátria mãe,* o que é um paradoxo, *pátria* e *mãe,* do qual parecem nunca se dar conta os que enchem a boca para falar da terra em que nasceram sem se dar conta de que estão assim propondo um hermafroditismo, um *pátria* que é *mãe,* que essas

150

pessoas certamente não aceitariam em outro campo, quer dizer, não podia ser aquela a razão real para esse comportamento mas, sim, alguma outra coisa do tipo *tendência à auto-imolação*, a busca de atribuir à vida um sentido mais premente do que aquele que pode fornecer a vida cotidiana ou mesmo a vida criativa de um pintor ou um compositor ou escritor, ou o puro e simples exibicionismo do "eu faço também e faço melhor que vocês, verão". Eu continuava me surpreendendo com declarações assim, que não cessavam de vir à tona mesmo agora, 60 anos depois dos fatos, 30x2 (talvez fossem declarações que não poderiam mesmo ter vindo à tona em prazo mais curto, porque nesse caso a reputação de quem as fazia ficaria manchada para sempre, coisa que já não pode mais acontecer agora que seus autores estão mortos e que suas palavras passadas que agora os alcançam não mais podem afetar nem sua vida, nem sua obra, o que significa que essas palavras não os alcançam mas alcançam, sim, pessoas como *eu*, ali naquele dia revendo as imagens da Marcha pela Família com Deus pela Liberdade, numa demonstração do efeito letal que podem ter as palavras e que talvez não tenham muitas imagens). Eu me surpreendia com declarações como a desse escritor alemão porque eu mesmo jamais cedi à tentação de experimentar esses sentimentos de comunidade nem com os marchadores pela pátria, pela família e por aquela liberdade, nem com os outros que buscavam outra pátria, outra família e outra liberdade que obviamente no entanto se equivaliam. Eu não havia ido ao comício do Rio a 13 de março de 1964, que havia servido de estopim ou pretexto para o desencadeamento do golpe contra o governo estabelecido, nem à Marcha do dia 19 em São Paulo, desprovido que estava de todo sentimento de comunhão com os conterrâneos ditos brasileiros de um lado ou do outro lado e que preferi ficar em casa de Anna M. explorando seu corpo com o interesse, a delicadeza e o deslumbramento que por exemplo um executivo não pode demonstrar no desfrute do corpo da própria mulher, porto talvez mais seguro em tempos de AIDS, nem pode demonstrar, no desfrute de um corpo feminino, menos ainda masculino, por muito mais razões, um *comissário* de partido ou um membro do que naquele momento se chamava a si mesmo de movimento revolucionário ou das forças de oposição ou das *forças da liberdade*. O alívio então, mergulhado como estava na zona mais profunda de Anna M., ao ouvir pela TV naquela tarde de 1º de abril de 1964 que as forças do exército acantonadas em São Paulo e que de início haviam dado a impressão de que resistiriam ao lado do presidente que se pretendia depor, haviam afinal desistido de fazê-lo, resistir quer dizer, e até mesmo decidido juntar-se ao resto das tropas, ao grosso da tropa, como se diz. Essa sensação de alívio não me eliminou, porém, uma outra sensação, a de estranhamento diante daquelas marcas de bala na parede da Faculdade de São Francisco naquela manhã, nem a sensação de que, de um modo ou de outro, talvez tivesse gostado de juntar-me a algum grupo que pudesse neutralizar aqueles que, sob aquela sigla infame do CCC, o Comando Caça Comunista, não mais receavam mostrar a própria boçalidade. Mas meu sentimento predominante era a perplexidade, mesclado com a sensação de que não pertencia a lugar algum, a coisa alguma, a conceito algum, sentimento que alternadamente experimentei naquele momento, antes e depois, como sinal de fraqueza e indício de justificada e buscada independência e autonomia intelectual e afetiva. Era-me evidente que haveria um preço a pagar por isso, mas não é que não estivesse disposto a pagá-lo: simplesmente não podia fazer de outro modo, me era absolutamente impensável fazer de outro modo.

Vejo neste caderno que estava soterrado por uma pilha de papéis inúteis uma anotação surpreendente: o *tema* de uma de nossas reuniões, minha, Renato, Anna M., DP e Bach. A anotação dizia: na casa de Renato hoje, os de sempre, eu, Anna M., DP e Bach, no escritório do pai dele, que para mim era um ambiente extremamente elegante, talvez não para Anna M., mas para mim sim, quer dizer, já era surpreendente que o apartamento deles tivesse um escritório só para o pai, advogado, e, além disso, que os móveis e a decoração

152

fossem de tão bom gosto, tão fina, tão cara. E diante da palavra *tema* um ponto de exclamação, talvez apenas uma pontuação fora de lugar, que queria referir-se ao assunto em si, talvez indicativa do fato de que naquele dia havíamos tido ou teríamos um tema específico a discutir. Normalmente nos reuníamos ali para discutir e ver os filmes experimentais em super-8 que fazíamos, vagamente inspirados no Bertolucci de *Antes da revolução* e no Antonioni de *O grito* e *A noite*, super-8 em preto&branco que projetávamos varias vezes talvez assim procurando nas próprias cenas sem encaixe e sem continuidade um caminho a seguir. Mas naquela tarde o que havíamos discutido era se o golpe de 31 de março, que na verdade conhecíamos como o golpe de 1º de abril porque tomamos conhecimento dele, como todo mundo que ouviu a notícia pelo rádio, no dia primeiro de abril, o dia da mentira, a principio quase como se fosse uma simples peça que nos pregavam, uma mentira idiota no dia da mentira, mas era uma *revolução*, como diziam os revolucionários, ou um simples golpe. As interpretações simplificadas: eu queria sempre evitar as interpretações simplificadas. O fascismo alemão, lembrou alguém naquela reunião naquele apartamento — que não chegava ao ponto de constituir um *aparelho*, como depois as forças da repressão os iriam designar: seria tragicômico que o apartamento de um advogado bem estabelecido fosse visto como um *aparelho* onde jovens menos ou mais barbudos mas sem duvida cabeludos debatiam a queda do regime — resultara de uma reação contra os desafios da vida moderna, sobretudo a industrialização e a urbanização (na época o fenômeno da globalização era, se não desconhecido, pelo menos, inominado como tal), para o quais o povo alemão estava despreparado, reação que em seguida havia se transformado em uma revolta *contra a própria idéia de civilização*, por que se não fosse assim como explicar os campos, o extermínio em massa, o genocídio, os primeiros vagidos da genética experimental ou, como se diz hoje, do biopoder, e depois o masoquismo da destruição total, da autodestruição?, lembrou alguém, com Hitler dizendo que, se o povo alemão não havia sido capaz de triunfar, merecia ser

153

esmagado. Nesse caso, e se assim fosse, a revolução ou o golpe se havia formulado contra o quê, exatamente? Ou em nome do quê, se tirássemos de cena por um instante pelo menos, e mesmo que fosse apenas *ad argumentandum*, a idéia do contragolpe preventivo contra a esquerdização do país, um contragolpe preventivo contra o risco de eliminação das liberdades, palavra, no plural, que preferíamos a outras como *valores liberais*, e que dava por primeiro resultado exatamente a eliminação das liberdades? O fato era que tudo aquilo que estava sendo então abolido com o contragolpe preventivo, e que *provavelmente teria sido abolido* com o golpe evitado se um dia esse golpe se concretizasse ou tivesse se concretizado, não era motivo de preocupação para a maior parte das pessoas, o que nos deixava com um gosto muito amargo na boca. Mas, em nome do quê se dera? Revolução não era porque não se dera nenhuma transformação radical nas relações políticas, sociais e culturais, no ordenamento jurídico-institucional e na estrutura econômica: o aparelho de Estado não tivera seu controle alterado, havia sido uma coisa antes e continuava a sê-la depois. Um golpe de estado não se marcava por motivações ideológicas, como aquele no entanto sim, se marcava, e limitava-se a um movimento de substituição no comando do poder dentro de um mesmo grupo; e participação popular, no golpe de estado, é escassa ou inexistente; a luta política é breve e breve é o combate militar, quando há. Naquele caso, era impossível dizer que não houvera participação popular (as marchas eram populares) e a participação de pessoas exteriores ao grupo de comando, os militares, havia sido fortíssima (os empresários e suas esposas marchadeiras), assim como do outro lado também se registraram amplos movimentos de participação popular. E ambos os lados falavam em nome de um aprofundamento do processo modernizador, um dizendo que romperia as cadeias do passado conservador, o outro dizendo que procurava o verdadeiro modernismo. Minhas notas no caderno não registravam nenhuma decisão final, e de fato saímos daquela reunião tão inconclusivos como nela havíamos entrado: apenas não queríamos seguir as

154

cartilhas, nenhuma delas. O que Renato queria saber, isto é, se era adequado e justo e oportuno e razoável partir para a guerrilha, ficou sem resposta, aquela tarde. Na verdade, os ânimos se acirraram, por momentos. No dia seguinte, quando me encontrei com Bach, a primeira coisa que ouvi dele foi que Renato saíra da reunião e fora direto comprar droga, e que daquela vez não havia sido só maconha, e que ele não voltara para casa à noite, deixando a família em claro — pelas possíveis implicações político-repressoras da ausência, claro — até que pela manhã seguinte ele aparecesse de volta em condições relativamente normais.

Um dos principais problemas dos que se defrontam com a necessidade de lidar com a memória, a própria e a dos outros, é a obsessão, comum hoje, de crer, contra todas as evidência no entanto acessíveis, que os *detalhes* de uma vida formam parte da *história* dessa vida, e que uma vida *somente* resulta *inteligível* (algo que aparentemente, essa é outra crença geral, só pode acontecer *depois,* depois da vida vivida, depois de a vida ter sido vivida) quando é *relacionada* ou *integrada* à história social, econômica e cultural *mais ampla* da qual se supõe, como postulado, que aquela vida faz parte; e que o significado de uma vida é a soma de todas essas "condições prévias" dessa vida assim como o significado de um determinado período de uma vida social ou da vida de uma sociedade toda é a soma de todas essas "condições prévias", crença universitária e sociológica que no entanto quase ninguém se manifesta disposto a pôr em prática porque quando procedem a essa tentativa de *dar significado* a uma vida ou a um momento recusam-se declaradamente a proceder a essa soma, detendo-se apenas em *alguns* poucos pontos de referência, de preferência a história social e (por vezes *ou*) a história econômica, como vem sendo o *hábito intelectual* nos últimos cento e cinqüenta anos, ou ainda, mais recentemente, a história cultural, nada além dessas. Em suma, esta é uma época em que *todo acontecimento individual, pessoal, intelectual e artístico é limitado* e *reduzido* (assim como se utiliza a palavra reduzir em culinária: esquentar alguma coisa ao fogo até que uma boa parte de seu conteúdo desapareça e reste apenas um caldo escuro e grosso, que pode até ter seu sabor mas que é outra coisa diferente daquilo que originalmente se pôs no fogo) *a uma só dimensão da consciência*: a história, os termos históricos, as condicionantes históricas. Susan Sontag (1933-2004) percebeu isso escrevendo sobre Cioran mas ela não diz, ou nunca soube, que antes dela Nietzsche (1844-1900) já havia observado e protestado contra o fato de que os pensadores e estudiosos, para não usar a palavra "críticos", em particular os da arte mas não só, já em seu tempo sempre pensavam a arte a partir de seus efeitos exteriores e nunca ou quase nunca a partir de sua *dimensão interior específica*, o que significa que a arte era vista em seu tempo também sob o ponto de vista da história da arte, naquele momento o mais comum, uma observação que talvez mais tarde tenha levado um crítico contemporâneo do ensino da arte, Robert J. Saunders, a dizer que a arte era a disciplina do conhecimento que mais se ensina como uma *questão de história* (e de história da arte) do que como aquilo que de fato é, no caso *arte*. Isso significa que para entender as coisas, para entender o que se passou e o que passou, nós as situamos em uma trama ou *continuum* temporal cujas partes estão todas intimamente determinadas por uma relação que é quase sempre de causa e efeito e, o que talvez seja pior, uma trama ou *continuum* que só adquire sentido no fluxo das coisas *posteriores*, no fluxo das coisas que estão por vir em seguida àquele de que a memória se ocupa, o que significa em última instância que o significado de um fato ou ato ou uma vida se revela na total dependência do *futuro*, quer dizer, da história, do longo prazo. Talvez por isso as recordações fragmentárias assombrem e tenham esse caráter obsessivo: *porque são recordações fragmentárias*, porque sei que — dentro desse paradigma cultural em que estamos mergulhados até as orelhas, nos últimos cento e cinqüenta anos, quer dizer, desde a assunção da História ao posto de disciplina definitiva de explicação da vida individual e social — jamais conseguirei, no tempo de duração de minha vida, apoderar-me de uma mapa histórico que dê sentido a esses fragmentos todos e portanto à minha vida, cujo sentido estará sempre no futuro, de acordo com essa manifestação de *preguiça intelectual* a que hoje se chama de *paradigma cultural* (e um paradigma cultural absolutamente impositivo, que não admite alternativas, que se impôs a tal ponto que hoje não encontra adversários pois parece *evidente,* inclusive àqueles que antes não o aceitavam e que hoje já não podem nem admitir, nem pensar a possibilidade de viverem sem ele, o que é o pior dos totalitarismos), coisa que configura, com sobras de razão, o caráter obsessivo dessas imagens que me assombram. E cujo sentido me escapa o tempo todo, assim como hoje me escapava por completo o significado de uma pintura de Tintoretto que vi na Pinacoteca de Brera, em Milão, sendo Tintoretto um outro desses pintores que me obsessionam e cujas obras eu não deixo de visitar e revisitar quando me estão ao alcance, como hoje acontecia com essa tela de Tintoretto na Pinacoteca de Brera conhecida sob a denominação *A descoberta do corpo de São Marcos,* pintada provavelmente em 1548, mesma época em que se construiu a villa em Bellagio onde agora estou, e que faz parte de uma série designada pelo título de *Milagres de São Marcos.* Busco as pinturas de Tintoretto pelo *movimento* que nelas há — e que me faz pensar no *fracasso* definitivo do cinema, que um dia pensou que o futuro da pintura seria uma técnica (quer dizer, a dele mesmo, o cinema) que permitisse ao movimento representar-se *tal qual,* quer dizer, representar-se como se o movimento

estivesse acontecendo não apenas no presente da representação como no *presente da recepção*, o que dava inteira razão aos primeiros espectadores do primeiro filme que se assustaram ao ver uma locomotiva dirigindo-se contra eles na sala escura: o cinema pensou que o futuro, portanto o significado da busca do movimento por pintores como Tintoretto, estava no cinema mas, claro, quando a tecnologia que se chamou *cinema* conseguiu reproduzir o movimento *tal qual*, quer dizer, no presente da recepção, o movimento desaparecia paradoxalmente de cena porque não mais havia um *stasis*, uma *permanência*, uma imobilidade contra a qual o movimento poderia ser medido, avaliado e percebido: tudo passou a ser movimento, razão pela qual o *pior cinema* é aquele em que, como alguns diretores e críticos equivocadamente querem que seja, *tudo está em movimento*, as coisas representadas e a câmera, ou uma coisa ou a outra, quando de fato não é assim, quando o melhor cinema está naqueles filmes que buscam destruir o movimento, portanto o cinema como o faz Godard com suas cenas onde as coisas (sobretudo as coisas que podem se movimentar, como um carro) ou as pessoas estão absolutamente imóveis diante da câmera e quando nada acontece, e quando essas cenas a rigor não se ligam nem com a cena anterior, nem com a cena seguinte, quer dizer, não têm, no sentido contemporâneo, um *movimento com história*, não têm um movimento na história, não têm história, não compõem um movimento, não formam parte de um conjunto do qual retiram significado — e ao passar pela tela de Tintoretto de imediato me dei conta de que era uma pintura de Tintoretto pelo movimento inconfundível nela imovelmente visível: um corpo, um corpo torcido que de cabeça para baixo se dirige para o chão, assim como em *Milagre de São Marcos que liberta um escravo*, que está na Accademia de Veneza, há uma corpo que se dirige para o chão, de cabeça para baixo, com a diferença de que na tela de Veneza esse corpo está *vivo*, se for viável dizer que *está vivo* o corpo de alguém que pode violar as leis da gravidade e que portanto não pertence ou não pertence mais a este mundo e que além disso está pintado num pedaço de pano, enquanto na tela de Milão esse corpo está *morto,* sem vida. É um pouco estranho dizer isso *desse* corpo porque os outros corpos dessa tela tampouco têm vida, ou tiveram vida, sendo meras *idéias,* mas digamos que, na tela de Milão, o corpo que cai está morto. Mas está em movimento. E quando disse que por pouco o significado dessa tela me escapava é porque eu via alguma coisa na tela mas, o que de fato via eu naquela imagem fragmentária que me chegava de um passado distante? Em primeiríssimo plano vêem-se um corpo, sem vida, cor de cera, no chão, estendido, e seis com vida, seis com movimento: um grupo de três amplamente retorcidos à direita de quem observa (um homem que se agarra como que fulminado às pernas de uma mulher jovem que está à sua esquerda e se inclina para a frente da tela a fim de compensar o impulso que recebe do homem que lhe agarra as pernas; um outro homem que inclina a cabeça para a direita e para o fundo da tela a fim de compensar, pictoricamente (no sistema de significação da tela e no sistema de significação do observador) o movimento da mulher; um ancião (que hoje só se poderia chamar de um *terceira idade*) de braços abertos como a lastimar o que se passou; um outro, ajoelhado, atrás do ancião, quase em paralelo a este; o corpo sem vida deitado no chão e um homem em pé à esquerda de quem observa a pintura, ereto, delimitando a superfície com significação pictórica e com o braço esquerdo estendido em direção ao outro lado do quadro. Estão numa galeria cheia de arcos que se aprofunda em perspectiva (perspectiva que havia sido inventada há não muito tempo, quando Tintoretto fez essa pintura) para dentro da tela em cujo ponto último uma tampa erguida, que logo se revelará uma campa, reflete a luz de uma chama com a qual dois homens estão na iminência de puxar alguma coisa para fora. E no lado direito da tela, direito de quem observa, em segundo plano, logo atrás da mulher inclinada, dois homens num balcão baixam por meio de um lençol azul o corpo de um homem, de cabeça para baixo, que é esperado por um outro homem em pé, embaixo, que já o segura por um braço. Essa é a imagem obsessiva que volta e torna a voltar em minhas visitas, mais ainda do que em minha memória. O título do quadro é que me diz que se trata da descoberta do corpo de São Marcos. Qual é o corpo de São Marcos, aquele deitado no chão, pés para frente, mais próximos do observador, a cabeça voltada para o fundo da tela, cor de cera, uma perspectiva bem difícil de ser desenhada e pintada, ou aquele corpo que é baixado do balcão, de cabeça para baixo? O ancião com os braços abertos em sinal de desolação e impotência olha para o corpo estendido no chão, sobre um tapete, e a mulher que se inclina para a esquerda e para a frente parece ignorar totalmente a descida do cadáver desde o balcão e olha para o personagem que está com o braço esquerdo estendido. Então o corpo de São Marcos deve ser esse que aparece no chão, estendido, cor de cera. Mas, então, de quem é o cadáver de um homem que é descido do balcão, de cabeça para baixo? O ambiente é lúgubre e tétrico, minha sensação, que é a sensação do observador, é de que aquele lugar está cheio de corpos, provavelmente cada um daqueles balcões é um túmulo e se podem ver nove deles, tudo leva a crer que em cada balcão há pelo menos mais um corpo, e fica evidente também que os dois homens no fundo do quadro, sob a campa aberta e iluminados por uma tocha, que chama fortemente a atenção do observador para aquele lugar, estão a ponto de puxar para fora um corpo. Corpos enterrados sob o piso é uma tradição nas igrejas antigas, e aquela parece ser uma, e seja como for isso reforça a idéia de que aquele lugar está repleto de cadáveres, essa imagem obsessiva está *repleta de cadáveres*, e o fato de eu não saber qual é o corpo de São Marcos não muda muito essa sensação central: a de que aquele lugar está *abarrotado de cadáveres*. Isso é o que minha memória reteve e isso é o que a imagem que retorna agora à minha frente confirma: um lugar cheio de cadáveres. Estou a ponto de partir — porque isso é o que se faz com as imagens obsessivas: vê-se-as outra vez, mais uma vez, e em seguida diante de seu absoluto vazio de algum significado maior, além daquele significado concedido pelo enfrentamento momentâneo da imagem, vai-se embora. Mas nesse instante vejo que a chapa de ferro aposta no marco inferior da moldura, abaixo da tela, diz que o nome do quadro é *Miraculo di*

*San Marco,* não *A descoberta do corpo de São Marcos,* como diz a etiqueta de papel ao lado da obra. Procuro uma informação adicional, na forma de uma folheto colado sobre uma superfície de madeira ou plástico para ser consultado na sala, diante da obra, como em muitos museus. O folheto diz que é de São Marcos o corpo estendido no chão sobre o tapete, o que parece correto pois é o corpo iluminado fortemente e um pintor daquele momento agiria assim em relação ao tema central de sua pintura. Mas o folheto diz algo que eu não sabia ou que, se sabia, havia esquecido há muito uma vez que a memória não guarda tudo: diz que o personagem em pé à esquerda do observador, segundo o costume "maneirista" da época em que a pintura foi feita, e as aspas são do folheto, representa o próprio São Marcos que aparece e mostra aos dois comerciantes o lugar onde está o próprio corpo, sendo *esse* o milagre. Mas São Marcos está apontando e está olhando para o balcão de onde dois homens baixam um cadáver de cabeça para baixo, o que significa que devo compreender que a cena pintada por Tintoretto na verdade está elaborando dois tempos distintos, sucessivos porém separados, o tempo em que encontram o cadáver e o tempo em que o cadáver já foi posto na frente da tela e está sendo lamentado pelo grupo de pessoas em primeiro plano. E o folheto diz mais, diz que o milagre de São Marcos, aparecendo a dois comerciantes para dizer onde fora enterrado de modo a que recuperassem seu corpo e lhe dessem o devido abrigo e respeito — porque *El dret a un enterrament digne después de la mort, és també un des drits humans* e porque *La cultura es mesura sobre tut per las tombes i la profunditat di la cultura pels nostres cimentaris* — acontece em Alexandria no Egito, lugar que me encantara antes, há bastante tempo, e que eu havia visitado, inclusive literariamente. Essa sensação de que se está fechado num círculo, essa sensação de um círculo que se fecha, de um círculo fechado, e que se fecha ao redor de cadáveres de gente imaginária e do cadáver de um livro real, não me reconforta, pelo contrário, e decido sair da Pinacoteca di Brera, passando outra vez pela tela que, essa sim, me havia levado ali para uma revisitação, uma tela pequena

(61x81 cm, contra os 396x400 cm do Tintoretto) de André Mantegna mostrando *Cristo morto* e na qual se vê exatamente o corpo de Cristo após a retirada da cruz visto em perspectiva desde os pés, próximos do observador, até a cabeça no fundo da tela, uma *perspectiva invertida* por assim dizer, numa indicação da entrega do artista a um desenho audacioso para a época e da submissão de sua *pintura* a formas *violentamente* definidas pelo *desenho*, descrição que me agrada muito e que depois encontro num website que, no entanto, mostra uma *imagem invertida* dessa pintura, na qual o lado esquerdo passa a ser direito e vice-versa, o que talvez não afete o significado final da experiência mas que, seja como for, não corresponde à tela que vi na Pinacoteca de Brera, e que talvez ou certamente Tintoretto terá visto antes de fazer seu cadáver de São Marcos em perspectiva invertida, já que Mantegna viveu entre 1431 e 1506 e Tintoretto pintou a série dos Milagres de São Marcos ao redor de 1548. E o fato de eu ter ido à Pinacoteca para ver o Cristo morto de Mantegna e acabar vendo São Marcos Morto, de cuja presença ali na mesma Pinacoteca, uma sala ao lado, na mesma perspectiva invertida do Cristo de Mantegna, por um lado me fez sentir de algum modo bem-sucedido em minha visita e por outro lado acentuou aquela sensação de mais um outro círculo de coincidências que se fechava e que no momento não me resultou nada agradável, razão pela qual sai imediatamente da Pinacoteca e fui almoçar num restaurante da Galeria Vittorio Emanuelle ao lado do Duomo, uma dessas galerias que supostamente unem uma ponta à outra, como se diz, que permitem a passagem entre um ponto e outro, como se pensa, e que tanto interessaram W. Benjamin em Paris, com duas taças de vinho tinto sugeridas pelo *sommelier*, em outro gesto tipicamente sibarita, não sem antes passar diante de uma pequena praça onde colocaram uma estátua de Leonardo da Vinci que tem, no pedestal, a dedicação ao *rinnovatore* que eu, num momento em que os significados das coisas me escapavam por todos os lados, li apressadamente como *rovinatore*, o arruinador, o que me fez parar alguns passos adiante e voltar para confirmar o que eu pensava haver lido, apenas para certificar-me que obviamente eu havia interpretado mal aquela outra imagem obsessiva, segundos antes, a imagem de Da Vinci: o monumento havia sido dedicado não ao *rovinatore* Da Vinci mas na verdade ao *rinnovatore* Da Vinci, embora seja certo que todo *rinnovatore* seja um *rovinatore*. A inclusão da *história posterior* no meu entendimento da pintura de Tintoretto, que eu por esse hábito intelectual arraigado e nocivo havia relacionado com a pintura de Mantegna, na verdade não me elucidava em nada nem a respeito da tela de um como a respeito da tela do outro ou, melhor, não me elucidava sobre a natureza de *minha relação* com a tela de um e de outro, numa visita que eu fazia sem nenhum compromisso profissional e por puro prazer, eu pensava a princípio, e que no entanto não deixava de configurar um daqueles casos de uma *imagem obsessiva* cuja redução à *história dessas imagens* em nada me adiantava ou, melhor dizendo, ajudava. E a razão pela qual aquilo em nada me *adiantava* — palavra que devo usar se a minha for uma busca *relativamente desinteressada*, ou *ajudava* — se a minha for uma busca *profundamente pessoal*, era que a partir do momento em que eu havia lido aquelas informações adicionais tanto a imagem de cada umas das telas, sobretudo a de Tintoretto, como minha própria ida à Pinacoteca como um todo transformavam-se num *espelho enfermo*, como certa vez disse Ana Maria Moix, esse tipo de espelho que se nega a refletir o presente, emitindo apenas imagens do passado (por exemplo, o costume "maneirista" de incluir no quadro o autor do milagre, Marcos, ao lado do próprio milagre, mesmo ou sobretudo quando o milagre é auto-referencial) e aquelas imagens do futuro (quer dizer, imagens da *história* da arte, que só pode voltar atrás *se* e *quando* avança enormemente, passando por cima do presente — o que, afinal, talvez seja a razão pela qual alguns críticos literários e de arte (não todos: talvez apenas os mais espertos) nunca ou quase nunca falam sobre as obras do presente, de seu presente, mas apenas das obras que já passaram, das obras do passado — ou sobre o futuro, como no caso deste livro *O futuro de uma ilusão*, que não é sobre literatura ou arte mas sobre o conflito entre religião e ciência e termina

163

sendo uma dissecação psicanalítica da religião. Mas a idéia é essa: o futuro de uma ilusão. E essa outra: o espelho enfermo. O ponto é exatamente esse, porém: o espelho podia estar enfermo, não eu. Não eu — o que aquelas duas taças de vinho pouco depois me confirmaram: eu sabia o que havia visto e o que eu havia experimentado ali nada tinha a ver com a história da arte e com o passado, menos ainda com o futuro.

A fragmentação da memória é excessiva quando se trata de recuperar, refazer e remontar aqueles dias, meses e anos — no caso destes, apenas alguns — de convivência com Renato L. As discussões sobre *o que fazer* então, porém, pela clareza do que estava em jogo e pela recorrência, estão muito claras na memória. O círculo era razoavelmente amplo: Renato, Bach, quase ao mesmo tempo JC e sua namorada V, DP e pouco depois sua namorada Z, C. e seu namorado ZC, e quase ao mesmo tempo ZD, que depois viraria ministro, e N., a quem chamávamos a *passionária*, uma vez que todo grupo, parecia inevitável, tinha a sua e nós tínhamos a nossa, e por vezes também Della, mais dois cujos nomes se embaralharam a ponto de se tornarem vazios. *O que fazer*, para nós, dizia respeito à *violência*. Para N. a questão sequer se colocava, é verdade, para ela o *recurso à violência* era uma evidência que não buscava justificativas, bastava abrir os olhos e olhar pela janela. Se aquelas discussões tivessem ocorrido oito anos depois e, a partir de 1971, três anos depois, pois as tivemos pela primeira vez ao redor de 1966, cinco anos antes de irmos eu e Anna M. a Bzaz pela primeira vez, provavelmente nosso interesse, pelo menos o de Renato e o meu, e o de Bach e DP, que depois se desentenderiam, certamente, teria sido mais pelo *Recurso Del Método*, de Carpentier, que sairia publicado pela primeira vez em 1974, com uma nota do editor lembrando que em 1843 Thomas Carlyle se surpreendera com o fato de que "um simples indivíduo macilento, praticante de direito e doutor em teologia", o doutor Francia, tivesse sido ditador vitalício de um país de nosso continente e transcendido sua própria aventura ao instaurar entre nós, referindo-se à América Latina embora essa América Latina seja tudo menos um *nós*, um *método* de governo cujos *recursos*, multiplicados ao infinito, e sintetizados por Carpentier numa súmula que se aplica a tantos lugares, são os que *seguem regendo hoje* a vida política de muitas nações latino-americanas, e quando digo hoje quero referir-me sem dúvida alguma a *hoje*, estes dias que correm, *os dias de hoje, agora mesmo,* enquanto escrevo, sob formas mais disfarçadas e menos disfarçadas. É evidente a referência de Carpentier, ele que foi um admirador da cultura francesa e que serviu em Paris como diplomata de Cuba, ao *Discurso sobre o método*, de Descartes, cujas quatro regras sempre foram aquelas que eu, mesmo sem ainda tê-las lido, de algum modo sempre soube e quis praticar, sendo a primeira aquela que diz que *nunca se deve aceitar como verdadeira uma coisa que não se tenha reconhecido* (pessoalmente, quer dizer) como tal (significando que a coisa em questão, o fato, a idéia, o sentimento, deve impor-se a mim com suficiente evidência própria, o que me permite pôr de lado os preconceitos e os hábitos intelectuais que os outros me passam ou querem me passar a respeito dessa coisa); e a segunda, *que é preciso dividir cada umas das dificuldades encontradas nesse processo em tantas partes quanto possível* (significando que nada é difícil ou impossível mas que tudo é complexo pois composto de partes, bastando conhecer cada uma delas para poder chegar ao todo); a terceira, que essa reflexão deve começar *evidentemente pelas partes mais simples* (como por exemplo, uma viagem ou a visita a um certo monumento ou a uma certa pintura, ou a memória de uma coisa e outra); e a quarta, para mim a mas complicada e duvidosa, aquela que diz que se deve *proceder a esses desmembramentos tanto quanto possível* e *examinar as coisas da maneira mais ampla possível,* de modo a ter certeza de que nada se omite (significando que o esquecimento de um só elemento que seja nessa cadeia do conhecimento seria uma catástrofe, com isso invalidando todos os esforços feitos e tornando falso o resultado obtido). A isso, um pouco, é o que me refiro quando disse e digo que a obsessão paralisante de hoje, firmada nesse paradigma que se transformou em *hábito intelectual,* quer dizer, em preguiça diante da necessidade de encontrar uma nova maneira de representar as coisas e de pensar as coisas, consiste em crer que todos os detalhes de uma vida fazem parte da *história* dessa vida, assim como a *história* de uma vida só resulta compreensível quando integrada à mais ampla história social, econômica e cultural etc. etc. de tal modo que uma vida é a soma de "condições prévias" individuais que não se pode deixar escapar nunca caso se pretenda entender o todo (como se pudesse haver um todo), nesse método que é com toda evidência o *método da loucura*, o recurso à loucura como método de explicação da vida, o que é uma loucura, uma loucura que remonta a Descartes quando muitos estariam dispostos a ver, e com justa razão, o início dessa loucura na ascendência da idéia de história em meados do século XIX, com o aparecimento dos estudos do chamado *materialismo histórico*, mas que certamente é uma loucura que então se acentuou *enormemente* por tornar irrealizável a tarefa de entender alguma coisa, qualquer coisa que seja — motivo pelo qual aqueles que lidam com as palavras, em especial os filósofos, acabam loucos enquanto menos pintores, quer dizer, aqueles que trabalham com imagens que procedem a sínteses alucinantes de elementos isolados, e menos ainda cineastas, que operam com imagens onde tudo está em movimento e portanto onde o recurso às partes, se não é impossível, é irrelevante, terminam loucos. O método do doutor Francia estava formalizado na constituição *paraguaia* outorgada, quer dizer, ditada de cima para baixo, em 16 de março de 1844, praticamente cem anos dia a dia antes de eu nascer, e que se apresentou como a *constituição* da *ditadura onipotente e eterna*, uma palavra, aquela, e uma expressão, esta segunda, que diretamente se contradizem. Mais uma vez ou, melhor, numa das primeira vezes, o grotesco se declara desde logo e levaria ao riso incontido se a questão não fosse absolutamente trágica, pois se o artigo primeiro daquela constituição do doutor Francia reafirmava o princípio liberal da divisão dos poderes em executivo, legislativo e judiciário, teorizada pelo mesmo Montesquieu que escreveu um tratado sobre o gosto merecedor de tanta atenção quanto suas proposições estritamente

166

políticas e que no entanto não recebe essa atenção (o gosto na verdade está na base das proposições políticas), já seu artigo quarto anunciava que a *autoridade* do presidente da república, como aquele mesmo doutor Francia, será do tipo *extraordinária* tantas vezes quantas sejam necessárias para conservar-se a ordem, algo de cuja necessidade obviamente competia ao presidente, doutor Francia ou outro, decidir. A coisa obviamente não parava aí, uma vez que ao presidente doutor Francia, ou a seu sucessor ou a qualquer outro análogo seu, competia criar exércitos e deles dispor sem prestar contas a ninguém, firmar tratados, nomear e demitir funcionários, decidir sobre questões de educação pública, polícia e transportes sem pedir a opinião de ninguém, e sem nem sequer reunir o congresso, convocado apenas duas vezes em dez anos, congresso esse que, é verdade, tinha o poder de eleger o presidente da república, o qual na verdade era quem elegia e nomeava o congresso, sem qualquer margem de manobras para definir as liberdades do povo paraguaio, ao qual aliás tudo ficava proibido, a começar pela opção religiosa — e isso será importante destacar desde logo — e a ela seguindo-se tudo, tudo, dado que apenas uma vez a constituição menciona a palavra *liberdade*, palavra que na verdade hoje em dia também desapareceu das páginas dos textos de natureza humanística, para dizê-lo assim, e que se limita a circular pela boca de políticos de baixa ou nenhuma reputação quando não é substituída por outras mais atuais como governabilidade, governança, inclusão social, politicamente correto e outras que tais. Digo a *constituição do dr. Francia*, e volta aqui o mesmo nome daquele hotel incerto em que Walter Benjamin foi encontrado morto nesta recorrência de coincidências que me sufocam sem antes deixar de me entusiasmar (e é bom lembrar que para Kant o entusiasmo é a privação momentânea da razão) mas, claro, não era *a constituição do dr. Francia*, que nunca teve uma ou formulou uma, mas sim a constituição de seu sucessor, López, sendo certo no entanto que os historiadores do Paraguai concordam em que no governo de López se mantiveram todas as matrizes fundamentais do governo do dr. Francia, de quem a constituição de López era a *cara escarrada* — e nunca essa expressão se aplicou tão bem. Quer dizer, e aí outra ironia da história, essa maldita, que quando enfim se pensa em formalizar uma constituição depois de anos de predomínio da vontade ilegislada de mais esse Supremo, essa constituição não faz mais que sacralizar tudo aquilo que *ele mesmo*, esse dr. Francia que Thomas Carlyle descrevia como um indivíduo macilento, praticante do direito e doutor em teologia, fizera e mandara fazer, em seu tempo.

A partir de 1974 teríamos preferido discutir o *Recurso ao Método*, eu, Renato e alguns outros, mais do que o recurso à violência, e isso antes pelo *fato literário* do livro do que pelo *fato político* do livro de Carpentier. Mas naquele primeiro momento a questão era o recurso à violência. N. dizia que não havia nem que pensar, a única coisa a fazer era reivindicar a violência como instrumento legítimo contra a opressão. No grupo porém estávamos vários que vínhamos ou ainda estávamos na faculdade de direito e essas coisas não se resolviam assim tão rapidamente. Os *jusnaturalistas* entre nós, e os havia, aqueles que se alinhavam entre os adeptos da teoria do direito natural que servira de justificativa ideológica para o terrorismo da Revolução Francesa (sem que talvez eles mesmos, os terroristas da revolução, o admitissem, se é que sabiam disso), defendiam que o uso de meios violentos para alcançar fins justos era uma das questões mais simples e assentadas que existiam, uma vez que a violência nada mais seria que um instrumento natural, um produto natural, uma *matéria prima* como havia dito Walter Benjamin, que em si mesmo não era uma coisa nem outra, o que significa que poderia ser empregada sem hesitações desde que não se abusasse dela para alcançar fins injustos e injustificáveis. Essa parte do grupo era veementemente contestada por outra parte que se alinhava pela doutrina do *direito positivo*, para o qual a única coisa da qual depende a *legitimidade dos fins* é a *legitimidade dos meios*, e para os quais era de todo impossível operar com a teoria jusnaturalista porque ela requeria, na melhor das hipóteses, a verificação caso a caso das condições em que a violência poderia ser aplicada (quer dizer: saber em cada caso se os fins a justificavam), tornando a ação do direito impossível *a priori* e eliminando mesmo a possibilidade de instaurar-se um estado de direito, ao que os jusnaturalistas contra-argumentavam que aquela era uma posição *formalista* que impedia toda e qualquer reação à opressão que vivíamos porque se baseava na idéia, talvez não explicitada, de que a violência era um mal em si, essencialmente um mal, o que em absoluto não era verdade, tanto assim que toda a teoria de Darwin se baseava na inevitabilidade da violência para obter-se aquilo que com toda evidência era o aprimoramento da espécie e das espécies. A discussão sobre os meios legítimos e os fins justificados se tornava logo um circulo vicioso, no campo doutrinário, e à falta, na época, dos instrumentos teóricos mais sofisticados que, dizia Walter Benjamin, somente poderiam ser encontrados na *filosofia da história* — que, de um lado, ninguém dominava, e, de outro, muitos rechaçavam como divisionismo da ação política imediata — os partidários do direito positivo acabavam aceitando a proposta dos jusnaturalistas de discutir alguns casos concretos para saber *se e até que ponto* o *recurso à violência* seria ou não justificado, uma vez que o que todos ou quase todos ali queriam era na verdade uma *demonstração mais convincente* de que deveriam ingressar na guerrilha do que as *conclamações ardorosas* que lhe dirigiam N. e ZD — em outras palavras, tinham medo de assumir uma *atitude irrefletida*, ou simplesmente tinham *medo*, e queriam chegar a uma conclusão através de uma discussão *aprofundada* sobre *o que fazer*, queriam convencer-se do que havia que fazer, queriam que um comprometimento público quanto ao que tinham de fazer os levasse ou forçasse a efetivamente fazer o que suspeitavam que deviam fazer, quase como se a decisão não tivesse de ser de cada um deles individualmente, o que era simplesmente uma quimera. E então se discutiram os tais casos concretos, o que significava que um caso concreto seria revirado em todos seus aspectos para se tentar estabelecer até que ponto a ação violenta seria legítima ou teria sido legítima ou fora legítima, e que lições se poderia extrair dali. Por exemplo, se a discussão se passasse uns 30 anos depois ela teria incidido sobre o caso de um atentado perpetrado contra um dirigente do Movimento Social Italiano, o MSI, o *"missi"*, como se dizia na Itália quando ali estivemos, Anna M. e eu, naqueles anos 70, o *missi,* a Direita Nacional italiana, por parte de alguns militantes de um movimento denominado Potere Operaio, Poder Operário. Três militantes do Potere Operaio jogaram combustível por baixo da porta do apartamento do líder direitista e atearam fogo. O líder visado não estava em casa, o fogo matou dois de seus filhos, um de 22 anos e o outro de 8, a mulher do dirigente e um filho menor se salvaram, no dia seguinte os jornais mostravam os restos carbonizados do filho maior do qual na verdade só se via e reconhecia, na fotografia tirada do térreo, a cabeça, junto ao beiral

da janela do apartamento à qual ele assomara na tentativa frustrada de se salvar. Na época, três militantes dessa sigla de metálicas ressonâncias, Potop, Potere Operaio, dentre outros suspeitos, foram acusados do atentado e presos. O caso virou uma comoção, as provas contra eles não são definitivas, à esquerda se fala de um complô armado pela direita, como outros o haviam sido, a fim de inculpar não só aqueles três mas todo o movimento a que pertenciam e toda a esquerda, vários intelectuais se interessam pelo caso inclusive o escritor Alberto Moravia cujo romance *O desprezo* vai virar filme diante da câmera de Godard, Moravia que vai visitar um dos acusados presos, e outros escrevem em grupo um livro inocentando os acusados, dando-o a publicar a um editor então de esquerda hoje, 30 anos depois, militando num partido de direita. Um juiz os libera provisoriamente e os três fogem para o exterior, um deles para o *Rio de Janeiro*. Trinta anos depois, hoje, esse que fugira para o Rio dá uma entrevista a um jornal italiano e confessa: ele e os outros dois e mais três haviam de fato cometido o atentado, eram culpados, e ele dá os nomes de todos. A comoção é enorme na Itália. Promotores falam em estudar a possibilidade de reabrir o caso para processar os outros três cuja identidade até então não se conhecia, já que por questões técnicas a punibilidade do crime dos três primeiros, foragidos, havia prescrito, única razão pela qual aquele que se escondera no Rio, refúgio mítico para os criminosos tanto na crônica policial quanto na cinematográfica, havia dado aquela declaração de culpa. A comoção é grande. Um ato inútil, o atentado, o crime, porque o dirigente visado escapa — simplesmente não estava em casa — mas dois de seus filhos morrem queimados; 30 anos depois, quando a pena já havia prescrito, um dos principais acusados admite o crime. *O que fazer* daquilo tudo? O jornal que colhe a confissão do antigo militante busca ouvir o editor do livro inocentista: "aquele livro me parecia e continua a parecer bem documentado e bem escrito", diz o editor *para espanto do jornalista*. "Nas condições da época, eu o republicaria de novo", diz o editor. "Diante das novidades reveladas pela confissão, penso que está certo que a justiça faça o que ainda tenha que fazer, se houver algo por fazer aí." Incompreensão do jornalista e do leitor. "Do ponto de vista político, porém, penso ser inútil continuar essa troca de acusações entre direita e esquerda, certas atitudes violentas que ocorreram naquele momento já não existem mais, ponto final. As coisas mudaram e hoje ninguém mais defenderia aqueles homens." As coisas mudaram, penso eu: as coisas mudam: eu já ouvira aquilo antes. Ou ouviria depois, um pouco mais tarde. "Mas, naquele momento não havia como acusá-los." Não se envergonha de nada, então?, pergunta o jornalista. "Não, do livro não. De outras coisas sim, assim, de modo geral, de ter defendido, como fez também o próprio partido comunista, a necessidade de uma revolução violenta. Foi um erro grave porque, se eu mesmo nunca dei sequer uma bofetada em ninguém, quando se pregam certas idéias sempre aparece alguém para pô-las em prática. Me lembro que em 68 publicamos numa revista um manual sobre como preparar um coquetel molotov e me vangloriei disso quando fiz uma visita a Cuba. Alguém me censurou, dizendo que certas coisas ou se fazem ou nem se fala a respeito..." O jornalista vai então ouvir o diretor do mais conhecido jornal de esquerda, *Il Manifesto*, alternativo ao jornal do P.C., figura respeitada: "Qual foi sua reação ao ouvir a confissão?" "Creio que esse sujeito [o foragido reaparecido] teve uma saída moralmente pouco nobre. Foi a vingança de um pobre coitado." "Como? Vingança? Contra quem?" "Contra esses três companheiros que ele agora denuncia..." "Acredita no que ele diz na confissão?" "Eu o censurei na época do atentado, um gesto demente e inútil, e o censuro hoje... Mas..." "Mas?" "Bem, reconheço que esse é um assunto privado, a respeito do qual ele deve ter-se calado esse tempo todo por conveniência própria... E, depois, nisso tudo há uma história, como direi, política." "Falemos de política, então". "Sim, falemos de política e vamos dizer logo com clareza que essa confissão deu margem a uma campanha de demonização da esquerda. Você ouviu o que disseram todos esses líderes da direita?" "Mas, a verdade está nos jornais da época que ainda se pode ler: a esquerda, nas semanas que se sucederam ao atentado, preferiu falar de complô da direita, de trama sinistra..." "A esquerda, naquela ocasião, se enganou. Nós também, no jornal, nos enganamos, como todos os outros jornais de esquerda. Não entendemos ou talvez não quisemos entender. Mas, seria oportuno contextualizar..." "Você quer se referir aos atentados e crimes da direita, a bomba na estação de Bologna..." "E nossa decisão de não fazer perguntas, de não querer entender e aceitar... foi injustificável, mas compreensível." "Mas, você não acha que a esquerda tem sempre uma dificuldade [enorme] em falar de seus erros, dos companheiros que se equivocaram?" "A esquerda italiana andou muito bem quando se corrigiu sobre os grandes temas, como a União Soviética... mas sobre casos menores, ficou quieta, é verdade. De nós e de nossos erros falamos sempre com dificuldade." "Não será por que vocês carregam a culpa profunda de não terem sabido interceder e impedir a derrapada de certos movimentos extremistas?" "Ficamos à distância. Nos enganamos, repito. Mas não nos enganamos de modo banal. Uma organização como Potere Operaio não era apenas um bando de delinqüentes. Eu, que politicamente nasci bem antes de 68, quando lia certas coisas, velho comunista que sou, por instinto pensava: estão loucos... Depois, no entanto..." O jornalista foi mais adiante, procurou ouvir um líder de Potere Operaio refugiado há anos na França, e o líder repetiu que na época era ele o responsável pelo "trabalho ilegal" daquele grupo de esquerda e que havia organizado a fuga de dois dos acusados. Reportou o jornal que esse líder está organizando proximamente em Paris um encontro entre ex-militantes de Potere Operaio para 30 anos depois "fazer um balanço da experiência de então e dos erros e dos horrores". Um deputado do Partido Verde, no entanto, observa como as pessoas "se esquecem de dizer que naqueles anos o clima de violência talvez fosse também a conseqüência de uma estratégia de tensão, e das ações da direita nas escolas e nas universidades, e das dezenas de militantes de esquerda assassinados, desses crimes todos cujos responsáveis ficaram todos impunes..." Sim, ele havia lembrado bem, dessa direita que nunca reconheceu seus erros, do porta-voz do núncio apostólico de Buenos Aires que disse que não tinha de pedir perdão pela responsabilidade da Igreja durante a ditadura, dos representantes do exército brasileiro que em 2004 disseram que não tinham *de quê* se envergonhar e arrepender, de todos esses que nunca passaram por qualquer processo embora agora um ou outro militar argentino estivesse começando a ver que talvez tenha de pagar pelo que fez, embora agora um ou outro militar chileno estivesse começando a ver que talvez tenha de pagar pelo que fez, ou pelo menos a ter identificada, reconhecida e acertada sua participação naqueles crimes todos da direita. E, observo eu, a Itália nem estava sob ditadura no momento daqueles fatos, daquele convulsão toda. E então o jornal italiano *Corriere de la Sera* que havia feito a entrevista inicial com o foragido no Rio causadora de todo aquele reviver dos fatos de 30 anos antes conclui o relato daquele dia abrindo espaço para um editorial sobre a *anistia* e a *confissão*, lembrando a opinião de quem recordava que o terrorismo havia privado o país de toda uma classe de dirigentes e que uma anistia agora a todos os implicados, de direita e esquerda, seria *inoportuna* e *moralmente equivocada*: nada de anistia antes que todos os crimes fossem reconhecidos e admitidos e as coisas esclarecidas, quer dizer, nada de permitir que, mesmo 30 anos depois dos fatos, voltasse ao país este ou aquele acusado de terrorismo, e que todos sabiam ser responsável por atos de terrorismo, sem que tenha previamente reconhecido sua responsabilidade, num procedimento que teria a vantagem de preencher algumas lacunas na história do país. O caso era acabrunhante, todos ficaríamos sem falar por instantes, naquela nossa reunião para avaliar os casos. Depois, alguém lembraria os dois inocentes mortos naquele atentado e alguém perguntaria de que afinal era acusado e culpado aquele que era o alvo verdadeiro, o pai dos mortos, porque quando se diz que seus filhos mortos eram *inocentes* fica a presunção de que alguém era *culpado* e *merecia* o atentado se tivesse sido o atingido — no caso, que o pai era culpado e merecia o atentado, mas culpado de quê, afinal? E quem havia decidido que ele era culpado? E alguém na reunião diria que não existem inocentes, nunca, em nenhuma hipótese, ninguém era inocente, argumento que já ouvi mais de uma vez. E alguém perguntaria por que teria de reconhecer os próprios erros, os eventuais próprios erros futuros, caso os cometesse, se o adversário não o fazia? E alguém perguntaria sobre qual a justificativa para aquelas ações todas se 30 anos depois aqueles mesmo que as haviam cometido reconheceriam não apenas que haviam feito aquilo como que tudo aquilo havia sido um erro, que tudo aquilo ou a maior parte de tudo aquilo não passara de erro e horror, *errori e horrori*. E alguém se perguntaria, mais do que perguntaria aos outros, em nome *do quê*, afinal, tentar impedir as "derrapagens", os excessos daqueles que acabariam derrapando — e com isso se voltaria ao mesmo círculo vicioso que se havia procurado evitar com a análise

174

de casos concretos, daquele caso e de tantos outros que foram examinados naquelas reuniões em que cada um procurava uma justificativa para sua decisão, fosse qual fosse, decisão de ação, decisão de inação, decisão de outra ação, decisão de fuga. Reuniões intermináveis e que no entanto terminariam logo para alguns de nós. Discutimos os seqüestros de diplomatas para trocá-los por colegas ou amigos ou companheiros presos e torturados, ZD defendendo-os vigorosamente, ele que depois passou à prática, e sendo na sua defesa apoiado por N. quase aos gritos e insultos, ela que nunca passou da esfera do discurso, num clima em que novamente cindiu-se o grupo em dois, de um lado os que diziam que os fins legítimos justificavam a violência, de outro os que insistiam em dizer que meios ilegítimos só poderiam gerar fins ilegítimos, ao que os primeiros retorquiriam que os segundos, no fundo os amantes do *direito positivo*, estavam silenciosa e irresponsavelmente, *diante da história*, aprovando os crimes da ditadura, provocando como resposta destes, os do direito positivo, a alegação de que a única coisa que tínhamos em nosso favor era *não nos rebaixarmos ao nível dos inimigos*, proposição recebida do outro lado com risos de escárnio contrariados pelo grupo oposto, em resposta, por exclamações de rejeição, impaciência e desalento. Para alguns de nós, a guerrilha parecia uma loucura total, ao que os outros respondiam que, se a situação geral era já uma loucura, como se poderia dizer que alguma coisa em particular era uma loucura? Para outros de nós, e obviamente não havia *nós* nenhum, a guerrilha era legítima defesa. Talvez por puro egoísmo, porque queria preservá-los para mim e com isso preservar-me a mim mesmo, sem dúvida, não queria que alguns deles dessem aquele passo, ao passo que eles não podiam me ver no meu lugar. E não saíamos do círculo vicioso, e não podíamos sair do círculo vicioso porque, dizia Walter Benjamin, a resposta só poderia ser encontrada com o manejo da *filosofia da história*, sobre a qual nada sabíamos naquele momento, mas sobre a qual viemos a saber depois, 30 anos depois, quando nos demos conta de que a tentativa de Walter Benjamin, o Jovem, de descartar o dilema *direito natural* versus *direito positivo*, que ele julgava equivocado e conservador ou reacionário, pondo em seu lugar a oposição *violência mítica* (a do direito comum, que conserva o direito, algum direito, e que é a violência administrada pelo *statu quo*) versus *violência divina* (a violência pura, redentora, instauradora), nada mais era que uma tentativa *desesperada* de justificar a violência revolucionária. Digo *desesperada* porque mais tarde ainda, na verdade há apenas um ano atrás, em Girona, lendo um livro de Benjamin de cuja existência não tivera notícia até então, *Dirección única* que é como se diz em espanhol o título alemão *Einbahnstrasse*, *Rua de mão única*, publicado em 1928, sete anos depois portanto daquele anterior sobre a violência, *Para uma crítica da violência*, me deparo com uma passagem em que Benjamin observa que o conceito de luta de classe pode induzir a erro, uma vez que o que está em jogo não é uma *questão de força* na qual tudo se resolve, uma vez que a questão não é saber *quem vence* e *quem perde*, uma vez que a questão não é que se trata de uma luta depois da qual tudo sairá bem para o vencedor e mal para o vencido, sendo certo, dizia ele, que quem pensa assim está apenas travestindo *romanticamente* os fatos. E isso, dizia, porque, vença ou perca o combate, a burguesia *está condenada* a *perecer por suas próprias contradições internas*, como se dizia e se acreditava à época, contradições que se tornarão mortais no curso dos acontecimentos, pensava ele, Walter Benjamin, sendo certo, dizia, que a história ignora essa ignara multiplicidade dos gladiadores eternamente em luta e que o *verdadeiro político* raciocina à base dos grandes prazos e dos grandes ritmos e que — e aqui vinha a questão central — se a liquidação da burguesia não se realiza conforme os termos quase exatamente calculáveis da evolução econômica e técnica (que a inflação e a guerra química já prenunciam), tudo estará perdido e, portanto, antes que a chama chegue à dinamite será preciso cortar o pavio que queima... Pois aí estava: se não fosse assim, quer dizer, pelas contradições internas, o único modo de resolver de fato aquilo, melhor cortar o pavio aceso antes que o fogo chegue à dinamite. Nenhum de nós naquele grupo poderia ter lido aquilo naquele momento, portanto nenhum de nós poderia ter levantado

176

aquele argumento, que no entanto certamente teria sido rechaçado por alguém sob a alegação de que, justamente, o que havia a fazer era assoprar a chama do pavio para que o fogo chegasse mais rapidamente à dinamite, com o que o circulo vicioso se reinstalaria outra vez. Mas se não sabíamos disso naquele momento, sabíamos disso (pelo menos alguns de nós) *agora*, e sabendo disso agora a *filosofia da história* certamente teria então algumas palavras pouco tolerantes para conosco se tivéssemos deixado o pavio queimar até o fim, não há a menor dúvida disso, sabendo agora o que sabemos. Mas *não sabíamos disso* naquele momento e ao mesmo tempo não podíamos dizer que de fato não sabíamos, porque se as palavras de Walter Benjamin de 1928, que complementam e modificam as de 1921, não eram por nós conhecidas *ipsis literis*, na verdade tínhamos o instrumental suficiente para chegar a conclusões análogas, ainda mais que estávamos não em 1921 nem em 1928 mas em 1968, 40 anos depois portanto, e era isso que uma parte do grupo queria fazer a outra parte entender, num círculo vicioso que se repetia e repetiria até ser quebrado unilateralmente por vários de nós, uns numa direção, outros noutra direção. Teríamos tido essa discussão, sem dúvida.

Na parede, essa gravura em preto&branco carregado, de um artista menor, como se diz, feita a partir de uma pintura de outro artista menor, mas uma bela peça, mostrando um grupo de cinco pessoas, todas muito bem vestidas para a época, século XVIII, rostos serenos, um homem jovem lendo de um livro para duas jovens à sua frente enquanto uma terceira se posta atrás dele para dar atenção a uma menina que permite a um pássaro voar ao mesmo tempo em que o mantém preso e sob controle por meio de um fio (de seda, parece, tão leve) amarrado a uma de suas patas, insólito brinquedo exercitado numa clareira entre algumas árvores à frente de um campo que se abre em seguida até o fim do horizonte entre mais algumas árvores e um rio, tudo encerrado muito ao longe por algumas montanhas, e esse grupo parece sozinho no mundo: quão pouca gente havia no mundo no século XVIII.

Nosso grupo permaneceria naquele círculo vicioso dias e dias, semanas e passadas até que o círculo fosse enfim rompido unilateralmente por vários de nós, uns numa direção, outros noutra direção. Eu e Renato L. teríamos ficado um pouco mais, naquele mesmo dia e nos dias seguintes, conversando sobre os filmes em super-8 que estávamos fazendo e que queríamos fazer e nos quais queríamos de algum modo conciliar aquela discussão toda e a ação que ela implicava com outras preocupações igualmente ou *ainda mais* importantes para nós, relativas ao *que fazer com a arte* e com *nossas vidas*, com *nossas vidas nuas e cruas* às quais, como depois aprendemos com Walter Benjamin, nossas vidas mesmas não poderiam ser reduzidas mas que não podíamos deixar de lado, nossas vidas na arte. E assim como naqueles dias discutiríamos o que fazer com nossos super-8, 30 anos depois estaríamos discutindo o que fazer com os vídeos que faríamos, ou não faríamos, e que veríamos, e estaríamos discutindo sobre até que ponto a tecnologia muda a perspectiva pela qual se vê a arte e como a relação entre a tecnologia e a arte se manifestaria como algo difícil e essencialmente político. Um de nós, provavelmente ambos quase ao mesmo tempo, teria levantado, 30 anos depois, a questão relativa à aproximação entre a *arte* e a *guerra* em nossos dias de hoje, buscando uma comparação ou tendo de fazer uma comparação inevitável entre a arte de outras épocas e as guerras dessas mesmas épocas, como por exemplo a tela *Guernica* de Picasso e o que havia se passado na Espanha durante e após a guerra civil de 1936 a 1939 e anos seguintes, os 40 anos seguintes sob Franco, com todas as tragédias que provocou naquela mesma ocasião, por exemplo o bombardeio da cidade basca de Guernica em 26 de abril de 1937, que Picasso *representa* em sua tela famosa e que já me encantou em outro lugar relacionado a Balzac e sua história de um pintor que faz uma obra-prima ignorada, e também *depois* de encerrada a guerra, mas ainda sob a ditadura de Franco. E fazendo essa comparação e a atualização dessa comparação, muito provavelmente, 30 anos depois, discutiríamos não apenas a relação entre, por exemplo, o meio artístico, a *mídia* como se diz, dominante hoje, o *vídeo*, e as guerras de hoje, como a do *Iraque*, como também, seria inevitável, a relação entre o *artista de hoje* e *aquele que faz a guerra hoje* e que não é mais possível chamar de guerrilheiro ou resistente, como alguns ainda insistem, e que fica difícil chamar de terrorista porque terroristas são vários, são muitos, embora essa pareça ser a designação mais apropriada. E essa relação surgiria na conversa, por mais estapafúrdia que isso possa parecer, porque o vídeo se apresenta como um meio preferido tanto pelos artistas como pelos "agentes do terror", ou terroristas, e porque alguém chamaria Osama Bin Laden de o único verdadeiro videoartista de hoje e porque alguém diria e discutiria que os *vídeos de decapitação* dos reféns no Iraque haviam se transformado em *ícones contemporâneos*, esses vídeos onde um seqüestrador *executa* (a palavra *justicia* sequer é mais empregada, embora *assassina* seja a palavra correta) o refém seccionando-lhe a garganta lentamente ou lentamente cortando-lhe a cabeça inteiramente até que a cabeça se separe do corpo do seqüestrado que, amarrado e segurado por outros seqüestradores, emitiu sons desesperados pela garganta enquanto pôde, e que é a seguir, a cabeça, colocada sobre o peito do decapitado que agora jaz no chão ensangüentado como fizeram com um engenheiro americano a respeito do qual nenhum de nós se perguntaria agora *se ele era inocente mesmo*, não mais, nesses vídeos que se multiplicam (porque se multiplicam os assassinatos gravados) e são transmitidos por algumas estações de TV árabes ou então mais simplesmente vendidos em cópias que se busca denominar de *piratas*, quando essa palavra não tem nenhum sentido diante do ato gravado, e que são exibidas, as cópias, nas casas das famílias de lá mesmo, um pouco por diversão, um pouco por exultação, um pouco por conclamação, um pouco por curiosidade, num desdobrar de imagens que, afirmam alguns *especialistas*, passam a formar parte do imaginário coletivo muito mais que qualquer obra de arte, e a respeito das quais alguns, na universidade (daqui e dali) sobretudo mas também nos meios artísticos, se perguntarão se não caberia falar em *gesto radical*, esse gesto radical que a arte sempre buscou, ao mesmo tempo em que

179

se perguntarão se o *artista do vídeo contemporâneo* pode ou não competir com o *terrorista contemporâneo* em termos de *gesto radical*, numa constatação eventual de que há uma fascinação macabra de ambos os lados dessa linha que aparentemente faz a divisão entre *arte e terror*, ponto em que eu desenvolveria, perante Renato L., mas apenas 30 anos depois, minha idéia de um *arstitium*, formulada a partir da noção de *solstitium* e da idéia (aparentemente pouco desenvolvida até pouco tempo atrás, como diz Agamben) de um *justitium*, quer dizer, respectivamente, a interrupção do sol e a interrupção do direito, e por conseqüência, minha idéia de uma *interrupção da arte*. Quase em outras palavras, o que eu queria investigar sob a idéia de um *arstitium* era o que ocorre no momento em que a arte, sem deixar de se relacionar de algum modo com a arte, deixa de ser arte para transformar-se no exato oposto da arte, o que quase significa dizer e perguntar *quando a arte passa a apresentar-se como a constituição do doutor Francia,* que não era dele eu sei mas não importa (dr. Francia, "praticante do direito", disse Carlyle) ou então, o que eu talvez preferisse (sem que a questão fosse, talvez, um "ou" mas um "e também") *quando deveria ficar bem claro que não se podia mais falar em arte* embora a proximidade visual, para não dizer aparente, entre arte e não-arte fosse aterradoramente enorme, como no caso que talvez ele, Renato, mais do que eu, ou eu mais do que ele, traria à tona: o caso da radicalidade do gesto na forma expressiva por excelência de hoje (o que não quer dizer a melhor), que é o vídeo, e suas utilizações.

Mas eu não poderei discutir esses pontos com Renato L., não porque os vazios entre as recordações fragmentárias sejam muitos, como são, mas porque Renato L. não se apresentará para o encontro. Ele era o mais baixo de nós, aparentemente o mais frágil, e com seus pequenos óculos redondos e dourados parecia-se um pouco com uma versão menor de John Lennon e muito provavelmente vimos juntos, eu, ele e Anna M. — não me lembro que ele tivesse uma namorada ou companheira — *A Hard's day night* ou *Help*, numa das tantas vezes seguidas que vimos esses e outros filmes dos Beatles e de Richard Lester. E por versão menor de John Lennon o que quero dizer é uma pessoa de altura menor que a de Lennon e com o mesmo tipo de rosto simultaneamente irônico e sonhador. Alguém alguma vez o chamou, a Renato, de Trostky mas não havia sentido algum em chamá-lo disso, não fosse talvez pelos óculos redondos e por uma pequena barbicha que ele desenvolveu num tempo em que a moda *revolucionária* era o uso de barbas. Vendo agora porém uma imagem de Trotsky, vendo agora na verdade várias imagens de Trotsky em diferentes momentos de sua vida, umas ao lado das outras, uma delas certamente aquele que corresponde ao tempo que passou no México, fica claro que Renato L. nada tinha em comum com esse outro personagem, cujo rosto me parece agora claramente como o de um desses iluminados fanáticos que Renato nunca foi. De brincadeira alguém o chamava de Trotsky, pela barbicha e pelos óculos embora Renato fosse mais loiro do que moreno e Trotstky, totalmente moreno. E provavelmente ele nunca se irritou muito com isso. Era aparentemente o mais frágil de nós e no entanto o mais atirado, o mais esquentado, o mais rápido a devolver as ameaças e agressões, como quando o grupo com que estava uma tarde, numa passeata, foi dissolvido por militantes do CCC, um dos quais teria esfregado uma arma no rosto de Renato e, como ele disse, dado um tiro para o ar que não teria passado muito longe de sua cabeça. No dia seguinte Renato apareceu na faculdade com uma arma no bolso, deixando claro a todo mundo que quisesse ver e ouvir que estaria pronto para ver de novo pela frente o mesmo tipo que o ameaçara no dia anterior, um cara do quinto ano enquanto nós estávamos no primeiro. Todos nos perguntamos onde teria Renato conseguido a arma e ele mesmo disse, alguns dias depois, quando não mais a portava, que a tirara da escrivaninha do pai, um advogado que achava prudente tê-la à mão não pela política mas por sua específica atividade profissional. Estivemos em várias passeatas, para cima e para baixo, fomos fotografados pela *polícia política* inúmeras vezes, acintosamente e de modo relativamente oculto, e passamos por correrias diante do CCC que sistematicamente procurava dissolver pela força e pelas armas nossa resistência mais que pacífica. Renato não apareceu mais com a arma e não tínhamos arma, nem a mais remota idéia de onde conseguir uma, nem planos de conseguir uma. Uma tarde, durante uma passeata, uma bomba de *efeito moral,*como se dizia, estourou ao lado de Anna M., que ficou um tempo surda: poderia ter sido uma bomba do tipo fogos de artifício, poderia ter sido uma bomba caseira feita com um punhado de pólvora de modo a causar um forte *efeito moral,* como se dizia, mas pouco estrago real, embora como se pode dizer o que é real?, poderia ter sido alguma coisa um pouco mais forte, poderia ter-lhe causado uma lesão séria no rosto ou nos braços mas tudo que acabou causando foi uma surdez momentânea: nem por isso pensamos em buscar uma arma, nem por isso deixamos de tomar parte na passeata seguinte, algo que não fazíamos por bravata ou por arroubo mas porque era o que *naturalmente* tínhamos de fazer, o que era natural que fizéssemos, o que podíamos fazer, não o *máximo* que podíamos fazer, nem o *mínimo* que podíamos fazer mas o que nos *cabia* fazer naqueles dias. Vigiávamo-nos mutuamente, na faculdade, o CCC e nós, quer dizer, todos, não apenas nosso grupo em particular, e nos empurrávamos às vezes no saguão da faculdade que voltou a receber mais alguns tiros mas nunca mais tantos como naqueles primeiros dias depois do golpe, quando apenas iniciávamos nossa vida na faculdade. Renato não voltou a aparecer com uma arma. E nas horas livres, que eram muitas e que talvez nunca voltaram a ser tantas quantas naquele momento, íamos ao cinema e naquele tempo vimos *Le feu follet,* que Louis Malle havia rodado em 1963, com Maurice Ronet no papel principal e Jeanne Moreau ao lado, ela que deveria ter sido a estrela do filme porém o papel mais importante para nós era o de Maurice Ronet, e que em português recebeu o título de *Trinta anos esta noite,* assim como em italiano havia se chamado *Fuoco fatuo,* o que de fato era, fogo fátuo, esse fogo que por exemplo sai por vezes do chão dos *cemitérios* à noite graças à combustão de gases e coisas do gênero, ou *A Time to live and die,* como tolamente se chamou na Inglaterra, *Tempo para viver e tempo para morrer*, o que hoje soa mais como título de filme de James Bond, e nos Estados Unidos *The fire within*, fogo interior, que não deixava de

ser um bom título. Mais tarde Louis Malle disse que aquele havia sido o primeiro de seus primeiros filmes com o qual se sentira completamente satisfeito, um filme com roteiro extraído de um romance de Drieu La Rochelle (que, ele mesmo, se matou em 1945 e que deve ter-se encontrado com Walter Benjamin na casa de um amigo comum em Ibiza em 1933 quando Walter Benjamin passava uma temporada na ilha espanhola não muito distante de Barcelona portanto não muito distante nem de Girona ou de Portbou) e que conta de modo fortemente *neutro*, se essa expressão for melhor que esta outra, por exemplo, *acentuadamente desdramatizado*, mas com um tom de *séria compaixão* ou, como se diria hoje, num tom de *clara empatia*, as últimas 24 horas da vida de um jovem parisiense à beira do suicídio. No filme, o personagem de Ronet, Alain Leroy, e que no livro acho que se chama apenas Alain, é um alcoólatra em recuperação ou que foi induzido a recuperar-se ou que tenta recuperar-se ao permanecer internado durante vários meses numa clínica em Versailles, próxima a Paris, a mesma localidade para onde os reis de França haviam fugido quando estourou a revolução, em 1789 (daí talvez o Leroy do filme, quem sabe), graças ao dinheiro de sua mulher americana que havia ficado em New York. O médico mais proximamente encarregado de Leroy-Ronet acredita então, no filme, que o pior já passou, que ele está curado ou tão curado quanto pode alguém *estar curado*, sobretudo quando o contexto era Paris nos anos 60 e não os EUA naquele mesmo momento ou agora, quando vigora esse assustador *politicamente correto*, e procura convencê-lo de algum modo de que "a vida é boa", de algum modo. Leroy-Ronet, e digo Leroy-Ronet porque a figura de Ronet é fortíssima no filme, sai da clínica e reemerge na vida da cidade, Paris — para onde depois iríamos, Anna M. e eu — à procura, Leroy-Ronet, dos velhos amigos e dos companheiros da noite. O que ele vai encontrar, no entanto, de acordo com sua perspectiva, e sua descoberta o leva mais fundo no processo depressivo que naquele momento não se chamava assim, *depressão*, doença inventada mais tarde no século XX, século passado, é que seus antigos amigos haviam traído, a seu ver, os ideais que tinham compartilhado na juventude, *os ideais de juventude*: um deles encontrara *abrigo*, para usar a palavra que surgiu na imaginação de Leroy-Ronet (e continuo usando o nome do personagem associado ao nome do ator real para evidenciar o quanto aquele filme saiu da tela para impregnar nossas vidas nos anos 60), na *egiptologia*, quer dizer, no estudo de coisas remotamente relacionadas com a vida que levavam em Paris e com a vida que haviam planejado levar em Paris, e no casamento, quer dizer, na egiptologia e no casamento combinados; e uma outra, Jeanne — e aqui quase não posso usar a referência ao personagem e à atriz por meio do hífen como fiz com Leroy-Ronet porque o prenome do personagem é o mesmo da atriz, Moreau, mas de todo modo seguirei o mesmo padrão: Jeanne-Moreau), quer dizer, a outra amiga, Jeanne-Moreau, passara a andar com um grupo de drogados, drogando-se ela mesma, enquanto o restante das figuras menos ou mais conhecidas que encontra e reencontra numa festa dada por uma amiga rica não faz mais que manifestar *torpes opiniões reacionárias*. Muitas resenhas críticas da época disseram que o filme estava embebido de um (algumas disseram que o filme *transmitia um*) profundo sentimento de *desesperança diante da vacuidade da vida contemporânea* ou da vacuidade da sociedade contemporânea — o que na verdade se diz o tempo todo

184

de toda sociedade e de toda vida, inclusive, claro, desta, a atual, isto é, que a sociedade contemporânea ou a vida contemporânea é vazia ou *mais* vazia ou *muito mais* vazia, sem que se diga em nenhum momento, porém, *por quê* e *em quê* alguma vida ou sociedade *anterior* foi menos vazia, *quando* e *onde*. Algumas resenhas, em menor número, sugeriram que o filme tratava também de um tema recorrente na obra de Louis Malle (obviamente, essas foram resenhas posteriores uma vez que naquele momento a carreira de Louis Malle *apenas começava* e nem ele poderia saber que aquele seria um tema recorrente, portanto isso não fazia nenhum sentido para ele *naquele momento*), a saber, o *abismo entre as gerações*, o que não deixa de ser uma visão desconcertante das coisas (e certamente retrospectiva, um pouco à maneira da *filosofia da história*) porque naquele momento Louis Malle mal cumpria 30 anos ou acabara de cumprir 30 anos ou desenvolvera o projeto de fazer aquele filme pouco antes de completar 30 anos, quer dizer, a mesma idade do personagem Leroy-Ronet no dia em que o filme o representa. Leroy-Ronet comenta, numa cena, que havia passado a vida "esperando que alguma coisa acontecesse", diálogo que alguém reconheceu, um pouco tolamente, como um *comentário existencialista* ao qual se teria *necessariamente* de opor, naqueles dias que vivíamos no país, o verso que rodou miticamente em nossas cabeças: "quem sabe faz a hora, não espera acontecer" — duas linhas, "esperando que alguma coisa acontecesse" e "quem sabe faz a hora, não espera acontecer" que muito apropriadamente, de um ponto de vista de estrita *filosofia da história* e da ideologia, de fato entravam em nítida oposição — e que assim, embora essa relação de causa e efeito não fosse assim tão clara, Leroy-Ronet se recusava, como disse um crítico, a "abraçar os compromissos da vida adulta como haviam feito seus amigos" que no entanto, na visão de Leroy-Ronet, ficavam errática e tolamente se agitando ao redor da idéia obsessiva de *criar coisas,* ele dizia, criar "negócios, filhos e livros" ele diz, talvez não nessa ordem, talvez "filhos, negócios, livros". E aqui ficava claro que na cabeça de Louis Malle não passara nenhum problema de *abismo de gerações* e que a questão era *pessoal* mesmo, tão pessoal para ele quanto havia sido para Drieu La Rochelle, escritor que a esquerda da época considerava no mínimo alienado (a mesma alienação vista nos filmes quase nunca foi interpretada como tal, quer dizer, como alienação, num sinal evidente de como a tecnologia e como a *passagem* de uma tecnologia para outra, no caso do livro para o cinema, altera o suposto *sentido profundo das coisas* ou atribui às coisas uma outra aura, ou substitui tão rapidamente uma idéia por outra que a noção inicial se perde e com ela se perdem todas as noções), ele, Louis Malle, que rodava filmes do mesmo modo como La Rochelle (que escrevera aquela frase inicial de Leroy-Ronet) escrevia livros e que tinham, ambos, um agudo senso crítico do que faziam e do alcance que poderiam ter as coisas que faziam: filmes e livros, como eu e Renato L. nos dissemos e discutimos várias vezes. À época muito certamente não nos ocorreu indagar, creio, por que a Leroy-Ronet parecia que Jeanne-Moreau "rompia com os ideais comuns de juventude" ao começar a andar com um grupo de drogados se ele mesmo, Leroy-Ronet, estava se tratando de alcoolismo, e por que, afinal, ao fazer apenas 30 anos, ou talvez já 30 anos, lhe parecia que querer *criar coisas*, especialmente se essas coisas fossem *livros*, era um sinal de rendição à mesmice da vida reacionária. Que Leroy-Ronet nunca aceitara *amadurecer* poderia ser claro desde a perspectiva de quem assim pensa, quer dizer, que amadurecer significa *aceitar as responsabilidades* da vida e que isso é algo em si e por si positivo, seja *aceitar as responsabilidades da vida* no sentido de *casar e ter filhos*, seja *participar da luta revolucionária*. Mais tarde ficaria evidente para nós, ou pelo menos para muitos de nós entre os quais eu me incluía, que era fantástico *não conseguir amadurecer* ou *não se deixar amadurecer assim*, nesses como em tantos outros sentidos. O fato é que aquele filme, que causou um profundo impacto em nós, termina como era possível prever que terminaria: Leroy-Ronet se suicida com um tiro na cabeça, numa atuação desdramatizada que foi o ponto alto da carreira daquele ator e de muitas de nossas vidas. 30 anos esta noite. Durante vários anos eu tive 30 anos esta noite, inclusive quando fiz 30 anos aquela noite. E até mesmo ficava contando, a contagem regressiva: faltam 3 anos para 30 anos esta noite, que você vai fazer de sua vida?, faltam 2 anos para 30 anos esta noite, o que você vai fazer de sua vida?, falta um ano para 30 anos esta noite, que você vai fazer de sua vida?, e depois, nada, depois fim, *cogito ergo bum!*, como disse Sontag. E poi il *bum*, quello, non c'è mai stato. E depois não houve *bum* nenhum. Talvez porque eu não tenha cogitado o suficiente, talvez por ter cogitado demais, deveria ser isso: cogitar demais.

Durante dias o barco com cabina, uns 6 metros, é visível ancorado no mesmo ponto na pequena baia do lago de Lecco de águas pesadas plúmbeas, diante de Bellagio, do outro lado do lago de Como, a poucos metros da praia. Depois, uma manhã, ainda bem cedo, o céu sobre as montanhas ao fundo como em outra tela de Caspar David Friedrich, o barco não está mais naquele lugar. Não está mais. É simples assim.

E que não me venham dizer que a questão de ter 30 anos esta noite é um excesso de subjetivismo porque essa sem dúvida parece uma idade mítica: também Cristo, pelo que se imagina, teve ao redor de 30 anos uma certa noite. O fato é que ignoro que papel específico *Le feu follet*, o filme, representou na *economia espiritual* de Renato. Ou talvez saiba mas não queira extrair daí todas as conseqüências, razão pela qual talvez seja melhor deixar que essa economia fale por si mesma. As alegorias são, no reino das idéias, aquilo que as ruínas são no reino das coisas, teria dito Walter Benjamin (ao que um intérprete seu, talvez eu mesmo, quase acrescentou: *aquilo que as palavras são no reino da linguagem*), significando que são símbolos cifrados do passado, símbolos que dizem sempre *mais coisas*, *outras coisas* além daquilo que se procura expressar com eles. As alegorias, e isso Benjamin escreverá no ensaio sobre Baudelaire, são sempre alegorias do olvidado: seu verdadeiro objeto é o olvido — o que talvez alguém devesse entender como *a alegoria serve para fazer esquecer*. Nesse caso, a meta seria voltar a esquecer para poder dizer outra coisa, dizer mais. Mesmo porque desconheço qual tenha sido o *instante do perigo* central definitivo para Renato, supondo que tenha havido esse *instante central do perigo* e não uma sucessão de *instantes do perigo*, o que me parece mais provável. Se eu fosse pôr de lado todo "pantanal subjetivo", como se pode dizer, para ensaiar propor ou refazer um *conteúdo histórico da angústia* de Renato, ou da minha, teria de identificar esses *instantes do perigo*, dos quais concretamente conheço apenas um, ou penso conhecer um. Até o momento em que vimos *Le feu follet*, esses instantes do perigo haviam sido experimentados de forma racionada — e não vou incluir aquela noite no cinema, vendo *Le feu follet*, fogo fátuo, como um deles. Discutimos uma vez muito intensamente a idéia, mais que a figura, do *anjo atônito*, que acreditamos vislumbrar na reprodução de uma obra do maneirismo depois de ter lido algo a respeito da mesma idéia num contexto dos estudos sobre, exatamente, a *filosofia da história*. O anjo atônito é aquele que olha para um passado que deságua ruína sobre ruína a seus pés e que está de costas para um futuro ignorado. Renato não tinha um passado que lhe desaguasse aos pés *ruínas sobre ruínas,* nem eu, isso era algo materialmente impossível, historicamente impossível, cronologicamente impossível: não por não termos um passado mas por não termos ruínas a ver desaguarem-se a nossos pés — pelo menos não ruínas do passado. Ruínas do presente sim, e essa noção deveria ser bem clara para nós naquele momento. Ruínas do presente e ruínas do futuro, fato pelo qual jamais poderei perdoar aqueles anos de chumbo, como já superficialmente e marketeiramente se diz. Talvez sob esse aspecto se poderia dizer, agora mas talvez também à época, que Renato tinha os traços do *anjo atônito*, todos os traços do anjo atônito, muitos desses traços. Nunca seria possível discutir com Renato o filme de Wim Wenders *As asas do desejo* porque esse filme só seria visível 20 anos depois, quando o presente começava a deixar de ser ruínas mas o futuro ainda não, filme que certamente teríamos discutido se pudéssemos tê-lo visto juntos. Como isso nunca será possível, não foi possível examinar com ele essa teoria de um céu sobre Berlim cheio de gentis anjos encapotados que ficam ouvindo os angustiados pensamentos dos mortais e que buscam dar-lhes conforto e que não deixam de ser anjos atônitos pelo fato de serem anjos gentis — não está escrito em parte alguma que anjos atônitos não possam ser gentis — porque o tempo todo viam a seus pés as ruínas não apenas do passado como do presente que procuravam confortar e, por certo, também as do futuro, que lhes estaria acessível; nem discutir com Renato, especificamente, esse anjo que decide tornar-se mortal ao apaixonar-se por uma linda trapezista, algo de todo compreensível e justificável, e que com isso abandona as ruínas do passado e volta as costas para o futuro a fim de mergulhar no presente que, então, passa a ser a única dimensão sem ruínas. O filme obviamente não foi visto como povoado por anjos atônitos — embora isso devesse ser inteiramente evidente, uma vez que se tratava de um filme cujo céu era o céu *de Berlim* — mas teria sido interessante e oportuno comentá-lo com Renato e saber que valores atribuiria (sem duvida discutiríamos sobre isso) àquilo que o filme mostra à medida que se processa a transformação do *anjo apaixonado* em *humano mortal*, quer dizer: *as alegrias simples da vida humana* como, e este exemplo é dado já pelo próprio press-release do filme embora eu não compartilhe de tais alegrias mesmo sendo capaz de entendê-las, a combinação sublime de café com cigarros. Discutiríamos sobre essa alegria também mas claro que haveria *outras* muitas alegrias da vida na forma de *combinações sublimes* que poderíamos lembrar, e eu próprio neste instante mesmo posso pensar em várias delas, num número que parece aumentar à medida que passam os anos em vez de diminuir, o que não deixa de ser curioso. Não poderíamos, isso estava fora de dúvida, ter essa discussão *com o grupo todo* porque uma parte do grupo sem dúvida logo se levantaria para lançar contra nós uma palavra que naquele momento nenhum deles dominaria mas que seria traduzida por alguma outra adequada: sibaritas — o que nos levaria a discutir esse filme em *petit comitê*, eu e ele, eu, ele e Anna M. e algum mais, mas não com todo o comitê reunido e diante do comitê, que não permitiria isso *de modo algum*. Provavelmente teríamos discutido sobre se os anjos atônitos de Wenders estariam ou não naquele estado de "espera incessante de um milagre", porque, e essa discussão seria possível ter com Renato, esse tema sem dúvida apareceu na conversa sobre *Feu follet* embora de outro modo uma vez que o próprio personagem de Leroy-Ronet o anuncia quando diz que passou a vida toda "esperando que algo acontecesse", embora não dissesse que esperava que acontecesse um *milagre* porque era *muito cedo* para que essa palavra aparecesse naquele tipo de filme naquele momento assim como em nossas conversas: milagre. O que poderia ter aparecido era que se tornava de todo imperioso distinguir entre Leroy e Ronet, o que significa também distinguir entre a narrativa do filme e Louis Malle, porque se nada havia acontecido na vida de Leroy alguma coisa sem duvida havia acontecido na vida de Louis Malle depois daquele filme, um filme que deve ter mudado sua vida, se não como um milagre o faria pelo menos de algum outro modo. E que Leroy se exasperasse porque alguém quisesse *criar livros* poderia ser compreensível, conhecíamos alguns assim, no grupo: mas esse sentimento, era óbvio, não fazia parte da economia espiritual (bem, naquele tempo não poderíamos utilizar tampouco essa expressão, economia *espiritual*, uma vez que a palavra *espírito* e todas suas variantes nos eram rigorosamente proibidas pelo *materialismo histórico* que de algum modo se apoderara de nossas mentes ainda que não o aceitássemos de todo, o que era mais visível em nossa prática, ou na prática de alguns de nós, do que em nossa teoria, que continuava sendo materialista histórica porque esse era o politicamente correto da época) era óbvio que esse sentimento não fazia parte da economia espiritual de Louis Malle, que estava bastante satisfeito com seu filme, mais satisfeito com ele do que com os demais que havia feito até então, informação a que só teríamos acesso (na verdade, a que *eu* teria acesso) muito mais tarde mas que se estivesse a nosso alcance naquele momento poderia ter mudado alguma coisa, embora fosse evidente que aquele filme era de certo modo um *milagre* na vida de Louis Malle. O livro correspondente do qual Louis Malle tirou o filme poderia não ter sido decisivo, poderia não ter sido *um milagre* na vida de Drieu La Rochelle, tanto assim que ele se matou — o que confirmava mais uma vez minha tese de que *as palavras* põem louco ao escritor, ou não impedem que ele sucumba à loucura, enquanto *as imagens* exatamente o que fazem é afastar do cineasta a loucura, o que não deixa de significar uma atitude exploradora, e exploradora ao máximo, da parte dos cineastas, que literalmente tiram a castanha do fogo, prontinha, com a pata do gato, quer dizer, do escritor, o que sempre me levou a olhar com considerável desprezo a grande maioria dos filmes e dos cineastas cujos filmes não existiriam não fosse por um romance anterior que os trouxesse à luz. Essa evidência, contudo, não se fez presente naquele momento de nossas conversas com Renato, e naquele momento não havia nada que impedisse a configuração da idéia de que o suicídio, encenado por Leroy-Ronet, era e é *a única questão filosófica séria*, a única questão filosófica que importa ou a única questão filosófica ponto final, como bem mais tarde diria Godard em alguma película. Nesse mesmo *mais tarde*, um outro amigo, Saul Sosnowski, argentino como seu nome o indica, ao ver comigo o mais recente filme de Godard, *Nossa música*, discordaria com desdém dessa tese assim como também, talvez, da tese de Benjamin de que a obra de arte contemporânea, de vanguarda, se for de fato boa sempre se coloca à espera de um milagre e cria as condições para que esse milagre aconteça a fim de contrapor-se à desolação desta realidade convulsionada e sem Deus, assim como sempre fracassa em obtê-lo, o milagre, isto é — e em seu favor nem se pode alegar, como fizemos em relação ao filme de Malle, seu sucesso formal interno porque o fato de a obra ter "resultado bem", ter sido bem sucedida esteticamente em sua proposta, não passava de um sinal exterior e inadequado. Na verdade, disso, quer dizer, do fato de que a obra de arte contemporânea de vanguarda sempre fracassa mesmo quando seja daquele tipo das que esperam o milagre e ainda quando são formalmente bem sucedidas, sempre discordei intensamente, e creio que Renato sempre me secundou nisso. A diferença entre eu e esse amigo posterior, Saul Sosnowski, era que este colocava Deus no meio da conversa, embora de modo muito delicado e quase como marca d'água, assim como sempre colocava a questão de uma "realidade externa sem Deus", quando para mim bastava a "realidade convulsa e desolada." Outro amigo argentino, León Ferrari, curiosamente também defendia um ponto de vista semelhante, embora nem de longe tivesse a tendência místico-religiosa de Sosnowski e apesar de provavelmente não o fazer valer sempre e em todas as ocasiões, ponto de vista que se revelava quando dizia ser espantoso que as pessoas se satisfizessem com o *sucesso formal* de uma obra de arte sem se preocupar com sua *ética*, ponto e único ponto em que discordávamos. Seja como for, Saul Sosnowski rejeitava a tese de que a única questão filosófica fosse o suicídio dizendo que *a vida é bela*, o que no fundo, por outro caminho, era o que também importava para os anjos do filme do Wenders, como eu mesmo teria sublinhado para Renato se nossa conversa sobre esse filme um dia tivesse acontecido. Surpreende-me, seja como for, que alguém em nosso grupo não se tenha dado conta de que também no filme de Malle o *milagre* acontecia e havia acontecido. Teria esse milagre escapado a mim também ou simplesmente não fiz o suficiente para deixá-lo bem claro, naquele momento? Talvez *Feu follet* não fosse, afinal, uma obra de arte contemporânea de vanguarda, não fosse um filme inteiramente de vanguarda embora sem dúvida um filme *diferente*, pelo tom negro da cor em P&B e também porque seu herói é, de acordo com os padrões políticos e ideológicos e morais da época, e talvez de agora, *inteiramente negativo*. Talvez, de fato, nenhum filme, com exceção dos de Godard, possa ser uma obra de arte contemporânea de vanguarda na modalidade "cinema", o que significaria que os filmes podem, eles, exatamente por não serem de vanguarda e portanto não se obsessionarem com a idéia de conseguir um milagre, *conseguir o milagre* no entanto vedado às outras artes, sobretudo as artes visuais como a pintura ou outra coisa.

E o motivo pelo qual a conversa sobre o filme do Wenders não seu deu com Renato L. a esta altura já está claro, suponho. Nenhum desentendimento pessoal entre mim e Renato, claro. Renato continua me parecendo, se cheguei a usar essas palavras na época, um anjo atônito virado do avesso, e a *economia de nossos sentimentos* compreendia inclusive o chamá-lo pelo diminutivo, quando ele não estava presente, numa palavra que não posso mais pronunciar. Simplesmente o grupo se separou, o grupo não mais era um grupo. Não "simplesmente", é óbvio. Nada era simples. Não foi bem que cada um foi para seu lado mas o fato é que o grupo se separou. Não vimos nem ouvimos Renato L. nem dele soubemos por um longo tempo — e os tempos naquele momento, naquela realidade convulsa e desolada, em tudo e por tudo angustiada, que era a realidade sob aquele regime de exceção, podiam ser enormemente longos, tempos em que nada acontecia e nada parecia acontecer e em que nada parecia poder acontecer, uma vez que tudo ficava neutralizado, e tanto que algum tempo depois fomos a Buenos Aires, Anna M. e eu, em busca de alguns momentos de respiro, sempre temendo que nos pudessem parar na fronteira, ainda mais porque fomos por terra e eu tinha um cabelo grande e porque nossa sacola, na volta, estava cheia de livros, que certamente seriam examinados. *Queríamos simplesmente respirar,* e boa parte da responsabilidade pela cisão do grupo deveria ser atribuída à interpretação do que *isso queria dizer,* historicamente muito mais do que individualmente, como era pedido que fizéssemos, e de como consegui-lo, coletiva mais e antes do que pessoalmente. Não ouvimos mais nada de Renato por um bom tempo, nem ouvimos nada sobre ele e, como é natural nessas circunstâncias, Renato de repente havia *desaparecido de nossas vidas.* E depois, um pouco por acaso, a notícia: Renato havia trocado tiros com a polícia, era a informação, ao tentar assaltar um posto de gasolina numa *ação* para conseguir fundos para o *movimento.* Havia outras versões: ele não estava tentando assaltar posto algum, ao parar o carro num posto de gasolina foi abordado por agentes do DOPS, o Departamento de Ordem Política e Social, a polícia política, que quiseram controlar sua identidade e ele, sabendo que seria revistado e que seu carro seria revistado e a arma, encontrada, teria procurado escapar atirando e trocando tiros com os agentes. Uma versão, mais uma versão que nos deixava tão literalmente *atônitos* quanto as anteriores e nos esmagava sob seu significado, dizia que havia sido pior do que isso: que Renato, nesse posto, havia trocado tiros não com qualquer agente do DOPS — o mais antigo órgão de repressão do país, criado para controlar e reprimir os primeiros militantes anarquistas espanhóis e italianos vindos ao país Brasil no começo do século XX e que havia servido perfeitamente bem ao ditador Getúlio Vargas e à sua ditadura bem como a todos os governos menos ou mais *democráticos* que se registraram entre a ditadura Vargas e o golpe militar de 64, e que foram bem poucos, assim como serviu à ditadura militar de 1964, um órgão dirigido por especialistas em tortura e assassinato — mas com Sergio Fleury, o mais poderoso deles, o mais ativo, o mais temido, o emblema do DOPS. Renato trocando tiros com Fleury, não é que não pudéssemos acreditar, é que era demasiado assustador. E a versão continuava dizendo que Renato sustentara o fogo, obrigando Fleury a tomar cobertura, ele que era valentão, e conseguira fugir, deixando a todos nós com a certeza de que Fleury não descansaria até capturá-lo ou matá-lo, uma vez que ele havia sido diretamente ameaçado por Renato, tivera sua vida e sua ação contestadas por Renato, que se atrevera a disparar contra ele em vez de entregar-se tranqüilamente como deveriam fazer todos e em seguida conformadamente *sofrer as consequências*. A notícia, em qualquer de suas versões, nos deixou estarrecidos: nesse momento sim, atônitos no sentido do anjo de Benjamin: pela primeira vez olhávamos para o passado, de costas para um futuro ignorado, observando as *ruínas* desse passado se empilharem a nossos pés até não deixarem o menor traço das ruínas do presente. E as notícias continuavam dizendo que Renato havia escapado e se encontrava em lugar ignorado, e que seria melhor não aparecermos na casa da família dele, onde fazíamos nossas reuniões *subversivas*, e tão subversivas que as fazíamos no escritório do pai dele, porque a casa, na verdade o apartamento, estava sob vigilância uma vez que na verdade já havia sido revistada, sob protesto do pai advogado — e a notícia então se completava, suas diferentes versões convergindo para um mesmo beco sem saída final: a casa dos pais havia sido revistada porque *inacreditavelmente na fuga Renato tinha deixado cair a carteira de dinheiro e sua carteira de identidade estava lá, com sua foto e tudo, e seu endereço também,* e o DOPS não precisara fazer outra coisa além de ir até a casa dele onde nada haviam encontrado além de uns livros que sem dúvida poderiam incriminá-lo como poderiam fazê-lo outros tantos livros naqueles tempos em que *qualquer* livro poderia ser um indício incriminador. O fato de ele ter deixado cair a carteira de documentos deveria demonstrar que afinal Renato não estava assaltando o posto de gasolina numa ação que visava levantar dinheiro para as ações mais pesadas do *movimento,* que não imaginávamos qual, especificamente, podia ser, tantas as siglas, por que ninguém em sã consciência iria assaltar um posto de gasolina ou qualquer outra coisa levando seus documentos legítimos — mas esse detalhe, além de ser crível em Renato, francamente não tinha maior importância prática embora tivesse, sim, uma importância simbólica para nós, que queríamos saber *por que* Renato não havia conseguido encontrar um modo de nos comunicar sua decisão, pergunta até certo ponto tola porque era evidente que ao passar para a clandestinidade, se era isso que havia de fato feito, como vários fizeram, ele não mais poderia confiar em nós ou não seria prudente que o fizesse, o que no fundo nos machucava ou incomodava, que ele não pudesse confiar em nós, razão pela qual acredito que preferíamos acreditar que tudo havia sido um acidente, um desses acidentes do destino que tinha feito Renato parar seu carro num posto de gasolina quando ali por coincidência estava nosso maior inimigo físico e ideológico e tenha, o destino, feito que os policiais tivessem suspeitas sobre Renato por algum motivo que fosse, ou sem motivo algum, talvez porque os agentes não tivessem nada a fazer naquele momento, levando-os a pedir-lhe os documentos e tentar revistá-lo, quando ele *irrefletidamente,* o que era próprio dele, teria sacado a arma ou apanhado a arma no carro, e saído atirando — a menos que estivesse sob a influência de drogas, como alguns disseram que podia ter sido. E nos diziam que não deveríamos aparecer em sua casa porque certamente a polícia estaria vigiando. E aparecer na casa dele foi o que não fizemos, nós que já deveríamos estar fichados no DOPS por várias razões — pelas passeatas, tantas vezes fotografados que fomos; pelos comícios na faculdade; pela delação dos colegas de curso, por tanta coisa e nada. E Renato sumiu de nossas vidas. Depois de um tempo indeterminado que a memória preferiu provavelmente esquecer, mas que não foi um tempo curto, não foram alguns dias nem algumas semanas apenas, a notícia de que Renato estivera escondido no litoral, longe de São Paulo, e depois retornara brevemente a São Paulo porque o pai morrera e em seguida sumira de novo e depois reaparecera e estava ou estivera internado numa clínica para desintoxicação de drogas, sem que nunca soubéssemos ou sem que eu soubesse se isso de fato era verdade e se ele havia de fato *chegado a uma decisão* e aderido à guerrilha ou se era outra coisa que havia simplesmente *arruinado sua vida para sempre*, e depois simplesmente a notícia final justificando por que nunca iríamos poder discutir o filme e os anjos atônitos de Wenders, a notícia óbvia de que Renato havia se dado um tiro na cabeça.

# TEORIA
# DA TRISTEZA

A terminologia é a poesia do pensamento — escreveu alguém em algum lugar em algum momento do passado, embora com outras palavras mas de modo suficientemente claro para chamar a atenção de mais de um. Não sei quem foi e não tenho tempo agora para procurar uma atribuição correta da autoria. Poderia ter sido o lingüista Leo Spitzer, um de cujos livros aceitei traduzir para o português numa tarefa que me ajudaria a viver os primeiros meses em Paris quando para lá me mudei com Anna M. no começo dos anos 70 diante da total impossibilidade de continuar vivendo no país Brasil, um país que se tornara então para nós absolutamente insuportável, horrível e asqueroso. Leo Spitzer continuava praticando uma tradição filológica baseada na análise de texto, freqüentemente do texto literário, que, mesmo recorrendo às modernas técnicas da lingüística, procurava unir a descrição analítica com uma interpretação crítica que vincula o *estilo* a um quadro conceitual ou situacional mais amplo, de modo que o estilo é visto como a expressão de uma *dada sensibilidade* psicológica, social ou histórica — ou existencial, eu acrescentaria — mais do que como uma propriedade geral de uma dada língua, o que me parecia *relativamente* apropriado. Como já deveria ser evidente a esta altura, eu simpatizava enormemente com essa tese, que me permitia por exemplo uma ampla margem de *subjetivismo*, de *intenso subjetivismo* e de um *subjetivismo* que fosse em tudo e por tudo oposto e contrário ao *objetivismo* daqueles anos pesados como chumbo, o objetivismo que talvez de um lado a situação impunha e que de outro lado, e muito mais deste lado que do outro, o *espírito predominante* no meu grupo impunha — objetivismo que no entanto quando se transformou no citacionismo dos movimentos pós-modernos, quer dizer, no fato de que a obra pós-moderna por excelência deveria ser em tudo anti-subjetivista e em tudo objetivista, o que só conseguiria se recorresse à citação extremada de tudo quanto a houvesse precedido, seria decididamente rechaçado como alienado pelo meu grupo, se ele tivesse continuado a existir. Eu queria mergulhar nesse subjetivismo total, portanto, e nesse caso ter a Leo Spitzer como *companheiro de viagem* em Paris, of all cities, por algum tempo poderia ser estimulante. Mas as insistentes operações filológicas de Leo Spitzer logo me entediaram e em seguida me aborreceriam vastamente e em seguida comecei a me referir a ele como Leo Sputzer e em seguida como Leo Sputzzo e depois como Leo Sputzzopazzo até que devolvi o livro ao país Brasil com a parte que havia traduzido, pela qual nunca me pagaram. Eu não queria filologia, eu queria cair na vida, eu queria tocar na vida como ela era, sem filologismos, sem palavras pelo meio, eu queria a vida, salve-se quem puder. Mas a *realidade objetiva* por assim dizer, ou como se costuma dizer, vinha correndo atrás de mim até mesmo em Paris, na forma por exemplo de uma pergunta vital que Anna M. tinha de responder ou enfrentar, uma vez que aceitara, mesmo à distância, *contribuir para a luta revolucionária* dentro de suas possibilidades e seus limites desde que a respeitassem em sua escolha, uma vez que havia escolhido *não pegar em armas*, o que sempre lhe parecera a ela também uma loucura total, e não apenas uma demonstração de insanidade pessoal, de exercício da temeridade para além de todo e qualquer limite, como também por ser *pegar em armas* uma demonstração cabal de desvinculação com a realidade por parte dos que haviam decidido fazê-lo, Anna M. dizia, uma vez que estava claro, e essa era a *realidade objetiva,* que a população não pegaria em armas ou, como se dizia, que *o povo* não pegaria em armas uma vez que o povo, boa parte do povo — porque *o povo era tudo*, Anna M. dizia, e não apenas a parte do povo que se escolhia considerar — quisera a ditadura e outra parte desse povo estava mais interessada em outra coisa, qualquer outra coisa, e não seria Anna M. quem iria dizer ao povo o que tinha de fazer porque era exatamente *contra* isso que ela queria se opor, quer dizer, contra os que vinham lhe dizer, nos dizer, dizer ao povo, o que era para ser feito. Desnecessário também, a esta altura, dizer como Anna M. era importante na minha vida, ela que talvez não tivesse ido a Paris por decisão própria mas que fora porque decidira me acompanhar. Conhecendo as mulheres como conheço e conhecendo a Anna M. como em boa parte a desconheço, tremo em pensar no que lhe poderia ter acontecido se tivesse ficado no Brasil caso não tivéssemos decidido sair quando o fizemos. Não é *tremo, tremo* é um termo infinitamente débil para expressar a angústia retrospectiva imaginária que sinto e ainda sinto ao pensar no que poderia ter acontecido com ela se tivéssemos ficado lá ou se ela tivesse ficado lá (digo *ou* porque existiu a possibilidade de que não tivéssemos continuado juntos se tivéssemos ficado por lá). Este é um sentimento que rigorosamente não tem razão de ser, porque aquilo que me faz tremer *não aconteceu* e portanto o sentimento provocado por algo que *não aconteceu* não existe, não chegou a existir, é um fantasma em tudo subjetivo, e no entanto, desnecessário dizer, esse sentimento me toma o corpo inteiro, não apenas a mente ou a imaginação, e *me contrai os músculos* a um ponto em tudo insuportável — e esse tipo de fantasma subjetivo também faz parte da experiência daqueles anos, não há a menor dúvida: só pode ser isso. Vejo por exemplo a foto de E.L., que esteve envolvida no caso que discutimos *em tese,* muito tempo atrás, relativo ao incêndio provocado no apartamento daquele dirigente de direita e que resultou na morte de dois de seus filhos — e também me persegue a imagem de um deles, o mais velho, a cabeça assomando à janela, meio enegrecida em virtude do fogo que já lhe queimara a parte inferior do corpo, o olho esquerdo olhando para a frente sem mais ver coisa alguma e o direito esbugalhado porque talvez a pele já havia queimado a seu redor, também esse olho sem ver coisa alguma, e as duas mãos do cadáver agarradas ao peitoral da janela aberta que ele ainda tentou pular sem conseguir, morrendo queimado talvez a centímetros da salvação, naquela foto que algum jornalista tirou desde a rua abaixo. Essa foto me enoja mas a outra foto, a foto de E.L., de início suspeita de participação no assassinato e depois liberada por falta de provas e 30 anos depois denunciada pelo cúmplice que confirmou a culpa própria e a dela e a acusou a ela também, junto com mais outros três: vejo a foto de E.L. quando ela compareceu à audiência no tribunal romano há quase exatamente 30 anos atrás, quase rigorosamente dia a dia em relação ao dia de hoje, e ela está sentada diante do que deve ser a juíza ou a promotora, porque essa tem o símbolo do Estado no peito, e também diante de um guarda em pé, e E.L. olha para uma mulher de costas para o fotógrafo, talvez sua advogada, talvez uma procuradora, e E.L. está visivelmente assustada em seus 20, 22, talvez 19 anos, e eu tremo porque poderia ter sido Anna M. em seu lugar, não que E.L. fosse tão bela quanto Anna M., que nunca usaria o cabelo repartido ao meio como E.L. usava então, e não que Anna M. um dia pudesse ser acusada de um ato semelhante, ela nunca teria feito nada nem remotamente parecido com aquilo, mas me provoca uma profunda angústia, que não tem nenhuma razão mais de existir e que no entanto existe, só de pensar que Anna M. pudesse vir a estar ou ter estado na situação de E.L., acusada de alguma coisa ainda que injustamente, o que não parecia ser o caso de E.L., mas acusada injustamente embora, e não era preciso muita coisa para que se acusasse alguém de alguma coisa naquele país Brasil de então, mesmo que fosse uma pessoa que, vista agora, me parece quase uma menina embora, retomando, eu saiba muito bem quão velhos pensávamos ser então e quão velhos *de fato éramos* ou nos havíamos tornado naqueles anos, *quão velhos*. Esta é uma idéia que não posso suportar, esse *sentimento absurdo*, em retrospectiva, sem mais nenhuma razão de ser e que no entanto me persegue. Uma idéia que não posso suportar, assim como não podia suportar naquela época *enquanto* as coisas aconteciam, e o que eu não podia suportar era que Anna M. se visse numa situação semelhante *por minha culpa*, porque eu de algum modo a havia arrastado para aquilo, embora essa fosse uma idéia no fundo bastante insultante em relação a Anna M., por pressupor que por si mesma ou em virtude de algum outro fato que nada tivesse a ver comigo Anna M. não teria chegado a colocar-se naquela situação, uma idéia essa, de que a culpa era minha, no fundo presunçosa mas que eu rechaçava dizendo que *não queria fugir a minhas responsabilidades*, quer dizer, ao fato de que por algum modo eu havia sido aquele que lhe propiciou, casualmente embora, aproximar-se de tudo aquilo — e veja que eu nada havia feito que objetivamente pudesse ser considerado um crime, portanto nada havia feito que pudesse respingar sobre ela, além de ter editado aqueles livros que *eles* achavam subversivos e pelos quais poderiam me processar e processar também a ela, eu que a havia convidado a editar e publicar aqueles livros comigo, razão pela qual a idéia de que ela pudesse vir a estar ou pudesse ter-se encontrado na situação de E.L., presa e enfrentado a justiça daquele modo, me havia sido, era e continua a ser absolutamente insuportável. Isso, para ressaltar a evidência: como Anna M. havia sido importante para minha vida, ela que desde Paris continuava a seu modo a contribuir para a causa, ainda que não a *causa* que poderia ser chamada de revolucionária, porque não acreditava mais nisso ou jamais havia acreditado nisso, mas, por dizê-lo de algum modo, para a causa da resistência difusa,

204

de algum modo, escrevendo seus artigos ou pondo no papel suas reflexões sobre o direito cabível à época, especificamente sobre o *estado de exceção*. Anna M. me perguntava, então, em Paris, de repente, talvez mais para pensar em voz alta do que para conhecer minha opinião, algo que se revelou uma pergunta para mim inesperada e que tive dificuldade em responder: então o que é, para você, a ditadura?

## ESTADO DE EXCEÇÃO

O instrumento de instauração de uma guerra civil legal — quer dizer, *legal* nos termos de alguma legislação em vigor, corrigiria ela o enunciado formal para dar-lhe os tons de seu próprio discurso — que permite a eliminação física não apenas dos adversários políticos como de categorias inteiras de cidadãos que por uma razão qualquer não se integram (ou, dizia Anna M., não são reconhecidos como integrando-se) ao sistema político. Sistema: palavra que sobressaía à época. Como tampouco Anna M. era uma adepta do objetivismo que se tentava apresentar, em todas as cores do espectro político (que no pais Brasil eram o marrom do nazismo, o verde do fascismo e o vermelho do comunismo) como a única alternativa possível, Anna M. não redigia artigos jurídicos isentos ou limpos ou *vazados*, como se dizia, em terminologia técnica estrita, e lembrava, no artigo, aos que a censuravam por defender uma interpretação ampla demais do estado de exceção, já que no país Brasil pelo menos não se tratara e não se tratava de declarar uma guerra civil (que eles diziam ser *ilegal*, não entendendo o ponto de vista jurídico dela) contra *categorias inteiras de cidadãos* mas apenas de eliminar os *adversários políticos,* que estado de exceção era aquilo que vigorara por exemplo na Alemanha nazista e que abrira as portas, se era preciso que algo *desse* tipo, quer dizer, uma figura jurídica, abrisse as portas para *aquilo,* a aniquilação em massa dos judeus e depois dos homossexuais, dos quais não se podia dizer que haviam sido ou fossem adversários políticos no sentido tradicional do termo mas "apenas" integrantes de categorias inteiras de cidadãos. E Anna M. não se referia à Alemanha nazista por um motivo qualquer, aleatório, mas porque ali houvera uma data precisa a partir do qual o estado de exceção começara a vigorar — como aliás no país Brasil, a 1º de abril de 1964, mediante a configuração jurídica *apropriada* (em termos técnicos, claro) do Ato Institucional número 1 baixado a 9 de abril de 1964 pela *junta militar* — um termo que me provocará asco pelo resto de minha vida — composta pelo general Arthur da Costa e Silva, pelo tenente-brigadeiro Francisco de Assis Correia de Mello e pelo vice-almirante Augusto Hamann Radmaker Grunewald, o que sempre me fez perguntar pelo paradeiro do almirante ele próprio já que um vice-almirante assinara o Ato, do mesmo modo como, à maneira inteiramente antipoliticamentecorreta, mais tarde eu sempre perguntaria, ao ouvir os pronunciamentos do subcomandante Marcos, pelo paradeiro do *comandante* ele próprio, ao que algum amigo ilustrado me responderia que o comandante era o povo, ao que eu perguntaria: Mas por que esse povo não fala por si próprio, e aí a discussão azedaria — mais tarde corrigido e reforçado e realimentado pelo Ato Institucional número 5 baixado a 13 de dezembro de 1968 pelo general Arthur da Costa e Silva que então já conseguira apossar-se da presidência da república, iniciando o período mais violento, mais abrumador da ditadura fundada a 1º de abril de 1964 ou, como querem os mais respeitosos alegando estritos e confusos motivos históricos, a 31 de março de 1964. Na Alemanha nazista também houvera uma data precisa, 28 de fevereiro de 1933, quando um decreto presidencial, quer dizer, dele mesmo, dava a Hitler, Adolf Hitler, poderes emergenciais (nos mesmos moldes daqueles que quase cem anos antes, em outra data redonda, 1844, o sucessor do dr. Francia, López, se dava a si mesmo tanto quanto postumamente dava a seu inspirador) sob uma denominação que interessava a

206

Anna M. explorar em seu artigo: *Decreto para a proteção do povo e do Estado*, termos esses que provocavam nela, como em mim, a mais total repulsa e rejeição, naquele momento como agora, quer dizer: a idéia de alguém que se apresenta para *proteger o povo e o Estado* em nome deles, quer dizer, do povo e do Estado. É bem provável que não rejeitássemos tanto a idéia de Estado naquele momento como a rejeitamos agora, mas nossa aversão a essa idéia, *proteger o povo e o Estado*, e aos que enchem a boca falam em nome dela, já era visceral.

## A EXCEÇÃO É A REGRA

E Anna M. fazia questão de lembrar, no artigo que escrevia então para uma Revista brasileira de oposição, recorrendo às palavras e à advertência de Walter Benjamin, que a história indicava que o *estado de emergência*, como Benjamin o chamava, e que é esse *estado de exceção*, é não a exceção mas a regra, e que na verdade, como Anna M. mesmo concluía, concordando com tanta outra gente, o estado de exceção tende a apresentar-se cada vez mais como o *paradigma predominante de governo na política contemporânea*. Que Benjamin o dissesse era algo que parecia à época justificado, pois na Alemanha desde que Hitler dotou a si mesmo de poderes extraordinários para, odiosamente, *proteger o povo e o Estado,* em 1933, o estado de exceção nunca mais havia sido levantado até a queda final, a derrota total, o naufrágio final desse Hitler, do Estado alemão e do povo alemão. E que Anna M. o lembrasse então naquele artigo era algo bem aceito pela Revista e pelo público que a lia — porque também havia isso de inconveniente, e sempre tinha havido: a Revista só falava para os que *já estavam convencidos* do que ela queria dizer, em novo círculo vicioso que se formava, ou quem sabe fosse o mesmo círculo vicioso de sempre se repetindo em eterno retorno, como convém a todo círculo —, uma vez que o estado de exceção no

Brasil *estava durando* enquanto liam seu artigo *e iria durar mais que o da Alemanha nazista*, uma vez que o do Brasil duraria 20 anos, quase 21, enquanto o da Alemanha, *apenas* 12 (na Espanha, sob Franco, quase 40 anos, 39, de 1936 a 1975 e em Portugal, quase 40 anos, de 1932 a 1968, 36, e ainda agora na Internet se encontra pelo menos um *site* que fala da "vida e obra do grande estadista português Antonio de Oliveira Salazar", não "vida e obra do grande ditador português Antonio de Oliveira Salazar" nem "vida e obra do ditador português Antonio de Oliveira Salazar", sendo que a única coisa de interessante que acontece quando se entra nesse *site* dedicado ao *grande estadista português* é que ao lado do nome dele, repetido dezenas de vezes, abre-se um box onde se vê uma dessas estupendas loiras de filmes pornô, os cabelos cacheados caindo ao redor do rosto e roçando seios que generosamente quase escapam de um vestido largamente decotado e que abrigam acolhedoramente, no delicioso rego entre um e outro, uma linda pedra preciosa verde, e uma loira que se parece — e aqui é desmedida a ironia da história, talvez a *filosofia final da história* — em tudo e em muita coisa com Alessandra Mussolini, neta do Duce, aquele, e parlamentar, ela, agora, ela que em tudo se parece com aquela loira do anúncio pornô, a loira do vestido decotado que aparece encimando um botão que diz "videoshow" o qual, quando pressionado, abre uma página onde se lê XXX-SUPERSEX por cima de três mulheres de rostos convidativos, e Stroessner, no Paraguai, cujo ditadura durou quase 40 anos, de 1954 a 1989, 35 anos, e 35 anos é *como se fossem 40 anos*, é a vida inteira, e a vida inteira é a *vida inteira*, que diferença fazem 5 anos para quem viveu sob uma ditadura por exemplo dos 20 aos 60 anos de idade, ou dos 15 aos 55 anos de idade, ou dos 18 aos 58, assim como não há diferença alguma entre 39 e 40 anos ou entre 36 e 40 anos para quem viveu em Portugal e na Espanha desde que tinha 28 e 58 anos de idade, ou entre 21 e 57 anos de idade, *não há diferença alguma*. De modo que quando Anna M. dizia que o *estado de exceção* havia se tornado a regra, naquele momento todos (quer dizer, todos os que liam a Revista, todos portanto que eram de esquerda ou que de algum modo pertenciam à esquerda ou simpatizavam com a esquerda) concordavam com Anna M., embora certamente pudessem manifestar alguma reserva ou muita reserva ou toda a reserva se a afirmação fosse endereçada também à URSS, onde o estado de exceção durou 72 anos, *setenta e dois anos*, de 1917 até 1989, embora evidentemente de início parecesse que fosse *outra coisa* uma vez que a Revolução havia chegado para *proteger o povo e o Estado*, além de acabar com a *opressão*, a *fome* e os *privilégios*, como diziam os revolucionários, 72 anos, quer dizer, a idade de duas pessoas, uma por exemplo com 22 anos quando a revolução estourou (e esse termo nunca poderia ter sido mais apropriado) e seu filho que nascia naquele mesmo ano e que naquele instante tinha portanto zero anos de idade, e depois a mesma pessoa quando tinha 72 anos de idade e seu filho 50, cinqüenta anos de idade naquele regime de exceção, e depois a mesma pessoa quando tinha 94 anos de idade, se tivesse chegado a tanto, e seu filho 72 anos de idade, se tivesse sobrevivido. Em relação à URSS os leitores de Anna M. já não queriam concordar muito com o que ela dizia no artigo e pediam-lhe que *matizasse* sua afirmação, *traçando linhas divisórias nítida*s entre *regimes políticos inteiramente distintos,* como insistiam em sustentar referindo-se, é óbvio, aos regimes de direita e de esquerda que, nessa ótica crítico-paranóica, seriam *diferentes* um do outro. Menos ainda quiseram ler o que ela escrevia quando 30 anos depois seu texto foi lido sobre o pano de fundo da ilha cubana, na qual imperava um estado de exceção desde 1959 e que continuava até o momento em que se lia esse seu artigo em 2005, quer dizer, 46 anos *and counting* como diz a língua inglesa que os americanos falam, 46 anos *e continua*, mais que Salazar, mais que Franco, mais que Hitler, mais que Mussolini, mais que Stroessner, mais que no país *Brasil*. E mais irritados ainda com seu artigo os leitores daquele *círculo vicioso* ficaram quando Anna

M. escreveu, concordando com estudos jurídicos de peso, como o de Georgio Agamben, que era importante *não esquecer* que o estado de exceção moderno era e é *uma criação da tradição democrático-revolucionária* (ou dita democrático-revolucionária, corrigiria eu já que aí Agambem se equivoca) *e não da tradição absolutista*, o que significava que o estado de exceção moderno provinha da Revolução Francesa, sendo a principal pendência entre Anna M. e a corrente oposta o fato de que Anna M. não estava tão certa assim que se pudesse denominar aquela tradição de *democrático-revolucionária* uma vez que esses termos se contradiziam profundamente, quer dizer, o estado de coisas revolucionário não é e não pode ser um estado de coisas democrático ainda que se diga que a finalidade da revolução é, *ao final*, em algum momento do *futuro*, talvez 20 anos *depois*, talvez 40 anos *depois*, *talvez* 46 anos *depois*, quem sabe *72 anos depois*, instaurar a democracia, com o que diziam seus adversários teóricos e ideológicos, os adversários de Anna M., que Anna M. na verdade continuava com suas teses do *direito positivo*, e nesse caso voltaríamos à discussão anterior, de anos antes, cujo círculo de ferro não conseguíramos romper. Anna M. preferia que se usasse apenas o termo *revolucionária*, e não *democrático-revolucionária*, por essas mesmas e exatas razões, e justificava-se dizendo que proceder a um *estudo de genealogia* para saber até que ponto uma revolução era realmente democrática, pelo menos em seus primórdios, era tarefa que escapava aos limites de seus estudos de direito, sem considerar que os *movimentos fascista e nazista também se haviam apresentado sob a etiqueta da revolução*, como acontecera com o golpe de estado no Brasil, a Revolução de Março de 64, ou, como dizem, a Redentora, a Gloriosa, e sem contar o fato de que todos eles se haviam apresentado como democráticos, pois visavam, diziam, ou impedir previamente uma ditadura que sem eles viria e patrocinar a *democracia mais ampla possível* ou implantar a *verdadeira democracia* contra a *falsa democracia* anterior e assim por diante, razões pelas quais Anna

M. preferia insistir em que era bom recordar, apenas para colocar as coisas nas suas devidas perspectivas mas não era apenas por isso, claro, mas também para colocar os pingos nos is, que o *estado de exceção na modernidade*, portanto também na contemporaneidade, era e é uma criação da *tradição revolucionária* e não da absolutista, coisa que muitos haviam preferido esquecer ou desconhecer e uma idéia que nesses muitos provocava *estados de intensa agitação nervosa e talvez mental*, além de *forte reação negativa* (e Anna M. insistia nisso porque, como acreditava firmemente, a terminologia, quer dizer, a terminologia precisa, é a poesia do pensamento). Mas a reação ainda mais violenta aos escritos de Anna M. viria mesmo 30 anos depois quando, já passada a *redemocratização* no país Brasil, como se dizia, e já com a democracia *firmemente instalada*, como se diz por puro *hábito intelectual,* por preguiça intelectual, quer dizer, nos primeiros anos do século XXI, nos anos 2000 portanto, e não apenas no 2001 e 2002 como nos anos 2003, 2004 e 2005, aquelas mesmas pessoas que antes liam aquela Revista, que não mais existia, leram outros escritos de Anna M. nos quais ela, retomando um estudo de entendimento no entanto pacífico e em si e por si mesmo evidente publicado de início certamente em sueco e depois traduzido em francês pelas edições Stock de Paris em 1934, portanto um ano depois da subida de Hitler ao poder, e da autoria de um professor da Universidade de Uppsala, como eles escrevem, com 2 pp, na Suécia, H. Tingsten, intitulado, o estudo, *Les Pleins pouvoirs. L'expansion des pouvoirs gouvernamentaux pendant et après la Grande Guerre, ou Plenos poderes. A expansão dos poderes de governo durante e após a Grande Guerra,* e é justificado observar como está bem aplicado aqui o termo *expansão*, realmente o termo não poderia ser outro, quer dizer, a reação mais violenta aos escritos de Anna M. veio mesmo 30 anos depois quando ela, lembrando as teses de Tingsten, escreveu sobre esse problema técnico (e eu diria, além de técnico, ideológico, como Anna M. certamente concordaria) que marca

E da torre de inspiração vagamente românica lá embaixo, entre os dois lagos, sobem os sons do toque de meio-dia, mezzogiorno na Lombardia, e essa é a imagem que deve ser preservada: a torre da igreja lá embaixo, entre os dois lagos de águas azuis intensas.

profundamente os regimes ditos democráticos contemporâneos (uns mais, outros menos, claro) que é, a saber: a passagem para o executivo de poderes próprios do legislativo ou, melhor, a *expansão* dos poderes do executivo na direção dos e sobre os domínios do legislativo por meio da promulgação, pelo executivo — quer dizer, pela figura do governante de plantão, como se diz, ainda que seja um presidente regularmente eleito — de repetidos decretos e decretos-leis, como conseqüência da delegação de poderes incluída nas leis de "plenos poderes", quer dizer, de leis como aquele *Decreto para a proteção do povo e do Estado* nacional-socialista e como aqueles Atos Institucionais brasileiros, é bom frisar isso: brasileiros. Em outras palavras, o que Anna M. não pode suportar, como não pôde antes, é que o executivo, assumindo ou reivindicando a *herança maldita* das leis dos plenos poderes de larga tradição revolucionária, seja essa "revolução" de esquerda ou de direita — o uso do termo *fascista* resolveria esse "ou" e economizaria espaço —, essas leis em virtude das quais (como se isso fosse uma *virtude*) se atribui ao executivo uma potestade regulatória que inclui a faculdade de, sem

212

consultar os *representantes do povo reunidos no congresso*, como se diz, abrogar ou modificar as leis em vigor ou criar novas e *inclusive criar novos impostos sem ouvir os representantes do povo* por meio de decretos que trazem apenas a assinatura do executivo — fato esse, cobrar imposto sem ouvir os representantes do povo, que esteve na origem da Magna Carta e da Revolução Americana — que assim procede alegando necessidade ou urgência ou interesses *nacionais* ou interesses do povo, uma vez que, *como se sabe*, o executivo tem por finalidade precípua, como se diz, proteger o povo e o Estado. O que ocorre nessas situações, escreve Anna M., é a banalização de uma iniciativa que deveria fazer frente a circunstâncias em tudo e por tudo excepcionais, uma vez que violam a hierarquia entre lei e regulamento que está na base das constituições democráticas e que passam ao governo, quer dizer, ao executivo, um poder que deveria ser competência exclusiva do congresso, razão pela qual em seu tempo H. Tingsten examinou uma série de casos na França, Suíça, Bélgica, Estados Unidos, Inglaterra, Itália, Áustria e Alemanha nos quais alguma vez o *estado de sítio* foi declarado ou se promulgaram leis de plenos poderes, acrescentando Anna M. que H.Tingstein obviamente não pudera estudar o caso do Brasil, do qual se ocupava ela então, uma vez que era seu interesse, acompanhando as conclusões do autor sueco, mostrar como "o exercício regular e sistemático da instituição dos *plenos poderes* ou das medidas de emergência *conduz necessariamente à liquidação da democracia*" — e é nesse ponto que as pessoas se irritam enormemente com Anna M. porque o que ela escreveu com todas as palavras em seu texto era que, encerrada formalmente a ditadura de 64 no Brasil ou no país Brasil, todos os governos seguintes, começando pelo governo formalmente democrático a meias que se seguiu ao período ditatorial propriamente dito, encerrado em 1984 ou que deveria encerrar-se formalmente com a posse do novo presidente eleito indiretamente, a 15 de março de 1985, há exatos 20 anos portanto, mas que morreu antes de assumir, e continuando pelo governo eleito inteiramente de modo democrático e que resultou na farsa collorida e seguindo

213

depois pelo governo democrático bem comportado de FHC que continuou o processo de modernização neoliberal do país, como se diz, e continuando pelo governo dito democrático ou *popular* de Lula da Silva, que continuou o mesmo processo e todos os demais processos, encerrado tudo isso (que não se encerrara, na verdade), as *medidas provisórias,* como se chamam no Brasil, e que são exatamente uma emanação da prática dos *plenos poderes* auto-concedidos pelos governos ditatoriais, as *medidas provisórias*, como dizia, continuaram a ser baixadas profusamente pelo executivo, inclusive e sobretudo pelo governo Lula da Silva que sempre havia taxado de *ditatoriais* essas medidas quando não estava no poder mas que, ao assumir o poder, continuou alegremente a promulgá-las, comprovando assim a tese de H. Tingstein, aceita por Anna M., de que a *progressiva erosão dos poderes legislativos do congresso*, que hoje se limita cada vez mais apenas a ratificar as medidas com força de lei emanadas do executivo, *não apenas se converteu em prática comum* como aponta para o *estado de exceção continuada* cujo outro nome é pura e simplesmente *ditadura* que, assim, para nosso profundo desencanto e cada vez mais intenso desespero e aflição, meus e de Anna M., *continua* e segue firme e forte e se apresenta como *paradigma indiscutível de governo*, endossado por aqueles que sempre disseram e dizem *proteger o povo e o Estado* e que a mim sobretudo, acaso ainda mais que a Anna M., me enojam sempre mais, sendo para mim totalmente irrelevante, como também para Anna M., saber se essa que está aí, a atual, é uma *ditadura comissarial* ou uma *ditadura soberana*, ou se é uma *ditadura constitucional*, que diz querer salvaguardar a ordem constitucional, ou uma *ditadura inconstitucional*, que conduz à supressão da ordem constitucional. O povo e todos, se quiserem e quem quiser, podem escolher que termo preferem para designar o que está aí — e têm pelo menos 4 termos a escolher, entre esses que acabo de enunciar seguindo o texto de Anna M. —, mas nada disso apagará a única evidência concreta, a de que o estado de exceção, portanto a *ditadura* com ou sem filigranas de filosofia do direito, continua firme e forte e segue muito bem, obrigado, inclusive neste mesmo país Brasil no instante em que se comemoram "os 20 anos do fim" da ditadura de 1964. As pessoas se irritam profundamente com essa passagem do texto de Anna M., sem que consigam trazer um só argumento que possa realmente contrariá-la a não ser de ordem ideológica — que é tudo a que se resume hoje o discurso político: uma mentira ideológica —, e ela terminou o texto que começou a escrever em Paris, quando para lá fomos porque a situação no Brasil no início dos anos 70 havia se tornado absolutamente irrespirável, com a observação que sempre repete, isto é, que *o que mantém viva a democracia é o medo à ditadura* e que, portanto, quando as pessoas não mais receiam a ditadura é porque a democracia já não mais existe, constatação que lhe provoca imenso abatimento moral e a faz perguntar-se pelos motivos que a haviam levado, afinal, a seguir a carreira do direito obviamente sem nunca poder alcançá-lo num país como o país Brasil, obviamente.

### O MEDO A DITADURA

Hoje amanheceu com a neblina tomando conta de todo o lago, à direita chamado de Como e à esquerda chamado de Lecco, mas é o mesmo lago, e a neblina desceu muito baixo e só é possível ver a margem mais próxima, e até uma curta distância, as margens opostas desapareceram sob a neblina junto com as montanhas e todos seus picos e a partir de algumas dezenas de metros lago adentro tampouco se vê coisa alguma. A neblina é total, não se vê nada e dizem que neva sobre toda a Itália. As águas estão completamente imóveis.

## ESTADO DE EXCEÇÃO

Não havíamos ido para Paris com uma mão na frente e outra atrás, como se diz. Não éramos exilados, não do tipo forçados: nunca havíamos sido presos, nem Anna M. nem eu, embora os livros que publicávamos sim, haviam sido presos, quer dizer, apreendidos, como se dizia à época, o que significava que poderia ser uma questão de tempo apenas até que resolvessem passar dos livros para as pessoas que os editavam, nós. Uma ditadura não tem lógica ou, melhor dizendo, uma ditadura tem sua lógica própria, que é a de parecer ilógica para quem está fora e perfeitamente lógica para quem está por dentro, quer dizer, para os ditadores, para os ditatoriais, para os amigos dos ditadores, para os cúmplices dos ditadores, para os asseclas dos ditadores, para o partido dos ditadores, para os que sempre tiveram inclinações ditatoriais (o que sempre foi visível a todos sem que as pessoas o queiram ver). Por exemplo, a lógica das *medidas provisórias* que sempre se transformam em definitivas sem que os representantes do povo de fato sobre elas opinem, sob a alegação de que são necessárias para *o bem da nação* e para *o bem do povo*, além de para o *bem do Estado*, incessantemente confundido com o bem do *grupo* que está no poder, com o bem do *partido* que está no poder. A lógica dos tempos da *ditadura declarada* daquele tempo, nesse *in illo tempore* que permanece e dura — mas na verdade nem naquele tempo a ditadura era escancarada porque todos os ditadores contemporâneos se dizem democráticos uma vez que, como no caso do país Brasil, foram ratificados por um congresso que não se negou a essa ratificação, portanto podiam dizer-se legítimos representantes de uma ditadura constitucional, se isso existe, porque ditadura estabelecida dentro das regras vigentes que os ditadores promulgavam — e então, como dizia, a lógica daquela ditadura era não ter lógica, quer dizer, um estudante por exemplo que não tinha nada a ver com os movimentos de protesto podia ser preso e torturado para ser depois *devolvido à sociedade* completamente arrasado e aniquilado fisicamente e destroçado, sem nunca ter feito nada de nada a não ser talvez assistir uma assembléia estudantil e às vezes nem isso, enquanto outros que todos sabiam serem cabeças ou cabecilhas, como se dizia, extremamente ativos continuavam circulando livremente ou circulavam livremente por muito tempo (por vezes, por todo o tempo) sem nunca serem presos, e o mesmo acontecia com jornalistas e psicólogos e professores universitários e advogados e cantores populares e cineastas e escritores e políticos e argentinos e chilenos que traziam estampada na própria nacionalidade jurídica — uma vez que as nacionalidades não são nada mais que isso, uma tecnicalidade jurídica, embora os ditadores de todas as cores não aceitem essa idéia e recusem essa idéia porque dizem estar sempre protegendo uma *nacionalidade mítica* ou *divina*, sendo claro que poderiam não encontrar justificativa para seus atos se fossem forçados a reconhecer que a nacionalidade é apenas um *sinal jurídico,* portanto uma convenção, e nada mais além disso, não sendo certamente nada que sustente uma substancialidade heróica ou menos ainda divina — a marca de sua suposta culpabilidade prévia. E era esse *não ter lógica* que deixava todos em estado de suspensão, em *sursis*, em autêntico estado de sursis mesmo aqueles que jamais haviam lido Sartre (1905-1980) e nunca haviam experimentado qualquer angústia existencialista ao passar pelas páginas primeiro de *A idade da razão*, depois *Sursis* e ao final *Com a morte na alma*, volumes que configuram a trilogia de *Os caminhos da liberdade* que se revelariam, para Anna M. e eu, muito mais longos e tortuosos e obscuros do que poderíamos ter pensado, e que se resumiam, se fosse possível resumi-los, exatamente nesse estado de sursis, de estar suspenso aguardando que alguma coisa termine ou aconteça, *sursis* que é tecnicamente a suspensão condicional de uma pena (por exemplo, alguém é condenado a 2 anos com *sursis*, quer dizer, com suspensão da pena, se o condenado, que às vezes é culpado e às vezes não, se portar bem durante esse tempo). Estar suspenso, estar em *sursis*: estávamos em *sursis* durante a ditadura (aquela mais pesada, a mais assumida, a essa me refiro agora, aquela de todo inconstitucional, não a de agora, a constitucional). Estávamos sempre em *sursis*, a ditadura apreciava fazer saber às pessoas que estavam todas em *sursis*, sobretudo aquelas que poderiam estar fazendo algo que pudesse pôr em perigo a ditadura (o que nunca era dito, o que se dizia era "atentar contra os princípios do Estado" ou "denegrir a imagem do país" ou, como agora em Cuba, por "atentar contra a independência do Estado" ou "socavar la legalidad socialista", assim em espanhol) e que esse *sursis* poderia a qualquer instante ser suprimido e a pessoa recolhida a um presídio onde poderia ser apenas presa, presa e torturada ou presa, torturada e desaparecida. A idéia de que Anna M. pudesse passar por aquilo me era absolutamente insuportável, ainda mais por meu senso de responsabilidade que em retrospectiva poderia ser considerado algo machista, como se Anna M. não fosse perfeitamente capaz de decidir por si mesma, o que ela era. Mas eu me sentia responsável e a angústia que me esmagava, e que agora nada mais tinha de existencial pois era perfeitamente concreta e dura e objetiva e indiscutível, sobretudo objetiva no sentido de que se aplicava a vários sujeitos simultaneamente, ao cabo de alguns anos tornou-se insuportável: não sabíamos quando o *sursis* terminaria e nos espantávamos por vezes que em nosso caso ele ainda não tivesse sido retirado, quer dizer, não tivesse sido transformado em pena pura e dura. Sartre se referia a uma situação de guerra quando publicara o segundo volume da trilogia, *Sursis*, em 1945, gestado nos anos anteriores, inclusive quando ele esteve preso num campo de concentração. E eu havia lido *Sursis*, e os outros dois, antes de 1964, muito antes de 1964, numa idade que meu pai não considerava adequada para aquela leitura sem que ele no entanto jamais me tentasse impedir de fazê-la, num momento em que o único *sursis* que eu podia experimentar era o existencial, nunca teria imaginado então que poderia passar por uma situação de *sursis objetivo e real* como aquela que se instalou no país Brasil em 1964 e sobretudo em 1968, com o Ato Institucional número 5, nessa terminologia que, creio, deve ser outra *inestimável* contribuição brasileira à cultura universal, quer dizer, o termo e a prática do *ato institucional*, o ato que cria uma norma jurídica, se cabe a palavra nesse caso, vindo de cima, unilateralmente, primeiro de uma junta, termo odioso que nunca poderei aceitar tranqüilamente, mesmo quando se referir por exemplo a uma *junta mecânica*, depois vindo de um ditador só, e que deveria ter dado margem ao nascimento de outro termo para outro conceito a cuja menção no entanto ainda não vi referência: o de *ditadura institucional*, que não é nem constitucional nem inconstitucional (como todas o são, no fundo) mas institucional. E no entanto passávamos por um estado de *sursis* real, objetivo, concreto, nada existencialista, e nem tínhamos pouco mais de 20 anos enquanto Sartre já tinha quase 40 quando lhe ocorreu a idéia e o termo. Eu não podia mais suportar aquela condição, talvez Anna M. tampouco, talvez ela fosse mais forte ou em todo caso menos preocupada, menos atenta ao perigo, acreditando menos que eu que tinha alguma *culpa objetiva* a expiar, quando na verdade naqueles tempos a culpa não precisava em absoluto ser *objetiva* para levar a pessoa ao estado de perder toda *condição de pessoa* e transformar-se em reles objeto, em marionete, em boneca de pano nas mãos dos torturadores que despiam os presos, homens e mulheres igualmente, e que sentiam mais prazer, os porcos, todos eles, quando era uma mulher, que em seguida estupravam com o gargalo de garrafas e cabos de vassouras e cassetetes de borracha e às vezes com a mão mesmo quando não as estupravam diretamente eles mesmos com seus próprios órgãos genitais com o intuito de desmoralizá-las por inteiro e deixá-las prontas para o interrogatório e também para gozarem eles próprios, os carcereiros torturadores, militares e civis, como não poderiam gozar em outra situação. Em minha memória que se confunde com minha imaginação eu ficava vendo horrorizado essas imagens, que eram as imagens que queriam que víssemos e que queriam que nos assombrassem o tempo todo, assim como na Argentina os ditadores, militares e civis, deixavam que os jornais publicassem todas aquelas notícias sobre os cadáveres achados no canal San Fernando, e perto de Constitución ou nas costas uruguaias (estes, como resultado da ação de jogar de aviões os corpos anestesiados e talvez nem sempre anestesiados de prisioneiros políticos todos amarrados para que não pudessem ter qualquer chance de sobrevivência) e sobre os cadáveres dinamitados, *dinamitados*, para que não fossem reconhecidos mas não tanto a ponto de não permitir que se soubesse que eram *pedaços de corpos humanos*, aquelas noticias que depois León Ferrari iria recortar a fim de compor seu livro *Nosotros no sabíamos* e que tinham por função, aquelas noticias, exatamente aterrorizar as pessoas, assim como aquelas imagens de tortura que aconteciam naquele prédio que havia sido sede do DOPS e onde hoje se mostra arte — e será mesmo o lugar da arte aquele onde pessoas foram torturadas e esmagadas emocional e fisicamente, será mesmo o lugar da arte aquele onde pessoas foram privadas de sua condição de pessoas?, é uma pergunta séria que me faço, e pergunta na verdade para a qual tenho resposta: não, não é o lugar, a menos que se queira confundir enormemente o papel e a função da arte, que é a de provocar e blasfemar e irritar e insultar mas não a de substituir-se às imagens de tortura e aviltamento que não podem apagar a memória original por 4 ou 5 gerações ou mais ou nunca — e naquele outro prédio que era uma prisão e naquele quartel pelo qual hoje ainda passo freqüentemente *como se ali não tivesse acontecido nada, nada*. Os católicos, se não agora pelo menos até um tempo atrás, tiravam o chapéu da cabeça, quando ainda se usava chapéu, ou faziam o sinal da cruz ao passar diante de uma igreja, porque sabiam o que estava lá dentro e respeitavam o que estava lá dentro e demonstravam — para si mesmos, antes de mais nada — que se lembravam do que havia lá dentro. Hoje as pessoas passam diante do prédio do DOPS que agora abriga arte e eu passo diante do prédio do DOPS, onde se torturavam e humilhavam e aniquilavam as pessoas, *como se ali não tivesse acontecido nada*, e como não há um gesto especial a fazer quando se passa diante de uma casa da arte e como se julga que não há um gesto especial a fazer quando se passa diante de um lugar onde se torturavam pessoas, tudo se transforma num magma informe na memória. Na memória.

## SURSIS

Então, partimos, sem previsão de retorno. Não éramos vítimas, acima de tudo não queríamos passar por vítimas quando tanta outra coisa havia se passado com tanta outra gente. E tampouco queríamos passar por vítimas a nossos próprios olhos. Não se deve falar de si mesmo como vítima, tínhamos aprendido de alguém, talvez de um grande escritor, talvez de um ensaísta. Por outro lado, também não era verdade que nada tinha sido feito contra nós dois: essa idéia precisava ser combatida sempre, o tempo todo, não era possível *e não seria possível nunca deixar de destacar que a vida poderia ser sido outra se não fosse pela ditadura que se instalara sobre nós com esse nome ou com o nome de ditadura constitucional ou inconstitucional ou o que fosse* — qualquer nome que fosse menos aquele eufemismo ao qual se recorria durante a própria ditadura para referir-se a ela nos jornais de modo a não ferir demasiado a suscetibilidade do general ou dos generais de plantão, ou de seus êmulos e asseclas e cúmplices, e, pior, aquele eufemismo ao qual se continuou a recorrer *depois* de finda a ditadura e que era empregado por aqueles (articulistas, jornalistas, colunistas, editorialistas, ensaístas, acadêmicos) que não queriam mostrar-se demasiado ressentidos ou vingativos ou que queriam usar de cautela *porque nunca se sabe* ou que faziam questão de mostrar-se isentos ou até mesmo científicos e que usavam aquele eufemismo, *autoritarismo*, para sugerir que alguma outra coisa, que não ditadura, acontecera naquele período: autoritarismo, esse termo certamente não — e cujos efeitos continuávamos a sentir ainda hoje, anos depois, disfarçados no aparato jurídico vigente que recebe o nome de *medidas provisórias*, insultante e tenebroso instrumento por onde as ditaduras começam, razão pela qual hoje, quando se "comemoram" 20 anos do fim da ditadura não há nada para se comemorar porque o *começo da ditadura*, o germe da ditadura aí está, intacto: *ovo da serpente*. Não era, não foi e nunca será como se nada tivesse acontecido naquele período, como às vezes se quer fazer crer e, portanto, se era verdade que não éramos propriamente vítimas, tampouco era verdade que nossa vida tomara aquele rumo de modo independente do que se passara na vida política e jurídica *daquele* país. Para nós também, como para León Ferrari antes, havia sido uma questão de *quando* sair e de quando *sair a tempo*, de não errar no cálculo e de tomar a decisão no instante certo, quando ainda havia como sair. Mesmo porque, a verdadeira *palavra de ordem* que a partir de um certo instante vigorou de forma dominante entre nós, entre todos nós, nós e o que sobrara do grupo do Renato, como dizíamos às vezes, era *apague a luz* (do aeroporto, do país) *o último a sair*, tantos eram os que se iam. Não queríamos ser aqueles a apagar a luz, nós. E fomos, saindo de um estado que poderíamos descrever como de *sursis* político e jurídico para outro que caberia apresentar como de *sursis* de existência, para não dizer existencial embora a palavra pudesse caber não apenas no sentido de Sartre mas no dele também. Estávamos *entre*. Não estávamos mais *naquele* país asqueroso e ainda não estávamos no outro pais, que era Paris muito mais que a França. Não estávamos mais na nossa vida anterior e não estávamos ainda em nossa vida posterior, que não podíamos saber qual seria mas que vista agora, em *perspectiva invertida*, como o Cristo morto de Mantegna pode ser visto na Pinacoteca de Brera em Milão, isto é, dos pés para a cabeça, confirma a idéia de que estávamos de fato *entre*: não estávamos na vida anterior e não estávamos na nossa vida futura, que não seria aquela que tínhamos então. Em *sursis*, estávamos. *Estávamos fora* e no entanto *pertencíamos* — e quando muito mais tarde nos demos conta de que essa é a exata definição do *estado de exceção* entre os exegetas mais formalistas do direito, a saber, aqueles que acreditam que a ditadura, que é um operador anti-jurídico, possa ser prevista e regulamentada em preceitos jurídicos como por exemplo *atos institucionais, decretos de proteção do povo e do Estado* e *medidas provisórias* (opinião que não compartilhamos de modo algum, Anna M. e eu, quer dizer, não aceitamos a idéia de que uma ditadura possa tornar-se jurídica apenas porque recorre a instrumentos que têm a aparência de jurídicos), não nos sentimos nada bem, motivo pela qual nunca

222

dissemos de nós mesmos que estávamos num estado de exceção, nós, pessoalmente. Em suspensão, sim, podíamos estar. *Gozando* de um *sursis*, como se diz nessa terminologia frouxa habitual empregada por aqueles que não têm a mais remota idéia do que seja um estado de *sursis*, algo que não permite a ninguém *gozar* de nada porque a possibilidade de que o cutelo seja baixado a qualquer instante retira da situação qualquer possibilidade de gozo que ele possa oferecer. Nosso incômodo foi também maior, embora retrospectivo, e largamente retrospectivo, quando nos demos conta de alguns princípios que depois informariam os escritos de Anna M. sobre a ditadura, especificamente aquele segundo o qual o estado de exceção *não é um legado do absolutismo*, como pode parecer aos desavisados de sempre e aos do momento, entre os quais por vezes nos encontrávamos nós também, mas *da tradição dita revolucionária*, uma vez que, como lembra Agamben, a idéia de que uma suspensão do direito, como ocorre no estado de exceção, possa ser necessária ao bem comum (como defendem os que reivindicam os atos institucionais e as medidas provisórias e os decretos que dão plenos poderes aos governantes para que protejam o povo e o Estado) é uma idéia de todo estranha, por exemplo, ao mundo medieval, que no entanto se costuma apresentar como imerso numa Idade das Trevas. Para justificar sua proposição, Agamben vai buscar em Dante, o poeta Dante que certamente conheceu como poucos o valor pelo menos eufônico das palavras, num estudo que o florentino dedicou a considerações políticas, *De monarchia*, onde, ao procurar demonstrar que Roma obteve o domínio do mundo não recorrendo à violência mas ao direito, afirma ser impossível obter as finalidades do direito — quer dizer, o bem comum — *sem o direito* e que, portanto, aqueles que se propõem alcançar as *finalidades do direito* devem proceder *conforme o direito*, quer dizer, conforme as práticas justas do direito, numa frase que precisa ser bem traduzida porque caso contrário se escreverá que "todo aquele que busca o fim do direito deve proceder segundo o direito", interpretação que deu margem a que vários oportunistas defendessem idéias como essa de que uma ditadura pode estar configurada num enquadramento jurídico (o que significa que basta que tenha um quadro jurídico para que não se a veja mais como ditadura), como tantos no Brasil à época quiseram fazer crer mediante contorcionismos gritantes da lógica e da ética, como alguns ainda buscam fazer hoje ao defender o recurso ao método das medidas provisórias como modo de governar e como algo essencialmente ético porque "afinal essas medidas buscam o bem comum e estão previstas na legislação". Estávamos na França, o berço da Revolução que se propõe como modelo para todas as outras, conforme o paradigma que vigorava então inclusive no país Brasil, quando na verdade houvera uma outra revolução antes dela, a americana de 1786, que não ficava bem mencionar naqueles anos de chumbo no país Brasil e que ainda hoje não fica bem mencionar e que certamente havia influenciado a revolução francesa, uma vez que o inverso era rigorosa e cronologicamente impossível embora as pessoas não se dessem conta disso quando, no nosso grupo do Renato por exemplo mas também em tantos outros, discutíamos o modelo inicial, fundamental e primeiro a copiar. E da Revolução Francesa naquele momento de nossas vidas em Paris o que veríamos eram coisas como *1789*, o panorama exaltante e exultante de Ariane Mouchkine sobre a revolução encenado no Théâtre du Soleil dentro da Cartoucherie de Vincennes, a que chegávamos no inverno (porque as melhores peças se dão no inverno) depois de uma longa travessia de Paris inteira por metrô e depois de tomar um errático ônibus que se perdia pelo bosque de Vincennes até chegar ao recinto da antiga fábrica de munição onde o Théâtre du Soleil tinha seu centro, tarde da noite, no escuro e no frio da noite, e depois fazer o caminho de regresso, às vezes no mesmo ônibus, às vezes a pé porque o ônibus já se fora, e correr para pegar o último metrô. Mas íamos. Só muito depois, praticamente 30 anos depois, iríamos ver *A inglesa e o duque*, de Jean-Marie Maurice Scherer, aliás Eric Rohmer, o mesmo Eric Rohmer dos *Contos — Conto de primavera, Conto de inverno, Conto de verão e Conto de outono*, pela ordem, embora a ordem das estações seja outra — nascido em 1920, 4 de abril de 1920, portanto quase exatos 44 anos dia a dia da eclosão do golpe de Estado no Brasil em abril de 1964. *A inglesa e o duque*, um filme onde talvez o que menos importa é o conteúdo ou a mensagem e cuja substância primeira é não apenas a linguagem e a *delícia da linguagem* manejada pelos atores, e que colocava o *espectador sensível* num estado de *suspensão poética*, como também os cenários utilizados, e que são cenários conseguidos com a filmagem, por um vídeo beta-numérico, de cenas pintadas a partir de gravuras da época, a época da Revolução Francesa claro, e nas quais os atores de carne e osso são a seguir inseridos — mas um filme a respeito do qual na verdade seria de todo equivocado dizer que o que menos conta é o conteúdo ou a mensagem porque, rompendo com um *hábito intelectual* do cinema que já dura décadas, e que muito certamente

não é só do cinema como também em boa medida da *filosofia da história*, o que o filme mostra é uma situação em que os *revolucionários* de 1789 não são vistos com simpatia de modo algum, para dizer o menos, e onde são vistos mesmo como boçais sanguinários, uma vez que a história é basicamente contada desde a perspectiva de uma aristocrata inglesa (portanto, outro caso de *perspectiva invertida*) instalada em Paris durante a Revolução e que mantém uma relação de grande amizade com o duque d' Orléans, à época conhecido também como Philippe-Egalité por suas posições inicialmente pró-revolução (o que não impede que seja executado pela revolução a 6 de novembro de 1793) e do qual a inglesa havia sido amante, ela que de modo algum se conformava com as propostas revolucionárias sem no entanto se opor diretamente a elas pela força física — de maneira específica não podia aceitar em hipótese alguma a execução do rei — e que oculta em sua casa por algum tempo a um partidário da monarquia procurado pelas forças revolucionárias, assim como no país Brasil da época dos 20 anos entre 1964 e 1984, especialmente entre 1964 e 1976, muitos abrigaram alguns perseguidos pelo golpe militar com o qual não concordavam embora não fossem pegar em armas contra ele.

Esse filme de Jean-Marie Maurice Scherer, *dit* Rohmer, Eric Rohmer, contraria em larga medida o *hábito intelectual* de mostrar sempre a revolução francesa de 1789 desde, primeiro, um ponto de vista masculino e, segundo, de um ponto de vista interno da revolução, portanto sempre descrita como *justa, correta e exaltante*. No filme de Rohmer, contrariamente, o ponto de vista é de uma mulher, ainda por cima estrangeira, inglesa, e, como se não bastasse, não apenas uma mulher de sentimentos *humanitários* — considera uma barbaridade matar o rei — como declaradamente monarquista e para nada republicana. A inglesa, que tem um nome: Grace Elliot, não participa diretamente, como dizem os historiadores, dos acontecimentos da revolução mas, de outro lado, participa intensamente dos *cenários e acontecimentos adjacentes à revolução* e dos *efeitos da revolução* como todos os que vivem sob uma revolução, uma vez que mantém relações de amizade com o duque d'Orléans, que integra o campo dos revolucionários e que a mantém informada do curso dos acontecimentos sem que ele mesmo consiga interferir neles pois acabará executado como tantos outros que estiveram *longe* do campo dos revolucionários, e uma vez que ela toma partido nas questões, pois tenta convencer o duque a não votar em favor da morte do rei, o que seria um erro (ele acaba votando a favor, dizendo que não tinha alternativa — o que de nada lhe serve pois é condenado à morte ele também) e uma vez que, mesmo não tendo ela afinidade pessoal com um certo marquês, o marquês de Champcenetz, governador monarquista das Tuilleries, onde se situava o palácio dos reis e onde 4 anos depois da revolução, em 1793, mesmo ano da execução do mesmo Philippe-Egalité, fundava-se o museu do Louvre (cujo primeiro diretor foi ironicamente, mas talvez ainda bem, o pintor burguês Jean-Louis David, o pintor da aristocracia, da burguesia e dos napoleões), decide escondê-lo em sua casa, com o risco da própria vida, em oposição que estava àquele *regime de terror* que ela considerava *abominável*. As imaginações mais abertas concordaram, apreciando o filme, que se trata de uma *obra original* na abordagem dos fatos históricos, mostrados através do cotidiano de uma dama inglesa em

Paris, com um ponto de vista extremamente interessante, uma vez que raramente antes, se algum dia, os aspectos negativos do Terror (a violência da delação, da vigilância de uns sobre os outros, da arbitrariedade, da injustiça pura e simplesmente, da boçalidade, da ignorância, da cobiça) haviam sido mostrados de modo tão acurado. Na verdade, praticamente no mesmo momento, 2001, também se faziam na Rússia, ex-União Soviética, filmes que mostravam os momentos da revolução soviética desde um outro ponto de vista, como um sobre a prisão e o assassinato da família do czar Nicolau II (*Os Romanov: a família real*, direção de Gleb Panfilov, 2000) no qual os revolucionários também são mostrados como entregues a uma *violência inconsiderada*, fria e brutal, no mínimo tão intensa quanto aquela dos inimigos que pretendiam afastar do caminho, e tanto que é impossível não tomar o partido dos Romanov assassinados friamente uma madrugada, pais e filhos, no porão de uma casa fria, mas o filme de Rohmer se impõe poeticamente como um marco desse procedimento que talvez o cineasta não pretendeu iniciar de modo específico — quer dizer, romper com o *hábito cultural* e contar certa história tradicional desde um outro ponto de vista, e desde esse outro ponto de vista *que também faz parte da história* — e que já tarda enormemente por vir, porque se é verdade que Martin Heidegger e Paul de Man, como escreve Doris Lessing em sua biografia *Walking in the Shade* (ou terá sido em *The Golden Notebook*) e Ezra Pound ou ainda Marinetti e tantos outros, e até mesmo Borges, mereceram ser investigados e denunciados por algum tipo de apoio ou consideração que demonstraram por algum tipo de nazismo e fascismo, por que não se faz o mesmo com aqueles intelectuais que defenderam o comunismo como "o horizonte insuperável de nosso tempo" ou o marxismo-leninismo ou o stalinismo e os métodos soviéticos e suas derivações tropicais e que preferiram acreditar nas mentiras sobre o paraíso soviético mesmo contra a evidência que lhes mostravam os próprios olhos? Talvez não estivéssemos tão interessados ou tão decididos, Anna M. e eu, naquele momento em que chegávamos então a Paris, em sentir o *horror absoluto* que depois viemos a sentir pelos totalitarismos todos, pelas ditaduras todas, pelos estados de exceção todos, de direita e de esquerda, e, complementarmente, pela idéia mesma de *Estado* e, em particular pela idéia de *partido político*, especialmente dos partidos políticos mais duros, esses que têm *linhas e palavras de ordem* que não podem ser infringidas (e que, claro, são infringidas o tempo todo por seus dirigentes máximos, encarregados de julgar os outros e não a si) e que exigem que todos *pensem da*

228

*mesma maneira.* Mas a verdade é que nossa condição de *seres humanos em sursis* acentuou-se aos poucos e de modo sempre mais intenso porque se de fato estávamos bem em Paris e por vezes podíamos mesmo nos sentir *quase felizes,* de outro lado aos poucos descobríamos as *outras* encostas, as ásperas, daquela mesma realidade e que

A imagem, outra vez, do lago à frente de novo totalmente tomado pela neblina densa que não deixa ver a outra margem, nem as altas montanhas junto a elas, tudo tomado pela neblina densa que não pretendo qualificar uma vez que esta imagem deve ser como no cinema ou na pintura, uma imagem sem qualificativos morais, apenas uma imagem ética porque cumpre sua função, agora apenas com um pouco mais de luz por trás.

seriam particularmente importantes para Anna M. em seus escritos sobre direito, porque, não naquele mesmo instante mas depois, Anna M., aprofundando suas pesquisas, descobriu que naquela mesma França onde então estávamos, mas em outro tempo, em janeiro de 1924, exatos 40 anos antes do golpe de abril de 1964 no país Brasil, o governo francês, à cuja frente estava como primeiro-ministro o conservador Raymond Poincaré que dois anos antes havia substituído a Georges Clemenceau, o mesmo que hoje dá nome a uma estação de metrô sob o *rond point de l'Elysée,* na linha Neuilly-Château de Vincennes, num instante de grave crise econômica que punha em perigo a estabilidade do franco (que ninguém, à época, *em sã consciência,* como se diz, pensava que um dia seria substituído pelo euro), solicita do parlamento os *plenos poderes* em matéria financeira. Trava-se um duro debate no parlamento, com a oposição destacando — e com inteira razão — que a aprovação da medida equivaleria à renúncia, pelo parlamento, de seus poderes constitucionais, algo que não se poderia admitir em regime democrático mas que parlamentos fracos e subservientes e prevaricadores como o brasileiro admitem, num processo que terminou com a aprovação do pedido a 22 de março daquele ano, pouco mais de 80 anos atrás, embora com a limitação de que deveria prevalecer por apenas poucos meses — que é como essas coisas sempre começam: "é provisório", se diz, "é provisório", e o provisório se torna permanente ante a geral insensibilidade e indiferença suicida. O governo de coalisão liderado por Poincaré se desintegrará pouco depois quando a França invade a região do Ruhr sob o pretxto de que a Alemanha estava em *default*, quer dizer, havia cessado os pagamentos à França devidos a título de *reparação de guerra* (o FMI recorre hoje a outros métodos de invasão quando um país é declarado em *default* por não pagar as cotas dos empréstimos que é obrigado a tomar), e assim naquela ocasião os *plenos poderes* não lhe valeram de muito. É verdade que Poincaré iria retornar depois, como *eles* sempre retornam, os amantes do poder, quando a França, sob o governo do primeiro-ministro radical Edouard Herriot (que, pelo que sei, não tem nenhuma estação de metrô com seu nome) melhora as relações com a Alemanha mediante uma série de tratados assinados em Locarno, na Suíça, e que chegaram a simbolizar uma era de paz internacional; mas Herriot se vê às voltas com um escândalo financeiro, como quase a totalidade *deles* se vê, e pouco depois Poincaré volta como primeiro-ministro, ele que não havia conseguido debelar a crise anterior. Seja como for, medidas de plenos poderes análogas às solicitadas por Poincaré foram também postas em prática pelo governo de Pierre Laval, membro do Estado francês sediado em Vichy durante a ocupação alemã de 1939 a 1945, Laval, um personagem dos *Caminho da Liberdade* de Sartre, Laval que promulgou mais de 500 decretos "com força de lei" durante seu *estado de exceção* que esses decretos ajudaram a definir e consolidar, equivalentes às *medidas provisórias* de hoje, por *hoje* quero dizer *agora*, neste momento, com a finalidade de evitar a *desvalorização do franco*, assim como hoje a Internet está lotada com as medidas provisórias assinadas por Lula da Silva e por tantos antes dele. Na época, a oposição *de esquerda*, liderada por Léon Blum (o outro León é o Ferrari, com acento no ó), outro personagem a quem

230

Sartre cita na trilogia dos *Caminhos da Liberdade*, opôs-se fortemente àquela prática de Laval que Blum chamava de *"prática fascista"*. O dado significativo da história, no entanto, e muito significativo, como Anna M. viria a descobrir mais tarde, foi que, depois que a oposição liderada por Léon Blum, a Frente Popular, o famoso Front Populaire, chegou ao poder em maio de 1936, e tendo Léon Blum, líder do Partido Socialista, se tornado primeiro-ministro francês tornando-se assim o primeiro francês de origem judaica a assumir esse posto na história do país, esse mesmo Léon Blum, em junho de 1937, *pedia ao parlamento os mesmos plenos poderes* que antes ele havia dito que constituíam *sem dúvida nenhuma uma prática fascista*, e isso com o propósito de proteger o povo, a nação e o Estado, como dizem todos eles, e, assim, *proceder à desvalorização do franco por decreto* (primeiro, como todos se lembram, os plenos poderes haviam sido pedidos para *evitar* a desvalorização do franco e agora eram pedidos para *propor* a desvalorizaçao do franco, a mesma coisa para tudo e seu contrário, ou para *tout le monde et son père* como dizem os franceses, sempre em nome dos *interesses maiores do povo, da nação e do Estado*, sempre), estabilizar o controle do câmbio e impor novos impostos, como fez o golpe de estado no país Brasil em 1964 e *como se faz ainda hoje* sob o governo Lula da Silva. Como ressaltam hoje (muito mais do que à época) vários estudiosos do direito, numa conclusão em tudo endossada por Anna M., para irritação de muitos no país Brasil, a nova prática de legislar por meio de decretos emanados do poder executivo, evitando a decisão democrática do congresso, inaugurada em épocas convulsas antes e durante a guerra de 1939-1945, passou a apresentar-se como *prática aceita por todos os partidos políticos*, a única diferença sendo que os partidos de esquerda, quando na oposição, protestam contra o emprego de tais medidas pelo governo, ao qual taxam de fascista, apenas para adotá-las depois quando sobem ao poder porque correspondem a seus reais objetivos; e que os partidos de direita, quando na oposição, protestam contra o emprego das mesmas medidas às quais denominam de esquerdistas ou comunistas apenas para pô-las em prática assim que tomam o poder, e sendo o ponto em comum entre as esquerdas e a direita o fato de que ainda agora, quando os partidos de esquerda chegam ao poder, como hoje no Brasil, alegremente tomam para si os poderes que antes repudiavam uma vez que esses poderes lhes permitem exercer de forma mais cômoda o poder e nele manter-se, esquecendo-se que antes os chamavam de fascistas, do mesmo modo como o faz a direita que, não estando no poder, os chama de medidas e poderes esquerdistas ou totalitários, quando na verdade são ambas, esquerda e direita, essa mesma coisa — o que deixa claro que o grande conflito é aquele que opõe a *sociedade política*, encastelada no Estado, à *sociedade civil*. De modo análogo, quando estava na oposição Blum havia pedido a intervenção das potencias democráticas (quer dizer, na época, supunha-se, a França e a Inglaterra) na Espanha a fim de impedir a vitória do golpe de Franco, que viria a tornar-se ditador; uma vez no poder, porém, Blum aceitou a posição dos ingleses no sentido de não intervir na Espanha, onde Franco avançava e iria esmagar os legalistas, tornando-se ditador por 40 anos, numa decisão, a de Blum, que levou o Partido Comunista, que antes apoiara a Frente Popular, a manifestar-se contra a nova decisão de Blum. Blum não teve os poderes que pediu e poucos meses depois seu governo caiu, um dos mais rápidos da história francesa. Aqueles *plenos poderes* seriam no entanto concedidos a seu sucessor, o governo de Chautemps, vários de cujos ministérios não estavam em mãos dos socialistas. E a 10 de abril de 1938 Eduard Daladier — também ele um personagem da trilogia sartreana, deputado pelo partido socialista radical, várias vezes ministro, premier por alguns meses em 1933, depois outra vez em 1934, a partir de 1936 ministro da guerra em vários governos do Front Populaire e finalmente primeiro-ministro outra vez de abril de 1938 a março de 1940 (foi ele que assinou pela França o Pacto de Munich em setembro de 1938, ao lado de Neville Chamberlain, também incorporado por Sartre, em nome da Inglaterra, junto com Adolf Hitler e Benito Mussolini, pacto que reconhecia o direito da Alemanha de ocupar "territórios alemães" nos países vizinhos e que,

232

se supunha, poria fim às ambições expansionistas de Hitler, quando o que fez foi apenas abrir a porta final para a aventura nazista) — a 10 de abril de 1938 o governo do socialista radical Daladier solicitava ao parlamento francês "poderes excepcionais de legislação por decreto" para fazer frente à ameaça da Alemanha nazista e à "crise econômica", dois dos grandes motivos recorrentes para pedi-los sempre, e os obteve, o radical-socialista Daladier. O que isso significava, como concluem hoje os estudiosos, entre eles Anna M., era que até o final da Terceira República na França, que se considera como tendo vigorado entre 1871 (com seu nascimento caótico após a derrota para a Alemanha, e por cima dos escombros do Segundo Império napoleônico) e 1940 (com a nova derrota para a Alemanha), os procedimentos normais da democracia parlamentar permaneceram em suspenso, quer dizer, prevaleceu o estado de exceção. E assim foi que as chamadas constituições democráticas das sociedades ocidentais começaram a assumir uma forma nova que "só agora começa a assumir progressivamente seu pleno desenvolvimento", diz Agamben, quer dizer, conclui Anna M., uma forma não declarada de *perenização do estado de exceção*. Em dezembro de 1939 o governo francês, depois de deflagrada a guerra, obtém a faculdade de determinar por decreto todas as medidas que possam interessar à *defesa da nação*, apesar de o parlamento permanecer reunido (salvo durante um mês, quando todos os parlamentares comunistas tiveram sua imunidade *cassada*, como se passou a dizer no país Brasil depois de 1964 e como se faz sempre que o poder executivo obtém plenos poderes). Quando o famoso marechal Petáin, que passou para a história com a imagem merecida (já que este não é um livro de história tradicional, onde os qualificativos como este, supõe-se, devem ser evitados) de *traidor colaboracionista*, assumiu o poder, o parlamento francês não era mais que uma rala sombra do que havia sido, obviamente como conseqüência de tanto abrir mão de seus poderes, por *preguiça*, por costume, por alheamento, por debilidade política e por cumplicidade ideológica com o governo-partido ao qual estiveram vinculados e que se colocam bem acima dos interesses do *povo* e da *nação* em nome dos quais foram originariamente eleitos. Como sempre. Como hoje. Oh, sim, claro, é evidente: na Inglaterra o mesmo, nos EUA o mesmo, e várias vezes nos EUA, sob Lincoln por exemplo, em 1862, quando ele decretou a censura sobre a *correspondência* e autorizou a prisão e detenção em cárceres militares de todas as pessoas suspeitas de práticas "desleais" ou de traição, assim como no Brasil do golpe de 64 se acusava as pessoas de *denegrir a imagem do país no exterior* caso falassem ou escrevessem sobre problemas do país ou sobre prisões e torturas no país ou criticassem as práticas ditatoriais dos ditadores, que não querem mais serem vistos como ditadores como nos bons tempos de então. E ainda nos EUA, o New Deal por exemplo foi desenvolvido a partir da delegação ao presidente, por meio de uma série de resoluções que culminaram no National Recovery Act de 8 de setembro de 1933 (o de Hitler foi de 28 de fevereiro desse mesmo 1933, como devem estar lembrados: um ano de boa safra para os *plenos poderes* por toda parte no mundo, e no entanto só agora vêm falar de globalização, o que é francamente ridículo) dando a Roosevelt poderes ilimitados de regulamentação e controle sobre qualquer aspecto da vida econômica do pais, exemplificando, destaca Agamben, como a noção de *emergência militar* e *emergência econômica* se associam para justificar a adoção dos plenos poderes e do estado de exceção (sendo de todo irrelevante a argumentação de que "era para o bem", porque sempre "é para o bem") e assim marcar com esse selo infame todo o século XX e todo este repetitivo início de século XXI, sendo que os países para os quais não existe uma real emergência militar se cria uma, como ocorreu na Argentina quando os militares acreditaram que se salvavam e perpetuariam no poder criando o caso Malvinas, que se revelou o caso Falklands, na verdade sua lápide final. E oh, sim, a URSS também foi toda ela um *estado de exceção* continuado enquanto durou, de modo que não há necessidade de continuar nesse caminho.

O que importa é destacar que, embora não soubéssemos de tudo isso quando chegamos em Paris, quando portanto nosso estado de *sursis* estava ainda por começar, tudo isso foi que levou Anna M. a concordar mais tarde com a tese de que de fato o *estado de exceção havia se tornado a regra*, antes como agora, proposição que levantou a ira dos que a acusavam de formalista, isto é, de ficar presa a detalhes jurídicos e não levar em consideração as *intenções* de quem utilizava esses poderes, porque havia quem os utilizava para o mal e quem deles se servia *em prol do povo e da nação*, como diziam e ainda querem dizer e fazer crer, sobretudo em prol dos *mais necessitados*, como se costuma dizer, ao que Anna M. respondia que a democracia está nos detalhes antes de estar em qualquer outro agrupamento maior de intenções, e que se a democracia não estava nos detalhes não estava em lugar algum. O que mais desgostava a Anna M., tanto quanto a mim que seguia de perto suas reações neste campo sensível, como em outros, era a persistência, nos primeiros anos do século XXI, quer dizer, nos anos de 2002, 2003, 2004 e 2005 inclusive, de um tipo de argumentação e justificativa que ela julgava morto e sepultado há muito, a saber, a tese, que ela teve de ouvir num seminário em Roma sobre a atuação do Partido Comunista Italiano diante do terrorismo das Brigadas Vermelhas nos anos 70, mais especificamente em 1977, quando o terrorismo de esquerda, corporificado nas Brigadas Vermelhas, decidiu que deveria passar a *ações mais espetaculares* e partir diretamente ao *ataque contra o coração do Estado*, numa decisão que pouco depois levaria ao seqüestro e assassinato do líder da democracia-cristã Aldo Moro. A tese que Anna M. teve de ouvir mais uma vez, tese com a qual não podia concordar de modo algum e que fora levantada numa reunião interna do PCI exatamente em 24 novembro de 1977, era que "existe um terrorismo de esquerda diferente do terrorismo fascista" e que "de uma analogia superficial entre os dois não se poderia extrair consequências práticas equivocadas", ao que Anna M. dizia "!!!", uma vez que "apesar de as finalidades serem objetivamente análogas, havia distinções a fazer", e Anna M. gesticulava: "!!!". Embora essa reunião do PCI, que agora se trazia à luz, havia sido para advertir o partido de que o elemento novo no cenário político era a "consistência não indiferente das organizações terroristas entre a classe operária", tortuosa expressão que se deveria entender como o fato de que a penetração das organizações terroristas na classe operária estava longe de ser irrelevante, e não apenas entre as classes operárias como também entre os quadros intermediários e os superiores, entre os quais estavam os estudantes, os intelectuais e mesmo, a discussão não mencionava, os editores,como Feltrinelli, sob cujo selo havíamos lido tantos livros decisivos e que passara a publicar livros, por exemplo, sobre como preparar um artefato capaz de provocar incêndio para ser usado no treinamento de ações terroristas, e que depois seria processado pela justiça italiana. E a reunião no PCI continuava para dizer que se o partido não prestasse atenção e não reagisse, a *escalation* do terror, como se dizia, levaria a becos sem saída caso fosse débil e imprópria a resposta a ser dada pelo partido àquele estado de coisas. Ainda que o objetivo final fosse esse, tratar de encontrar uma saída para os desvios do terror, a questão central para Anna M. permanecia a que fora apresentada como preliminar, quer dizer, a de que o terrorismo de esquerda era qualitativamente diverso do terrorismo de direita, algo que ela não podia mais aceitar se é que um dia, duvido, aceitou. A questão para Anna M., portanto, estava longe de ser formalista. Formalistas lhe pareciam sim, pelo contrário, os esforços mais recentes de apresentar o estado de exceção como algo que não se pode confundir com ditadura porque o estado de exceção seria um *espaço vazio de direito.* Anna M. nunca viu distinção material entre uma coisa e outra. O que sim era interessante para Anna M. nessa doutrina era a noção de que o estado de exceção, e a simples idéia do estado de exceção como um espaço vazio de direito, apresentava-se como algo equivalente a um *espaço místico*, na expressão de Agamben, uma espécie de *maná* jurídico, na expressão de Agambem citando Wagenwoort, um maná do qual *tanto* o poder que o propõe *quanto* os adversários desse poder querem apoderar-se, como o demonstrava amplamente a história pesquisada por Anna M., desde as primeiras décadas do século XX até a atualidade, e desde a revolução francesa passando pela Alemanha nazista e pelo New Deal americano até desembocar no caso brasileiro atual que tanto irritava seus leitores. E era essa teoria, se na verdade precisava haver uma, que dava conta do fato de que tanto a esquerda como a direita entregavam-se à *prática fascista* do estado de exceção ou dos plenos poderes para o executivo: a idéia de que o estado de exceção fosse um maná comportando-se como uma cartola da qual se pode tirar tudo e o contrário de tudo, que na verdade é uma só e mesma coisa, como se viu, poderia servir como um rótulo acadêmico a desenvolver num seminário especializado mas deixava intocada a questão central para Anna M., a saber, a identificação dos motivos reais do desejo de submeter os princípios constitucionais à tutela de uns poucos que, como única justificativa para seus atos, afirmam sempre pretender proteger a própria constituição assim como o povo e o Estado, como na terminologia de Hitler, quando a única coisa que buscam é de fato *o poder*. Nesse cenário, as teorias de Walter Benjamin a respeito da violência divina, "termo que se deve empregar para designar a suprema manifestação da violência pura por parte do homem" e que "nem funda, nem conserva o direito mas simplesmente o suprime", com as quais Benjamin pensava ver-se livre das discussões entre os jusnaturalistas e os adeptos do direito positivo e que haviam envenenado as discussões de nosso grupo do Renato, tal como nos referíamos ao grupo posteriormente (embora naquele momento não discutíssemos o sofisticado Benjamin, cujos escritos sobre isso ninguém conhecia e que afinal, veríamos depois, não o era tanto, sofisticado, quero dizer, não nesse tema pelo menos, mas discutíamos apenas jovens panfletários rasteiros), as teorias de W. Benjamin, como dizia, perdiam, aos olhos de Anna M., todo e qualquer sentido, além de serem claramente um equívoco (como a filosofia da história que Benjamin não pôde acompanhar viria a demonstrar), do mesmo modo como era em tudo alucinante, como fizera Benjamin, pôr-se a imaginar um futuro em que a humanidade brincaria com a idéia do direito assim como as crianças brincam com objetos sem uso, quer dizer, não para devolver-lhes algum uso normal mas para libertá-los de qualquer uso ou dar-lhes um novo uso, um futuro em que o direito surgisse como um bem absolutamente inapropriável e injurisdicionável, para dizê-lo assim, lembrando Agamben, ao contrário do que fizeram, faziam e fazem esquerda direita ao apropriar-se não apenas do direito mas do *vazio de direito* que era tema de seus estudos. E foi assim que escreveu Anna M. em seu texto, para escândalo dos *bens pensantes*, que havia tarefas mais urgentes a tratar já, não num futuro a longo prazo, um desses futuros assombrados de que os russos pensaram finalmente livrar-se em 1989, exatos 200 anos depois dos acontecimentos na França em 1789, e dos quais todos estávamos já amplamente fartos e eles, os russos, ainda mais que nós, 72 anos depois do início daquela aventura sombria.

### *SURSIS*

Assim foi que pouco depois de nos instalarmos em Paris, no início dos anos 70, nos descobrimos em estado de *sursis*, ao nos darmos conta de que na verdade, como prenunciara Walter Benjamin, o estado de exceção havia se tornado paradigma geral de governo, inclusive ali mesmo onde estávamos embora ali menos do que em outras partes, o que era óbvio. E essa constatação óbvia permitiu-nos gozar de um sursis ao qual não nos mostramos indiferentes.

### ELOGIO DA LEVEZA

E assim fomos felizes um tempo, em Paris. Eu continuava obviamente apaixonado por Anna M. e aliviado por tê-la tirado a tempo daquele país Brasil, a tempo de impedir que na minha memória pudesse um dia ficar gravada uma imagem como a daquela jovem que vi, em foto, num tribunal italiano, respondendo à acusação de assassinato por artefato de fogo contra aqueles dois jovens filhos do dirigente político de direita, ainda que aquela jovem pudesse ser culpada e embora eu soubesse que Anna M. jamais poderia ser acusada de algo assim, o que não impedia, como expliquei, que eu sentisse, como sinto, uma vertigem nos nervos, músculos, no peito e na imaginação, apenas em pensar que eu pudesse vir a ficar com aquela imagem de Anna M. na cabeça ou outras ainda bem piores, como também já expliquei e às quais não quero retornar. Eu estava apaixonado por ela — lembro-me de segurar-lhe as mãos nas minhas durante o trajeto de táxi que nos levou da estação ao endereço de *nosso apartamento* quando chegamos em Paris, e já não éramos propriamente adolescentes, para dizer o mínimo — e rapidamente nos decidimos a *tirar aquele peso de cima de nós,* a tirar o peso das coisas embora as coisas pesadas não fossem apenas aquelas da ditadura mas outras também, pessoais, que carregáramos conosco. Tirar um pouco o peso das coisas, quer dizer, um pouco à maneira do que Ítalo Calvino depois escreveria nas *Lezione americane* (*Sei proposte per il prossimo milenio*) quando ele diz que o que havia tentado fazer em sua longa carreira de escritor fora sempre tentar *tirar o peso das coisas* — na alusão claríssima, para quem

conhece um pouco a história da arte e sobretudo da escultura, ou para quem conhece um pouco da história de Michelangelo, uma alusão claríssima ao método de trabalho desse artista da Renascença italiana que em suas próprias palavras sempre preferiu o que chamou de *método de tirar* ao que chamou de *método de pôr,* com o que ele se referia aos dois modos de realizar uma escultura, aquele que consiste em acrescentar mais matéria a alguma matéria inicial, o método do pôr, e aquele que ele praticava e que consistia em tirar matéria de alguma matéria, o método do tirar. A referência a Michelangelo é claríssima, lendo as palavras que depois lemos de Calvino, e no entanto Calvino não o cita no livro todo a não ser uma única vez, em relação, bem mais adiante, a uma passagem onde mistura Dante, Moisés, Deus e Inácio de Loyola, numa prática muito comum, mesmo entre os escritores consagrados como o próprio Calvino ou o próprio Sartre, essa de não citar as fontes de inspiração. Ou então era porque a história de Michelangelo havia se entranhado tão profundamente e de modo tão natural em Calvino que ele não se dava mais conta de que sua fonte de inspiração havia sido Michelangelo. Mas, enfim, isso foi o que pretendemos fazer: tirar peso das coisas. Também nós sentíamos, como Calvino depois explicaria, a necessidade de escapar a um passado no qual havíamos iniciado nossos passos no mundo da representação, Anna M. primeiro como jurista depois como artista e eu como alguma outra coisa, sob a égide do peso, da inércia, da opacidade do mundo, sobretudo da opacidade do mundo, qualidades essas todas que se transmitem do mundo para quem o observa e vive e busca representá-lo caso as devidas precauções não sejam tomadas e tomadas a tempo. Havíamos crescido, como Calvino depois nos diria, sob a vigência do imperativo de representar *o mundo tal qual era*, palavra de ordem procedente do mesmo berço teórico, do mesmo berço do imaginário de onde havia saltado fora aquele *vazio de direito* que depois iríamos identificar no direito e na política mas que se manifestava também no campo das artes, que julgávamos ser o nosso campo, um vazio que no caso das artes julguei melhor, mais tarde, seguindo os escritos de Anna M., chamar de *arstitium*, um estado de suspensão da arte. Tínhamos de representar o mundo duro e pesado ao nosso redor e, ingênuos, tínhamos uma enorme dificuldade para não fazê-lo do mesmo duro e pesado e opaco com o qual o mundo se revestira em nossas vidas até então, por motivos mais que evidentes e que estão entre tudo que aqui foi dito. Levamos um tempo para perceber, por exemplo, que o *método de tirar* em cinema era o de Fellini em *I*

240

*vitelloni, Os inúteis*, de 1953, com Alberto Sordi, Franco Fabrizzi e outros, cuja seqüência que passou para a história, certamente mais em decorrência da *filosofia da história* e da filosofia futura da história do que da proposta do próprio filme, é aquela seqüência em que Alberto Sordi, no papel de Alberto, como é chamado no filme, passa de carro por uns trabalhadores braçais que fazem reparos numa estrada de terra como era a maioria das estradas italianas da época e, erguendo-se para fora do carro através do teto solar, vira-se na direção dos trabalhadores braçais, chama-os — "Lavoratori!"— e quando eles olham, dá-lhes uma banana com o braço (que é muito mais que uma banana, se sabe) ao mesmo tempo em que faz com a boca o som requerido, aquele "puuufffff" que todos sabem muito bem o que representa. E o problema é que, em seguida, o carro pára por falta de gasolina e os trabalhadores investem contra o carro e seus ocupantes, que escapam a pé esbaforidos. Se foi essa a seqüência que todos conseguem recordar daquele filme, por um bom motivo será, o que não é assunto para agora. Mas o fato é que aquele filme, que Calvino tampouco cita, era um exemplo de como se podia pôr em prática o *método de tirar* — tirar peso ao mundo mesmo representando as partes mais opacas desse mundo. O filme é na verdade terrível, angustiado e angustiante: numa pequena cidade italiana de então, e na verdade muitas dessas cidades italianas assim permanecem até hoje, um grupo de jovens de classe média se entediam e não crescem e não vêem futuro enquanto aproveitam a vida que podem aproveitar num lugar assim sem horizontes. Um deles se engraça com qualquer mulher, inclusive com a mulher do dono da loja que lhe dá um emprego de favor e do qual na verdade o jovem depende porque acabara de se casar à força com a beldade local à qual engravidara. Um outro sonha em ser escritor apenas para ver sua ilusão esfarelar-se na imagem de um velho e fracassado ator que o quer talvez arrastar para uma experiência sexual numa noite de vento e vacuidade. Um terceiro, Sordi, Alberto no filme, perde-se no nada ao apegar-se italianamente à figura da mãe, embora seja o único que tenha um pouco de clarividência ao dar-se conta de que não era nada, assim como todos os outros não eram nada, *vocês não são nada,* ele diz, num momento de visão nítida a que chega, paradoxalmente, embriagado. E só um outro personagem, que Fellini depois retomará em seus outros filmes já livres do melodrama e cheios então de um cinismo e um ceticismo jocosos, procurará escapar de tudo aquilo indo embora da cidade, numa cena em que um garoto trabalhador, que num *filme comprometido* seria a *voz da realidade* e da *consciência social do autor,* acompanha o trem em que o personagem parte ao mesmo tempo em que lhe pergunta "Mas, você não estava tão bem aqui?" como quem diz "Mas, você não poderia mesmo ser feliz aqui também?" Mas, esse quarto jovem se vai com o trem, incerto e inseguro, para um futuro que não conheceremos. Mas se vai. O conteúdo do filme é terrível — e no entanto Fellini tirou todo o peso do mundo, toda a opacidade daquele mundo e o fez leve. E todos o haviam chamado de alienado, a Fellini, claro, assim como mais tarde o chamariam de reacionário depois de rodar *Ensaio de orquestra.* E no entanto, esse era o modelo que poderíamos ter seguido, Anna M. e eu, e que não havíamos seguido porque a opacidade daqueles anos de chumbo, como os chamávamos sem muita imaginação, nos haviam fechado os olhos. Queríamos nos livrar disso tudo em Paris e aprender a enfrentar esse mundo-Medusa que transmite para quem o olha toda a qualidade pétrea do mundo, talvez sem olhar para ele, ou *olhando para outro lado, para outra coisa,* como sugere Calvino em sua lição e como eu iria buscar fazer mais tarde: combater o inimigo olhando para o outro lado, como talvez Toshiro Mifune tivesse feito em alguma de suas películas de samurai, com ou sem Kurosawa por diretor, como talvez tenha feito em *Homem mau dorme bem,* como eu sempre dormi bem. Não como o Samurai cego, que era capaz de usar a espada com eficácia mesmo sendo cego dos dois olhos: cego não, cego nunca fui, cego nunca me deixei ser embora fosse o que mais me pedissem: "feche um olho", me diziam, agora não é o momento de alimentar dissidências, me diziam, como me disseram no grupo do Renato, ou então "agora não é hora de dizer *não,* temos de cerrar fileiras contra o *inimigo*", como coisa que o inimigo estivesse apenas fora dali, no outro, como Anna M. depois demonstraria que não estava, de modo algum. "Feche um olho", me diziam, "não diga *não* agora", repetiam. Mas eu simplesmente não podia fechar um olho, quanto mais dois, nunca pude deixar de dizer *não,* e se há algo que me faz sentir bem é a sensação de que a filosofia da história me deu razão, não aos que me pediam que fechasse um olho, que não dissesse *não* porque havia *outros interesses* em jogo, *coisas maiores do que você,* me diziam, ao que eu respondia que em absoluto não havia nada maior do que eu, quer dizer, não porque se tratasse de mim especificamente como esta pessoa que sou mas porque não havia nada maior que o indivíduo, que o *Sujeito* que aquele eu representava e em nome do qual eu não fecharia o olho nunca, nem deixaria de dizer *não,* e nem, felizmente, Anna M. Portanto, samurai cego não, e sim o samurai que combatia o inimigo olhando para o outro lado, *de modo a não ficar igual ao inimigo,* quer dizer, de modo a não se transformar na pedra que era o inimigo, como aconteceu todos esses anos com aqueles que combateram o inimigo olhando nos olhos deles, dos quais se enamoraram e que depois procuraram copiar, no que eu seguia o conselho de Calvino: olhar para o outro lado. Ou então, mais simplesmente, fazer como Wittgenstein sempre propôs, quer dizer, ver as coisas sempre desde outro ponto de vista, algo que também, por absurdo que possa parecer, sempre foi raríssimo naquele país Brasil que havia ficado longe e, mais que isso, algo que sempre havia sido combatido: era preciso, diziam, ver as coisas *sempre* como as coisas foram vistas, mesmo que a uma distância de 47 anos, como estávamos quando o golpe estourou no Brasil em 1964, para ficar com uma data simbólica, ou mesmo que a uma distância de 116 anos, sempre tomando 1964 como referência, para tomar outra data simbólica. No entanto, eu não queria ver as coisas sempre do mesmo ponto de vista, queria sempre mudar esse ponto, ver de outro modo, ver de outro ângulo, *ver outra coisa.* E ali, em Paris e a partir de Paris, apesar das descobertas de Anna M., apesar de já sabermos que estávamos em sursis, no mais puro e perfeito sursis que poderia

243

haver, na demonstração cabal da hipótese do eterno retorno, queríamos nos livrar de todo aquele peso. E por um tempo o conseguimos.

E hoje pelo menos se pode imaginar a outra margem do lago, a imagem anterior o mostrava inteiramente submerso na neblina: a imagem atual capta um pouco do sol que vibra atrás da camada de nuvens e, refletindo-se nas águas, lhes dá uma tonalidade cinzenta de aço.

Por exemplo, Anna M. se divertiu muito, eu me diverti muito, quer dizer passamos uma boa e leve manhã numa exposição de bolsas no Musée des Arts Décoratifs, artes decorativas, vejam só, quando antes isso teria sido possível ou aceitável?, organizada pelo Musée de la Mode e du Textile e pela Maison Hermès, o fabricante de bolsas e malas e gravatas e *foulards*, vejam só, uma exposição intitulada *Le Cas du Sac*, e que bom título era, porque eles de fato tinham razão, a bolsa, a sacola também constituía *um caso,* e um caso da história, um caso da *filosofia da história* sem dúvida, e havia que falar *desse caso*, uma conseqüência lógica de todos aqueles estudos sobre a importância do *pequeno, do menor, do cotidiano, do singular,* que durante tempo demais foram tomados como desprezíveis quando comparados com o maior, quer dizer, o histórico, o coletivo, como nos haviam inculcado, naquela nova série de estudos do moderno e do contemporâneo com o quais Alain Touraine e Henri Lefebvre muito tinham a ver, e que iriam desembocar na recuperação do sujeito e da subjetividade mais tarde, mas que naquele momento materializavam-se no tema irrisório, supérfluo, banal, fútil, filistino, alienado, imanente, consumerista, globalizado, industrializado, ridículo, da bolsa, da bolsa de mulher se entende mas que era também da sacola em todas suas variações, de todas as origens e períodos, exibidas conforme suas funções, das mais utilitárias às mais frívolas, das profissionais às religiosas (como se as funções religiosas não fossem profissionais), procurando mostrar — e

244

essa talvez fosse a concessão à linha do *politicamente correto* que, como diz acertadamente Doris Lessing em sua biografia, tem uma genealogia que a liga diretamente ao Partido e à linha do Partido, à palavra de ordem do Partido — que uma bolsa ou uma sacola e seu conteúdo fornecem um retrato altamente revelador de quem a possui. E ali estavam bolsas e sacolas de todos os tipos e lugares: bolsas de moda e da moda, de designers, de artistas (como uma que Kandinsky desenhou quando estava na Bauhaus, a Bauhaus que entre 1919 e 1933 quis fazer a *revolução do supérfluo, a revolução da beleza comum* e da qual se disse então que era *um desperdício, uma alienação, que havia que esperar pelo futuro*), sacolas de viagem, sacolas de esmola da Idade Média, *réticules* da época do Directoire, *bilums* da Papuasia, *furoshiki* das damas japonesas, 486 peças de todas as épocas e de todos os continentes, desde uma grande sacola de mantimentos dos tuaregs até o mais novo "new look" de Dior passando por um estojo para cartão de visita do arquiteto vienense Josef Hoffmann, flecheiras dos chamãs ameríndios, saquinhos onde os antigos mexicanos carregavam seus deuses em viagens, bolsas que viraram ícones no cinema e do cinema, quanta frivolidade, *du simulacre!, du simulacre!* gritaria Baudrillard, *la sacracion finale du simulacre!* gritaria Baudrillard querendo fingir uma ira nihilista de todo inconvincente, e também sacolas tecidas com a matéria de que se fazem as palavras na mitologia e na literatura, tantas bolsas e sacolas, até mesmo, creio, uma sacola de sobrevivência dos habitantes de Stalingrado cercada pelas tropas de Adolf Hitler, também chamadas de tropas do nazismo, tropas do fascismo, tropas do III Reich, e há que nomeá-las por todos os nomes em que possam ser nomeadas para que não escape nenhum, assim como se faz com as células cancerosas que atacam um organismo: há que atacá-las todas em sua proteiforme dissimulação, uma bolsa então, uma sacola de sobrevivência dos habitantes de Stalingrado na qual cabia uma ração de pão, documentos e, claro, uma ração de vodka, quer dizer, Stalingrado como era chamada è época da sacola que comparecia na exposição mas que depois, *ainda antes de irmos para Paris*, três anos antes do golpe de estado no Brasil em abril de 1964, *e a isso deveríamos ter prestado mais atenção* ainda quando fazíamos parte do grupo do Renato, os indícios eram claríssimos e muitos de nós não sabiam vê-los ou não queriam vê-los, Stalingrado que depois, então, seria rebatizada com o nome de Volgograd, em 1961!, 3 anos antes do golpe de abril de 64, assim como Leningrad virou outra vez São Petersburgo, na tentativa exasperada e ansiosa de eliminar todos os vestígios do imaginário soviético, raspá-lo do fundo das mentes, empurrá-lo para baixo da lápide da *filosofia da história* e garantir que de lá não escape, esse imaginário diante do qual, escreve Doris Lessing em sua biografia, Hitler não passou de um aprendiz quando comparado com seu equivalente Stalin, Joseph Stalin, que foi "mil vezes pior", escreve Doris Lessing, que se pergunta: como podem todos não se importar mais, quer dizer, como pode que todos já se esqueçam?

A exposição, claro, pagando seu preço ao artisticamente correto e ao antropologicamente correto, organizava-se em seis seqüências temáticas: usos e ritos modernos do consumo individual no mundo contemporâneo, os costumes do nomadismo e das grandes migrações, os gestos do homem comum mil vezes repetidos ao longo das estações do ano, do trabalho e do passar dos dias, os ritos estatutários da fortuna e as demonstrações faustosas do poder, enfim os usos e ritos da transmissão, do verbo, da mensagem, quando o saco se torna boca, se apodera das palavras para pará-las. E a exposição se aprofundava e se ampliava com as perspectivas múltiplas fornecidas por seus 27 colaboradores: curadores, conservadores, etnólogos, historiadores, escritores, sociólogos, arqueólogos, lingüistas, historiadores da arte, uma exposição de envergadura inédita sobre o assunto, que então ficava configurado de fato como sendo *um caso*. Havia então de tudo e para todos os gostos naquela exposição assinada pelo diretor do Musée des Arts Décoratifs e pelo presidente da companhia Hermès, que coisa impensável que o presidente de uma empresa comercial dedicada ao consumo e, pior ao consumo cultural ou ao consumo que, como dizem, se queria fazer passar por cultural, conforme diziam temer e exorcizavam os novos donos do poder no Brasil, pudesse assinar uma exposição num museu do Estado e ver tudo aquilo transformado num evento cultural, que coisa impensável, que coisa impensável. Como nos divertimos naquela exposição que tirava todo o peso de tudo. Claro, houve excessos, ao redor dessa exposição que virava o saco pelo avesso, não fosse que em francês *cas* é o avesso de *sac*, e que virando o saco do avesso virava também tantas outras coisas sérias pelo avesso, como queríamos, e isso porque uma galeria montou uma exposição paralela com bolsas e sacolas e sacos de grife contemporânea, como era de se esperar e como de fato cabia, chamada tolamente de *C'est mon sac!*, como num comercial de televisão e que, dizia o texto de apresentação, naquele tom intelectualizado dos franceses que foi também um dos responsáveis pelo fato de acabarmos por irmo-nos dali, reunia as obras de alguns criadores que haviam decidido "s'exprimer sur l'objet sac", expressar-se por meio da bolsa, diríamos, expressar-se no saco, se fosse para dar vazão a uma irritação que já crescia em nós embora sem nada a ver com a exposição *Le cas du sac* — assim como houve um crítico mais radical, espanhol como tinha que ser, para defender a mostra, que não precisava ser defendida porque felizmente já havíamos ultrapassado de longe essa fase da *filosofia da história* que mandava que no mínimo se justificasse esse tipo de exposição frívola, dizendo que a história da arte, se não fosse pelo cuidado reverencial que alguns autores haviam demonstrado recentemente pelos modo de vestir das pessoas (e talvez ele estivesse pensando, sem mencionar, no caso de Roland Barthes que havia causado um frisson, um estado de frufru entre os bem-pensantes quando escreveu sobre a moda, sobre *O sistema da moda*, livro para o qual pesquisou entre 1957 e 1963 e que seria publicado em 1967, quer dizer, livro para o qual ele pesquisou num momento em que, por exemplo, Sartre assinava o *Manifesto dos 121* contra a guerra da Argélia ou contra a opressão militar e colonial da França contra sua possessão, a Argélia, em 1961, num caso que valeu a ira do OAS, a Organisation de l'Armée Secrète, Organização do Exército Secreto, grupo militar de direita criado exatamente naquele mesmo 1961 com o objetivo de reprimir os protestos contra a guerra da Argélia e com o objetivo de provocar os argelinos a se lançarem em atividades militares que dessem margem à repressão do exército francês, e grupo que *plasticou*, como se dizia, *plastiqué*, quer dizer, colocava bombas feitas de um explosivo dito de plástico, os apartamentos e casas dos adeptos da resistência interna francesa à guerra com a Argélia, como o próprio Sartre, então: havia sido um acinte para muitos que alguém escrevesse um tratado sobre a moda, e semiológico ainda por cima, não econômico-materialista, nem ideológico-historicista mas semiológico, sobre um assunto tão frívolo como a moda num momento em que se "plasticavam" oponentes da guerra da Argélia, que preferíamos chamar assim, Argélia, e não Algéria), quer dizer, dizia o crítico pretensamente radical espanhol, que se não fosse pelo cuidado de alguns autores com a moda (como Gilda de Melo e Souza que sobre a moda escreveu nos anos 40, um igual escândalo), a história da arte seria uma *galeria de cadáveres*, com o que ele queria dizer que a história da arte tal como mostrada no Louvre e talvez também até no Musée d'Art Contemporain de la Ville de Paris, que visitávamos, claro, seria uma *galeria de cadáveres*. Francamente não era assim, a história da arte não nos parecia em absoluto uma *galeria de cadáveres*, e aquele crítico era mais um desses que se acreditam na crista da onda dando o berro que já foi dado, a história da arte não nos parecia em absoluto uma *galeria de cadáveres* embora o artigo daquele crítico nos tivesse sido de todo modo útil porque nos lembrava, a Anna M. e a mim, que a política e a filosofia da história, essas sim, eram e continuavam a ser uma *galeria de cadáveres*. O fato é que nos divertimos muito, Anna M. e eu, naquela exposição, uma exposição que se encaixava às mil maravilhas no espírito de leveza que buscávamos, preciosa e ao mesmo tempo muito séria (boa pesquisa etc.) e, claro, não deixamos em seguida de dar uma volta pela Avenue Montaigne e

248

ver as melhores lojas de Chanel, Dior, Céline e de ir tomar uma taça de champagne no frívolo bar do Hotel Costes na Place Vendôme, a exclusiva Place Vêndome, com sua coluna que sustenta uma parte da filosofia da história bem em seu centro, sibariticamente como bem mais tarde diria meu amigo que com o recurso àquela palavra queria se *desmarcar* como pessoa séria e atenta aos problemas mais urgentes da teoria e do mundo. Ah sim, e fomos também à loja da Guerlain, ver os perfumes, leves que estávamos.

## ELOGIO DO AMOR

Não tardou muito para que a leveza se transformasse em amor, como provavelmente era previsível e como seria necessário escrever se esse titulo já não houvesse sido utilizado por outrem — mas sensações, sentimentos e desejos não são para tornarem-se objeto de patente, motivo pelo qual não há por que não recorrer a eles. E a leveza então logo se transformou em amor, que não figura entre as 6 lições americanas de Calvino, das quais escreveu 5, morrendo antes de chegar à sexta, da qual sobrevive apenas o título, *Consistência*. Sua viúva conhecia o título da oitava, "Sobre o começar e o acabar", o que me levou a comentar com Anna M., sem maldade mas com certo sentido do macabro talvez, que por vezes um escritor tem sorte de morrer antes de acabar uma obra uma vez que sem dúvida aquele oitavo tema não era consistente com os 6 outros, nada tinha a ver em comum com eles, desaguava em território completamente distinto. Seja como for, o amor não estava entre suas 6 lições para o próximo milênio, que já chegou, e sempre me perguntei por que o amor, que não havia estado entre as lições da literatura para o milênio passado, em todo caso para o século passado, aquele século XX quando estávamos em Paris, e isso por total incompatibilidade, quer dizer, não havia mesmo qualquer condição para que a literatura abrisse espaço para o amor naquele que quase sem sombra de dúvida se transformara no mais negro século da história desse bicho humano, apesar de tanta coisa fantástica que havia ocorrido, entre elas a possibilidade de estarmos ali, Anna M. e eu, leves. Mas não se haviam criado as condições para que o século XX visse no amor uma possibilidade de lição literária. E no entanto era nisso que logo se transformou nossa leveza. Falo sem dúvida do amor físico e do amor sensual e do amor sexual entre Anna M. e eu, naquele apartamento pouco mobiliado que ocupávamos e no entanto repleto de memórias que tinham tudo para impedir todos aqueles amores, o físico, o sensual e o sexual, e que no entanto não haviam conseguido impedir. Esse amor, no entanto, deve ficar implicado na tecitura da narrativa e em hipótese alguma exposto, razão pela qual se vislumbram logo todos os outros amores resultantes daquele estado de leveza. O amor à arte, por exemplo, como depois escreveria Bourdieu num texto de onde o amor foi totalmente removido: íamos ao museu Marmotan, que descobrimos no que então nos parecia um fundo de Paris, do lado oposto onde morávamos, e ali passávamos horas, certamente pelo menos duas horas, imersos na atmosfera daquele que já então ou ainda não era de bom gosto gostar, Monet, vendo seu pequeno *Chorão*, uma tela de 1919, ou suas grandes pinturas de flores e

250

vegetação branca e azul feitas em telas cujos cantos ele deixava
inacabado, descoberto, nu, e que serviam, entre outras coisas, para
que eu sentisse ainda mais finamente a pele de Anna M. junto à
minha, enquanto víamos também outras telas de Monet sobre o
parlamento inglês e o rio Tâmisa que nos interessavam menos,
muito menos que uma enorme Nymphéas em lilás, azul, verde e
branco, mas que de todo modo serviam para refazermos um fio
que desconhecíamos embora uma parte desse fio fosse previsível,
aquele que une Monet a Turner, embora a outra nem tanto, a que
liga Monet a Whistler, embora como Whistler estivesse ligado a
Turner talvez não fosse muito difícil fechar o circuito com Monet,
que acabou indo para Londres em 1899 para poder pintar como
Whistler e ocupou um quarto no sexto andar do Hotel Savoy, o
mesmo hotel e o mesmo andar em que Whistler havia morado
3 anos antes para preparar umas litografias da Waterloo Bridge,
o Parlamento e a ponte de Charing Cross enquanto sua mulher
morria de câncer, Whistler esse que anos antes, em 1863, havia se
mudado para uma nova casa perto da casa onde o próprio Turner
havia vivido e da qual Whistler podia ter a mesma vista do Tâmisa
que Turner havia admirado e estudado e pintado, embora muita
coisa tivesse mudado desde a época de Turner e embora a área então
estivesse já cheia de prédios industriais, jogando vapor e fumaça
preta no céu e poluindo tudo, algo que não espantou a Whistler,
que começou a pintar aquelas cenas escuras que o caracterizariam
tanto, seus *noturnos*, como se diz, e que marcariam uma versão
incomparável da *beleza moderna* que tanto escandalizou John
Ruskin, que detestava Whistler embora paradoxalmente amasse
Turner — e desnecessário ressaltar a esta altura como aquela série de
coincidências, *coincidências buscadas* claro mas *coincidências* mesmo
assim, quer dizer, Whistler indo morar perto da casa de Turner para
poder ver a mesma coisa que Turner havia visto e Monet indo morar
no mesmo hotel e no mesmo andar onde morara Whistler para
poder ter a mesma visão e assim poder pintar Londres do mesmo
modo como Whistler e Turner haviam pintado, me atraíam ainda

mais para Monet e sua pintura na qual eu mergulhava numa entrega total, buscando aquela outra versão da beleza moderna da qual eu tinha também uma vertente, ali bem ao alcance da mão, no corpo de Anna M. O amor à arte, o amor desenfreado pela arte, o amor orgiástico pela arte e com a arte, do qual Bourdieu como *sociólogo* não falou e nem podia falar, num swing frenético porém calmo entre museus e galerias e cidades, era o duplo do amor orgiástico a que nos entregamos em Paris, Anna M. eu, assim como poderíamos ter-nos entregado a esse amor em outros lugares, é verdade, mas que por ali seguia e transbordava por onde íamos, por Paris, pela França, pela Inglaterra, por Amsterdã também, por exemplo, onde, por pura coincidência mas também por falta de dinheiro fomos parar num hotel que nos pareceu acessível e que ficava sobre um bar, no centro da cidade, no qual rapidamente deixamos nossas malas e do qual saímos rapidamente para usufruir a cidade e para o qual voltamos à noite a tempo de descobrir que na verdade o hotel era um bordel, movimentadíssimo, o que no fundo, mais do que nos espantar e nos fazer mudar dali, o que não fizemos, nos pareceu antes apropriadíssimo para nosso estado de espírito ou, melhor dizendo, para nosso *estado de corpo*, com suas paredes finas e que eram nada mais que tabiques através das quais ouvi no meio da noite vozes em português brasileiro aparentemente conhecidas, pensei eu, e que na manhã seguinte no meio do corredor, em busca de algum improvável café da manhã e no meio dos detritos bordelescos da noite anterior, revelaram-se as de um amigo e sua mulher, conhecidos de longa data, e que também por descuido e falta de dinheiro haviam escolhido ficar no mesmo hotel, ele que depois iria se transformar num respeitado juiz de direito e a seguir desembargador, que teve muito a ver com a refação do estado de direito no país Brasil, transformando-se portanto numa pessoa de respeito, coisa que no fundo ele já devia ser. Não era o caso de permanecermos juntos naquele hotel e naquele cidade, nós e ele e sua mulher, de modo que logo nos separamos para continuarmos cada qual seu caminho, nós, creio, indo na direção, suponho que foi naquela mesma viagem, do Museu Van Gogh em Amsterdã, para nova orgia acintosa de arte a ser seguida forçosamente por nova orgia carnal e sensual, minha e de Anna M., que no entanto não se esquecia dos textos que deveria terminar de escrever e enviar para o país Brasil, o resto de país Brasil, para suprema irritação daqueles que, ainda hoje, continuavam a ver tudo desde o mesmo ponto de vista e que não precisavam fechar um olho para não ver as coisas porque de todo modo não conseguiriam enxergá-las e nem tinham a mais remota idéia de fazê-lo.

Flocos de neve passando em rajadas pela janela, da esquerda para a direita, primeiro em rajadas horizontais depois em todas as direções e uns quantos flocos de neve apenas, não uma borrasca, nem uma tempestade. Se esta fosse uma narrativa do século XIX, seria o caso de acrescentar que há dias se estaria esperando por aqueles flocos, mas não é, e portanto esta imagem de repente despenca *out of the blue*, que no caso era cinza, com seus esparsos flocos de neve.

O elogio à leveza que logo se transformou em elogio ao amor, primeiro ao amor físico e em seguida ao amor pela arte, depois transfigurou-se em amor pelas cidades, e pelas cidades do Leste, pelas cidades do que então se chamava Cortina de Ferro e que muitos não queriam que se chamasse Cortina de Ferro porque, diziam, havia uma *propaganda negativa* embutida nessa terminologia, mas que pouco tempo depois logo se verificou que de fato era uma Cortina de Ferro. Budapest, por exemplo, onde um tio de Anna M. que não havia conseguido fugir a tempo da invasão soviética, nem quis escapar do país durante a primavera de Praga cujas brisas chegaram também a Budapest da qual equivocadamente ele pensava desfrutar e que depois não conseguiu escapar à repressão que voltou a imperar com o rápido fim daquela primavera. Budapest, a Paris do Leste, como dizia orgulhosamente o tio de Anna M., e Budapest, que estava então feia e velha e quebrada devia de fato ter sido muito bonita, Budapest havia visto em 1968, nos contava o tio de Anna M. enquanto comíamos apfelstrudel e tomávamos um Tokaj apropriado, que nós pagamos, uma tentativa de liberalizaçao econômica baseada em 4 princípios: 1) as empresas deveriam ser independentes (do Estado, quer dizer, o que significava também *independência, autogestão e autofinanciamento*, e autogestão era então a grande palavra de renovação, e quando ainda estávamos naquele infame país Brasil havíamos publicado um livro exatamente sobre o tema, de um autor tcheco, Ota Sik, que havia sido um dos apreendidos pelo DOPS — e aquela conversa com o tio dela começou a nos lembrar um pouco o estado de *sursis* em que estávamos); 2) um sistema de preços mais flexível baseado na livre competição; 3) o planejamento central (quer dizer, do Estado) reduzido ao mínimo e 4) uma opinião pública envolvida nas decisões econômicas através do amplo uso dos meios de comunicação, dos sindicatos e do parlamento. Começando por este último ponto era evidente que as reformas na Hungria não poderiam dar certo naquele momento, como não deram na Tchecoslováquia (que depois da queda do Muro se transformou em dois países, um tcheco e outro eslovaco) ou, melhor dizendo, era evidente que aquelas reformas não podiam ser toleradas pelo poder central, controlador e avesso à opinião pública, o que é outro modo de dizer ditatorial, da URSS, não havendo quem dissesse também que eram reformas que não poderiam dar certo porque *não era possível tratar com liberdade a quem não estava acostumado com liberdade*, para dar uma certa forma literária a um princípio muito defendido pelo behaviorista Rogers em psicologia; mas o tio dela rejeitava essa interpretação, como nós, e preferia falar apenas da repressão soviética e de como não pudera escapar também daquela vez, nos falava de como perdera a oportunidade e não saíra a tempo, mesmo porque já não era mais tão jovem para poder virar-se no exterior (e é disso que se aproveitam as ditaduras, dos que não podem sair, dos que ela não deixa sair), tendo de arranjar-se, para sobreviver, com as poucas traduções do inglês que conseguia fazer, coisa que nos contava

enquanto nos levava por Budapest inteira, por Pest e depois por Buda, enquanto nos parava praticamente a cada esquina, nos parecia, para mostrar uma placa incrustada num edifício e falar de um poeta húngaro muito importante ou de outro poeta muito conhecido ou para apontar para placas, como as de Paris, assinalando o local onde haviam morrido em combates contra os nazistas alguns de seus amigos jovens de então, *assim como ele mesmo fora jovem um dia*. E depois nos levou a seu apartamento num prédio literalmente caindo aos pedaços e que estava em reforma, dizia ele, há 30 anos, porque os operários trabalhavam quando queriam, e conhecemos sua esposa e com eles fomos naquela noite à ópera, uma noite fria e chuvosa de inverno, com as pessoas descalçando suas galochas no átrio do teatro para mostrar os sapatos que traziam por baixo da proteção de borracha e que eram tão elegantes quanto possível naquele cenário de austeridade, para dizer o mínimo, apenas para descobrirmos na manhã seguinte que a esposa do tio havia morrido do coração durante aquela mesma noite, repentinamente, depois que retornara da ópera, para nossa profunda lástima e consternação, numa atmosfera algo perturbada e perturbadora porque estávamos naquela viagem acompanhados por um amigo de Anna M. que tinha opiniões que estavam longe de serem de esquerda e que fazia sua primeira viagem pela Cortina de Ferro e, apesar de tudo, *inexplicavelmente apesar de tudo*, não queríamos que ele tivesse afinal uma impressão tão negativa de tudo aquilo, porque se nós mesmos tínhamos nossas críticas a fazer (e afinal *éramos de casa*, éramos *de esquerda*) à "revolução soviética" e a todas as revoluções, ou, se é para recorrer a toda a expressão da verdade, como de fato já havíamos há muito perdido qualquer fé naquilo, de um modo incompreensível e nebuloso ainda acreditávamos no *princípio* da coisa (não na "revolução mundial", como diz Doris Lessing na sua biografia, mas em todo caso no princípio da coisa, acreditávamos, creio, e, talvez, mais que no princípio da coisa, no espírito de alguma *coisa pura* que deve ou pode ter existido num primeiro momento, como Walter Benjamin, o Jovem). A situação, sob esse aspecto da presença, junto a nós, desse amigo, tornou-se ainda mais grave na noite em que embarcamos no trem em Viena com destino a Praga, e não haviam se passado muitos anos assim desde a efêmera primavera de Praga. Entramos no trem tarde da noite, numa estação escura em Viena como deveriam ser as estações em Viena numa noite de inverno, porque é sempre inverno nesses momentos todos que então vivíamos, uma outra noite fria e ventosa, e fomos cada casal para sua cabine, mas em seguida, depois da partida do trem, nos reunimos todos em nossa cabine, a minha e de Anna M. Não muito tempo depois estávamos na fronteira e subiram a bordo os controladores tchecos de identidade: eram dois, pelo menos no nosso vagão, suponho que deviam ser dois para cada vagão, e não tinham nenhuma preocupação de disfarçar-se de empregados civis da ferrovia, como os austríacos: eram ambos militares, soldados, e vestindo uniforme de combate, aquela cor verde diarréia inconfundível dos uniformes militares: verdes, botas pretas, capacete de metal, uma pistola na cintura e uma metralhadora na mão cada um, grossos casacos contra o frio, mais grossos do que precisariam ser e que os deveriam estar torrando dentro do trem superaquecido como eram os trens europeus naquele momento. Bloqueavam totalmente o corredor com a massa de seus corpos e seus armamentos e equipamentos. Um deles entrou um bom passo na cabine onde mal cabíamos nós quatro que ali estávamos e o outro ficou junto à porta. Nessa disposição espacial, quando o

256

primeiro entrou na cabina a ponta de sua metralhadora ficou *naturalmente* apontando para minha barriga, que eu poderia descrever como sendo meu ventre mas que na situação era minha barriga mesmo — *naturalmente*, quer dizer, porque o modo como ele segurava a metralhadora com a mão esquerda fazia com que a ponta da arma pendesse ligeiramente para baixo e apontasse de *modo natural* para minha barriga, num enquadramento nada agradável. E em seguida, o outro que estava atrás dele deu um passo à frente e enfiou uma perna dentro da cabina, num gesto que fez com que também sua arma apontasse naturalmente para alguém, nesse caso para o peito da mulher do amigo de Anna M. que se sentava à beira do leito inferior (já que não era possível chamá-lo de cama). Passaportes, disse o primeiro — e aí a coisa ia começar. Como o sujeito segurava a metralhadora com uma das mãos, ficava apenas com a outra livre para folhear o documento canhestramente, o que ele fazia bem devagar, no ritmo de sua inteligência. Viu o meu, viu o de Anna M., depois o do amigo e o da mulher do amigo. Isso levou vários minutos porque ele examinava cada página e nossos passaportes todos estavam cheios de carimbos já que naquele momento não vigorava ainda o acordo Schengen, aplicado mais de 10 anos depois, inicialmente entre 7 países da União Européia (que ainda se chamava nesse instante Comunidade Européia de Nações ou Mercado Comum Europeu) que acordavam o fim dos controles nas fronteiras e das barreiras de vistoria de documentos entre eles, nome aquele, Schengen, que haviam tirado do nome da pequena cidade de Luxemburgo na qual o tratado havia sido assinado, um nome que de fato depois se revelaria horrível quando nos controles de identidade (que, claro, continuaram existindo, inclusive nos trens quando passavam por pontos onde antes havia *fronteiras sensíveis*, como por exemplo entre Portbou na Espanha e a cidade adjacente Cerbère, que os espanhóis chamam de Cerbera, onde mais de uma vez presenciei cenas desagradáveis bem depois daquele incidente conosco na fronteira da Tchecoslováquia, inclusive dois jovens sendo retirados com violência de dentro do trem espanhol por policiais franceses) e assim nossos passaportes estavam cheios de carimbos já que cada país põe um carimbo na entrada e outro na saída do portador do documento, e esse detalhe parecia aumentar o interesse do soldado, do militar, que aparentemente decifrava carimbo a carimbo, numa operação demorada e exasperante porque ninguém dizia nada e aquelas duas armas continuavam *naturalmente* apontadas para minha barriga e para o peito da mulher do amigo, duas armas de grosso calibre, a ponta do cano sendo uma ponta grossa de um cano grosso, cheio de furos na extremidade, que não posso identificar, ao contrário do que acontece nos romances de ação, porque nunca entendi de armas, bastando-me perceber que fariam um enorme estrago se aquele dedo grosso e enluvado e que aparentemente não tinha nenhum controle de nada exatamente por causa da luva grossa deslizasse para baixo na direção do gatilho e nele roçasse. O que estavam esperando encontrar dentro de um trem que já havia sido vistoriado pelas autoridades austríacas, nenhum de nós sabia. Mas era apenas o começo. O sujeito examinou nossos 4 passaportes e depois pegou de novo o do amigo de Anna M. e num inglês tosco, que o impedia mais de nos entender do que formular as perguntas para as quais havia sido treinado, porque essa gente se treina, não se educa nem se prepara, perguntou por que os vistos do amigo e de sua mulher estavam no passaporte e o meu e o de Anna M. estavam num papel à parte, se os passaportes eram de um só país, se éramos todos da mesma nacionalidade (o que não sei se era verdade porque a nacionalidade é uma *construção imaginária* e não faço a menor idéia sobre qual seria a construção imaginária de nacionalidade que se faziam o amigo de Anna M. e sua mulher) e se os vistos tinham sido emitidos na mesma cidade, Paris, no mesmo dia, como se fato tinham sido. E aí o idiota do *sottoscrito qui presente*, eu mesmo, resolvi dizer a verdade, certo que o sujeito entenderia, porque apesar de militar era de um país *comunista*, e a verdade era que eu e Anna M. havíamos pedido que o visto fosse dado num papel à parte, como vários paises comunistas aceitavam fazer, porque não queríamos que ficasse registrado no passaporte nossa visita ao outro lado da Cortina de Ferro, como se dizia, uma vez que mesmo não tendo planos de retornar ao país Brasil poderíamos ter de voltar ou decidir voltar e não queríamos complicar ainda mais uma situação que poderia já estar suficientemente complicada, enquanto o amigo de Anna M. e a mulher não tinham complicação alguma nas suas fichas no DOPS, talvez nem tivessem ficha no DOPS, e não se importaram que o visto fosse dado no próprio passaporte. O sujeito quis então saber por que eu havia pedido o visto em separado, e eu expliquei então, ainda dizendo a verdade, que era por *razões políticas*. Por que fui dizer isso é algo que não sei ainda hoje. O sujeito armado com o que julgo ser uma pistola na cintura e uma metralhadora na mão, um porco cevado como já era naturalmente e que se parecia ainda mais a uma bola com aquele casaco por cima, e não sinto nenhum constrangimento em expressar aqui esses preconceitos todos, queria saber quais eram aquelas *razões políticas*, expressão que certamente ele teve dificuldade de entender em sua totalidade para além da palavra *política,* que devia ser a palavra a despertar sua suspeita, mais que sua atenção, já que, imaginei na hora porém um pouco tarde demais, em seu país ninguém devia usar a palavra *política* a não ser para referir-se a algo de errado, suspeito e possivelmente criminoso, o que aliás não é de todo equivocado, no país dele naquele momento e no meu, em qualquer momento. Ele não queria e não podia entender minhas razões políticas, com seu inglês rudimentar, e no entanto continuava repetindo a mesma pergunta sem parar, Por que nestes passaportes o visto está no passaporte e nestes está fora?, não assim numa sintaxe razoável, claro, mas num inglês primitivo, que não me dava nenhuma possibilidade de explicar-me para além do que eu já havia explicado. A cada vez eu tentava contar a mesma história de um modo diferente, chegando mesmo a dizer que o regime político em meu país era diferente do regime político do país dele, e não apenas diferente como também, parece, dizia-se, *incompatível* (e digo parece porque os dois eram, claro, uma ditadura), e que o regime político do país que eu apresentava como sendo meu país, como modo de dizer, não via com bons olhos que as pessoas nele moradores (claro que não posso usar aqui a palavra "cidadãos") visitassem países como o daquele sujeito. A situação prolongou-se exasperadamente, o sujeito passou a revistar nossa bagagem enquanto o outro barrava a saída da cabine com a metralhadora agora mais na horizontal. Eu e Anna M. havíamos deixado um país por causa das metralhadoras em português que se brandiam com facilidade nos focinhos de qualquer um e estávamos agora numa outra situação, literalmente num fim de mundo, com metralhadores em tcheco ou qualquer outro idioma da Cortina, que não era d'Ampezzo, sendo esfregadas com facilidade em nossos focinhos torrados pela calefação e ao mesmo tempo gelados. Depois de um tempo infindável, o sujeito desistiu: o trem estava parado há horas, parecia, e provavelmente ou eles nos tiravam dali ou nos deixavam seguir, e nos deixaram seguir — e assim é literalmente, alguém nos deixou seguir, *nos deixou*, alguém decidiu que nos deixava prosseguir, porque é sempre assim nos regimes de exceção e nos estados de exceção, alguém resolve fazer ou não fazer alguma coisa, já que se está num *vazio de direito,* num *iustitium*: tínhamos os vistos, os passaportes eram autênticos, estávamos autorizados a entrar mas a possibilidade de *realmente entrar* dependia da decisão pessoal de quem está com a arma na mão, como já descobriu quem teve de entrar na Inglaterra ou nos Estados Unidos, antes como agora. Pior ainda, se há um pior ainda, foi ter de suportar o olhar do amigo de Anna M., e que de fato não se limitou apenas a olhar, dizendo Era isso que vocês queriam para o Brasil? Ou algo do gênero, e claro nunca havíamos querido nada daquilo mas vistas as coisas da ponto de vista dele naquele momento talvez fosse assim que as coisas pareciam. Nosso mal-estar foi enorme, pelas várias razões implicadas. O *sursis* começava a se fechar sobre nós, numa situação que piorou ainda mais, em relação à presença do amigo de Anna M., quando na manhã seguinte, ao descermos do trem na estação central de Praga, quase vazia, duas mulheres, à vista de dois outros soldados com duas outras metralhadoras nos braços e provavelmente outras duas pistolas na cintura, queriam porque queriam comprar nossas calças jeans que nem estávamos usando, se é que as tínhamos na bagagem, creio que não, não as usávamos, mas elas queriam que abríssemos as malas e as vendêssemos ali mesmo, nos davam 30 dólares por calça, o que era uma pequena fortuna naquele momento, nós que viajávamos a 5 ou 10 dólares ao dia.

## ELOGIO AO AMOR

O taxista que nos levou ao hotel obrigatoriamente pré-reservado e pré-pago, toda aventura era impossível, também nos quis comprar as calças jeans que não tínhamos. Mas a *leveza* que buscávamos logo poderia assumir a forma de um amor também pela cidade de Praga, como aconteceu com outras cidades, talvez em Praga de modo especial, pelo menos durante o dia já que à noite o encontro com os bêbados pelas ruas não era nada agradável, e pelo menos quando não entrávamos em restaurantes um pouco melhores reservados apenas para os que podiam pagar em dólares e que estavam invariavelmente vazios, para o gozo não muito discreto do amigo de Anna M. E outra vez o amor pela cidade em seguida transformou-se em amor à arte novamente e o amor à arte em amor físico entre Anna M. e eu, sobretudo quando me dei conta de que ali estava afinal a matriz genética de Anna M. e que várias mulheres com que cruzávamos nas ruas eram tão lindas quanto ela, atraentes como ela, o que para mim não constituía problema algum, nem para ela.

A imagem é a do mesmo lago de Bellagio, visto do mesmo ângulo, o lago de Lecco, com densa neblina envolvendo tudo mas com uma ponta de luz solar que cria algumas zonas de reflexo amarelo na superfície de resto absolutamente serena e tensa das águas.

## A ÚNICA QUESTÃO FILOSÓFICA

E então aquela noite em Praga no restaurante russo no qual só se podia pagar em dólares, assim como depois em Cuba haveria algumas lojas nas quais não apenas só se podia pagar em dólares (e que segundo a revista Forbes diria depois, pertenceriam a Fidel) como nas quais só estrangeiros podiam entrar, o motivo mais imediato pelo qual havíamos abandonado o país Brasil continuava sem vir à tona entre nós, jantando os dois sozinhos pela primeira vez em vários dias, apenas os dois, e era evidente que estávamos os dois pensando na mesma coisa, embora nenhum de nós dissesse coisa alguma, porque fazia então exatamente um ano e era difícil que Anna M. não se lembrasse, apesar de que freqüentemente ela não se lembrasse de certas datas, inclusive de meu aniversário, um dia, em Lisboa, mesmo estando á minha frente. A gota d'água: C. Nós o havíamos encontrado, por assim dizer, *depois*, num segundo momento, quando já havíamos começado a editora, alguns anos depois. Ele imprimia nossos livros, a gráfica dele imprimia nossos livros, quero dizer, a gráfica da família dele que ele dirigia apesar de ser mais jovem que nós. Oh, sem problemas, nossos livros eram legais, quer dizer, estavam dentro da lei, quer dizer, não éramos uma editora fantasma, tínhamos registro na junta comercial e número de contribuinte fiscal e conta em banco e tudo, embora a questão de saber se nossos livros eram *legais* fosse totalmente outra, uma vez que eram legais até o instante em que deixassem de ser, até o instante em que alguém decidisse que não eram mais, algum delegado da polícia política, algum professor dedo-duro, algum reitor dedo-duro, algum procurador militar, algum editor à direita, algum editorialista mais radical, qualquer um. Nossos livros eram legais até que não o fossem mais, e pode ser que eu traga daí, de então, esse sentimento seguro e certo, talvez o único seguro e certo que ficou comigo durante muito tempo, talvez até agora, de que tudo e sobretudo todo mundo é alguma coisa até o exato instante em que deixa de ser, por exemplo fiel, honesto, sincero, amigo, amante, amoroso e outras coisas do gênero que não parecem importantes e no entanto são, algo que pode parecer uma banalidade assombrosa (quer dizer, ser uma coisa até o momento em que não se é mais) mas na qual não se costuma pensar porque a crença predominante é que as coisas são o que são por um período indeterminado, quer dizer, *para sempre*, como por exemplo a vida ou a sinceridade de alguém ou minha paixão por Anna M. ou, em todo caso, a dela por mim, que devo admitir não saber se existiu, ou qualquer outra coisa: como Anna M. mesma já me havia dito uma vez, as coisas mudam, as pessoas mudam, as pessoas mudam de opinião e de sentimentos, tudo está em movimento, como propunha uma das mais antigas filosofias do mundo, e nem sempre as pessoas podem avisar ou querem avisar ou têm a audácia de avisar ou a franqueza de avisar ou se dão conta de que têm de avisar. A mesma coisa com os livros, com nossos livros: eram livros perfeitamente legais e toleráveis na sociedade de então, quer dizer, não publicávamos nenhum manual de guerrilha, nem nenhum livro instruindo como fazer coquetéis molotov, como fez o editor italiano Feltrinelli — não publicávamos esse tipo de coisa não porque tivéssemos medo ou algo parecido mas simplesmente *porque não era disso que queríamos falar*, nem era isso que queríamos promover, mas sim coisas que *naquele momento* estavam de algum modo *falando daquele momento*, como mais tarde descobriríamos que Marx, Karl, havia proposto como sugestivo ou adequado, quer dizer, coisas que nos permitissem *sermos contemporâneos históricos do presente e não apenas contemporâneos filosóficos do presente*, como ele reclamava que eram seus conterrâneos e contemporâneos alemães ao tempo em que ainda não havia abandonado, por razões políticas, a Alemanha e ido para Paris, como nós, isto é, pessoas que eram contemporâneas filosóficas do presente mas que de modo algum eram contemporâneas históricas do presente, em suma pessoas que *não estavam ali quando estavam ali*, e que só se descobriam como *tendo estado ali* quando já não estavam mais ali: como por exemplo com a fotografia, eu já disse, que nos mostra *depois* que um dia estivemos *ali,* em algum lugar, e então nos dizemos" ah, eu estava lá naquele dia" ou "eu estava ali naquele dia", sem que no *próprio dia* em que efetivamente estávamos ali tivéssemos a real consciência plena, ou qualquer consciência, de que estávamos mesmo ali. Eu não queria isso, nem Anna M., e por isso só publicávamos o que nos permitia *estar ali* enquanto estávamos ali, enquanto as coisas estavam ali, e aquelas coisas que escolhêssemos. E então publicamos por exemplo pela primeira vez no país Brasil o primeiro livro de Georges Perec, *As coisas*. E para não dizer que publicávamos apenas *literatura*, quer dizer, que virávamos os olhos *para o outro lado*, publicamos também em 1968 *A irrupção*, o livro de Henri Lefebvre sobre a revolta dos estudantes em maio de 1968 na França, um daqueles livros que, saindo da gráfica como legais, logo começaram a ser apreendidos pela *polícia política*. Pensando filosoficamente sobre aquele presente, isto é, agora, é possível que já então estivéssemos querendo combater o inimigo *olhando para o outro lado*, como sugeriria Calvino, em busca da leveza possível, como faríamos algum tempo depois. Seja como for, era como éramos, e era aquilo que queríamos fazer, e C. imprimia nossos livros e em seguida C. decidiu que queria ser nosso sócio, quando então poderíamos fazer outras coisas, mais coisas, poderíamos falar do retorno a Freud, poderíamos traduzir alguns poemas de Joyce, que Anna M. traduziria, coisas assim. O pai de C. era um conhecido professor universitário, mais que isso, opositor do regime ao qual nem a idade avançada poupava da indignidade da prisão e dos processos na justiça militar, embora não tenha sido torturado, que soubéssemos, Anna M. e eu. E C. só por isso, e também por ter uma gráfica, claro, era visado ele também, como o era seu irmão, dono de uma livraria onde vendíamos nossos livros-legais-até-que-não-fossem-mais-legais. Mas C. era jovial, descuidado, sem ser fanfarrão, ou medroso, nem temerário mas tampouco um acomodado, costumávamos dizer que ele era ou seria ou poderia vir ser um Cidadão Kane em miniatura, e dizíamos *em miniatura* porque era bem menor que Orson Welles, menor que eu, embora naquele momento quando pensávamos em Orson Welles *pensávamos nele*

*como ele era naquele momento em que estávamos pensando nele e não
como ele havia sido quando fizera o filme,* alguém não só bem jovem
como bem mais magro e mais esbelto de corpo, mas tão jovem,
quando dirigira o filme, quanto C. era naquele instante, quer dizer,
uns 25 anos, C. que se parecia um pouco com o Cidadão Kane,
assertivo, entrão, nada mais além disso, não pensávamos no outro
lado do cidadão K., quer dizer, o K. mentiroso e baixamente
interesseiro e provavelmente corrupto, apenas nesse seu lado jovial
e ousado e atrevido e impaciente e realizador e adepto das novas
coisas e das novas idéias como era C., o que certamente o havia
levado a associar-se a nós porque para ele éramos a novidade. E
começamos a publicar mais livros, como por exemplo livros sobre
a nova crítica e sobre o novo romance, o *nouveau roman*, numa
época em que qualquer livro poderia ser legal e qualquer livro ilegal,
simplesmente porque o título poderia soar *subversivo* a qualquer
burocrata desejoso de mostrar serviço ou simplesmente entediado
o suficiente para resolver mexer com a vida de alguém assim como
mexíamos com a vida das formigas quando fomos crianças, quer
dizer, na total impunidade, como se fossemos deuses ou, como
depois já houvéssemos feitos estudos de direito e estudos mais
sofisticados de filosofia do direito, como se estivéssemos naquele
*vazio de direito* como de fato estavam as formigas (e um pouco nós)
e como de fato estávamos todos naquele momento, nós com nossos
livros e os outros, com outras coisas. No meio disso tudo, ou talvez
um pouco antes, C. se casa com uma jovem linda que poderia ser
modelo de alguma coisa embora aquela ainda não fosse a época
áurea das modelos, ela com seu cabelo negro cortado curto e rente
e mantido espetado ou espetado por natureza, com um nome
europeu e que poderia ser colega da Twiggy ou trabalhar num filme
dos Beatles, morena de olhos verdes que era, magra, pequena,
agitada, Richard Lester teria reconhecido que ela era absolutamente
de seu tempo.

O ferry no atracadouro, que não chega a ser um porto:

desta distância, ninguém para embarcar, ninguém no tombadilho do ferry, ninguém para verificar passagens porque ninguém se apresenta para embarcar, ninguém, tudo vazio e parado e no entanto é possível ouvir o ronronar do motor do ferry estável, imóvel, nas águas paradas do lago.

E então a partir de certos dias, mais do que a partir de um certo dia, as coisas mudaram embora seu curso só pudesse ser aquele mesmo, embora fosse previsível que aquele seria o desenlace, uma vez que a lógica da ditadura era exatamente aquela: mais livros são apreendidos na livraria do irmão, mais acosso judicial e político era exercido contra o pai, mais livros nossos eram apreendidos, quer dizer, agora, livros nossos e também de C. Jantávamos com freqüência no apartamento dele, mais amplo e confortável que o nosso, nos víamos à noite, nos víamos na gráfica, planejávamos as edições, eu, Anna M., C. e L. E então uma manhã a notícia inesperada, violenta, brutal, claro que não mais violenta e não mais brutal que o fato que ela representava mas igualmente radical: C. se suicidara na noite anterior com uma bala de revólver. Não tinha 30 anos. Nem naquela noite nem nunca. E no entanto se suicidara. C. se suicidou. C. se suicidou. Saul Sosnowski mais tarde não aceitaria a idéia de que o suicídio fosse *a única questão filosófica séria*, quer dizer, a única questão filosófica. Não sei se *naquele exato momento* a mim me parecia que fosse ou se essa era uma idéia que eu só aceitaria como legítima num outro momento futuro e em relação a pessoas já bem instaladas dentro de seu próprio futuro e nunca para pessoas que, como C., estavam muito aquém do próprio futuro. Claro, como saber, de fora, quando uma pessoa está no seu futuro ou aquém dele, essa é a questão. C. era ousado, atrevido, firme, irônico, ativo, estava com L., provavelmente estava para ter um filho *e no entanto*. Há pessoas que são incapazes de deixar a vida, como se diz, de abandonar a vida. C. havia deixado a vida dos livros, a vida da gráfica, que ainda trabalhava com as linotipos fundindo *na hora* as pequenas barras de chumbo na qual seriam inscritas as frases que, algumas, nunca mais abandonariam nossas memórias, havia deixado a vida de L. e a vida do futuro filho, havia deixado a história do país Brasil, o que realmente não seria uma grande perda não fosse o fato de que essa mesma e exata história asquerosa o havia levado àquele ponto, havia deixado nossas vidas, a minha e a de Anna M. Não é que não tivéssemos podido fazer alguma coisa, como já acontecera com Renato L.: era que nem sequer havíamos estado, num caso como no outro, na cena adequada, mesmo acreditando que de algum modo estávamos no mesmo drama. Ou então era que estávamos no mesmo drama mas estávamos numa representação como a de *A morte do caixeiro viajante*, de Arthur Miller, que morreu agora há pouco, na qual os personagens estão no mesmo plano físico teatral da cena vista pelo espectador embora de fato estivessem em planos temporais ou em *planos de representação* inteiramente distintos no tempo da narrativa, quer dizer, cada um na sua, apesar de aparentemente, para nós na platéia, lhes fosse aparentemente possível comunicar-se entre si. Decidimos, Anna M. eu, que era a conta: já chegava, já bastava, chega, basta. Basta cosi. *Enough. Enough is enough. Ça suffit comme ça.* Chega. Basta. Basta. Supõe-se que num estado de exceção a exceção seja a regra, mas não apenas aquela exceção se tornara de todo insuportável como, percebíamos, *nós mesmos havíamos nos tornado uma exceção.* Duas exceções. A lógica da ditadura afinal é essa, não outra. Talvez houvessem outras exceções mas esse pensamento não nos consolava de nada nem em nada, nem nos convocava a nada como, por exemplo, *pegar em armas*: também isso teria sido uma exceção. Era tempo de deixar *aquele país*, procurar um *sursis*, nós que apenas não andávamos com um *habeas corpus* preventivo no bolso (enquanto alguns o faziam) porque no fundo acreditávamos que aquilo *não aconteceria conosco*, não é mesmo?, não conosco, e escapamos para outros lugares onde Anna M. iria pesquisar sobre *a permanência constante do estado de exceção* ou do *vazio de direito* ou do *império dos plenos poderes* e onde iríamos *conscientemente* praticar a leveza, a leveza possível, até que ela naturalmente se transformasse em *amor à arte, depois em amor à cidade* e então, e no meio disso tudo, em amor físico, amor carnal, amor sensual, sexual, entre Anna M. e eu.

# HISTÓRIA NATURAL DA DITADURA

*Por que ninguém parece importar-se mais?* é a questão que impregna em marca d'água as páginas, todas, de *História natural da ditadura*. Esta é *a* questão de fundo, no entanto não independente de uma outra: a da forma, cuja relevância poderá ficar visível mais adiante. O autor desse *quincunx* não destaca, aliás, ele próprio, o significado da expressão, que emprega de modo elíptico em vários momentos e como *en passant*. Poderia ser interessante assim deixar desde logo, pairando sobre estes comentários, a idéia de que essa palavra latina, *quincunx*, aparece em Cícero, autor romano do primeiro século antes de Cristo, para designar um certo ordenamento, um certo *desenho* no plantio de árvores de modo que viessem a formar, ao crescer, a letra V que, me dou conta neste instante, é o numeral latino para 5, portanto, suponho, um desenho com 2 árvores de cada lado, em ângulo agudo, e uma quinta no vértice; outras fontes, porém, apontam para entendimento bem diverso, a saber, que *quincunx* são 5 objetos ou *coisas* dispostos de tal modo que 4 estão nos vértices afastados de um retângulo e o quinto, em seu centro; arcaicos tratados de horticultura e jardinagem, que hoje seria de preferência chamada de *paisagismo*, dizem que essa prática de plantar coisas em *quincunx*, e aqui as informações são imprecisas quanto ao fato de nesse caso a forma ser um V ou um retângulo, começou com Ciro, rei da Pérsia, como foi conhecido o Irã até 1930, embora afirmem alguns que essa forma já podia ser observada nos jardins suspensos de Babilônia, a mesma onde, diz o Antigo Testamento, encontrava-se a Torre de Babel, que depois seria de algum modo tema de um conto de Borges; nesta ou naquela versão, devo admitir que essa informação depois me orientou sobre o modo pelo qual eu deveria ler estes 5 volumes impregnados com a idéia de que *ninguém parece importar-se mais com certas coisas* ou com *esta outra* idéia em particular, a de que o navio da história, para escolher uma imagem, é levado adiante por correntes que circulam em zonas mais profundas que as ocupadas pela própria *consciência histórica,* assim chamada. Melhor: *aquela e esta* são as linhas de força de todos os cinco volumes, de *Portbou* a *Teoria da tristeza,* passando por *Sur* e *30*. Uma e outra idéias acabam por traduzir-se no *leitmotif* de todos os tomos, a saber, que o *estado de exceção* se tornou a regra política e que a vida de homens e mulheres neste planeta — a vida dos seres humanos, como se costuma dizer, ou da humanidade — ao longo de todo o século 20 que vaza para este princípio de 21 decorreu e decorre de algum modo sob a égide do *estado de exceção,* de *algum* estado de exceção, desse *vazio de direito* de que falam obsessivamente os personagens deste livro. Nesse sentido são perturbadoras, para o leitor daqui, para o leitor doméstico, as passagens de *30* em que o autor menciona o bombardeamento da cidade de São Paulo durante o que

se convencionou chamar de *revolução de 1932,* com as fotos de ruínas na cidade e algumas pessoas observando sem entender muito bem o que se passava enquanto outras posam para a câmera, um pé sobre uma pilha de tijolos derrubados que antes havia sido uma parede, nessa recorrente pose idiota como se *aquilo* fosse de algum modo um troféu que lhes pertencesse pessoalmente, a essas pessoas fotografadas, a título de conquista pessoal, quando aquilo nada mais era que ruínas que lhes haviam impingido. *Que as ruínas são uma conquista*, que as ruínas talvez devam ser interpretadas como uma conquista, constituindo-se assim num dos sentidos postos a nu pela *filosofia da história*, foi uma noção que muito cedo penetrou a imaginação do autor, junto com a outra que seu personagem repete para si mesmo o tempo todo: *mas por que ninguém mais parece se importar*, e não só com os bombardeios daquela cidade, no livro chamada São Paulo, em sua qualidade de *ato abstrato*, como com as cifras brutas e brutais em si mesmas: 136 mil *brasileiros*, como se diz, envolvidos de um modo ou de outro, dos quais 40 mil *paulistas*, e mortos oficialmente 630 paulistas ou *pessoas* de São Paulo, uma vez que o narrador deste *quincunx* sempre se refere a *pessoas* e nunca a essa *idéia feita* vazia e demagógica (pela repetição monótona e pela nulidade do conceito) que é *cidadãos*, além de 200 do resto do país e além do número daqueles que foram levados presos para o Rio de Janeiro, numa área reservada aos *presos políticos*, que assim *já* se chamavam (numa grotesca repetição retrospectiva da história que serve para consolidar a hipótese mítico-poética do eterno retorno), apenas para dali serem deportados para Portugal a bordo do navio ironicamente chamado, numa dessas ironias de que a história está cheia, não fosse Deus ele mesmo um personagem visceral e perfeitamente irônico, como diz um personagem de um dos 5 livros, a bordo do navio ironicamente chamado *Pedro I*, o mesmo nome do imperador que supostamente havia dado o berro da liberdade às margens de um certo riacho hoje enterrado e cimentado na cidade de São Paulo porque entre outras coisas fede — isto sem mencionar o *eterno retorno invertido* da contra-deportação para Portugal como uma espécie de vingança alegórica contra as deportações iniciais de lá para cá que povoaram este país de deportados imaginários, como no fundo é o próprio personagem destes livros. Toda a história em

Portugal do avô do autor, um combatente da revolução de 1932 do qual o autor pouco soube e viu além de um capacete enferrujado e de uma placa de metal que se afixava na parede externa das casas dos que apoiaram o movimento, tudo o que em Portugal aconteceu para o antepassado da família mais remoto de que o autor pode se lembrar constitui um os pontos altos desse volume, repleto de fotografias em sépia nas quais curiosamente o autor nunca está ou nunca se identifica, como de resto ele não se localiza em nenhuma outra das tantas fotos dos livros, se é que aparece em alguma. Como se não tivesse deixado traço, como se esse traço tivesse sido intencionalmente apagado — movimento sugestivo num texto que reivindica, como diz o personagem, a mais completa e radical subjetividade *contra* o objetivismo de que se revestem, entre outras coisas, como diz o autor, os relatos mornos e burocráticos, nos livros de todos esses e outros incidentes narrados que depois forçam as crianças a ler sem que isso lhes gere qualquer sentido. Como se ele não tivesse deixado traço.

A família e o sentido das relações familiares são de resto outro personagem invisível ou potencial desses 5 livros, como fica exposto nas páginas de dura leitura, de *difícil* leitura — desse tipo de leitura na qual se procede como se fosse necessário remover pedra a pedra uma barreira no caminho — que narram o drama de Pietro Nenni, líder histórico do partido socialista italiano durante mais de 50 anos e que na memória do personagem, por razões inexplicadas, aparece sempre associado à famosa foto de R. Capa em que um combatente anti-franquista é atingido pelas balas de algum fuzil fascista e começa a tombar. Refiro-me às páginas relativas à rememoração que faz Nenni daquelas semanas em que viveu o drama da prisão de sua filha no campo de Auschwitz. (O fato de o autor ter-se casado com a filha de emigrados tchecos que vieram para Buenos Aires fugindo do nazismo sem conseguir no entanto trazer consigo toda a família é outro incidente a ser contado na genealogia dessa obra, em particular na rápida menção, em *Portbou*, a duas das tias da mulher do autor mortas em campos de concentração alemães, aparentemente gaseadas, como se dizia, e depois incineradas.) A auto-condenação de Nenni, romanceada no livro *Teoria da tristeza*, é cortante: por que não pediu ele, por que não conseguiu ele pedir a seu ex-amigo ex-socialista e depois adversário e inimigo político irredutível, Benito Mussolini, *il Duce*, que intercedesse junto aos alemães para que estes entregassem ao governo italiano a jovem italiana, sua filha, presa na França, em vez de enviá-la para um campo alemão?, é a pergunta que ele faz e se refaz. O tema das *ações não exercidas* é outro que inunda,

também sem ser mencionado de modo explícito, várias das páginas destes 5 livros. O dilaceramento (do autor, de Nenni) é definitivo, porque Nenni sabia, *estava convencido* de que Mussolini atenderia seu pedido apesar da divergência política entre os dois: quando chego à Itália, escreve Nenni (que fora preso em fevereiro de 1943 nos Pirineus, ficando um tempo na prisão francesa de Fresnes antes de ser removido para a Alemanha, de onde seria devolvido à polícia italiana de Brennero, na fronteira), quando chego à Itália, escreve Nenni, mando um telegrama a Mus (ele assim se refere a Mussolini), ele que faça o que quiser de mim mas que salve minha filha. Cheguei em Brennero a 5 de abril, escreve Nenni, Vivà (sua filha) adoeceu uma semana depois, se eu tivesse telegrafado a

274

Mussolini tenho certeza que a teria salvado. Por duas ou três vezes quase pedi ao capelão da cadeia de Brennero que me ajudasse a passar esse telegrama, mas não podia, não conseguia pedir, tinha a impressão de que cometeria um ato vil, quando chegar a Roma eu telegrafo, eu me dizia, mas em Regina Coeli [prisão de Roma] fiquei envolvido em toda aquela coisa da *resistência*, aquela atmosfera da *resistência*, e deixei tudo de lado. Nenni continua a escrever em seu diário para dizer que não se pergunta se agiu certo ou errado, mas em seguida percebe a dimensão do que fez ou *não fez* quando diz que talvez ou quase certamente poderia ter salvo a filha do horror de Auschwitz mas o *orgulho* me impediu, diz ele, ao mesmo tempo em que continua: mas por sorte, escreve ele — e aqui cabe destacar o pudor do autor, não acrescentando juízos de valor à narrativa, de resto desnecessários — por sorte hoje eu sei que minha filha poderia ter-se salvado sozinha e não o quis por dignidade de caráter, algo que Nenni escreve quando fica sabendo que a filha, presa em junho de 1942 em Paris, com o marido, um francês (logo depois fuzilado), por distribuição de material antifascista, poderia ter evitado a deportação para a Alemanha se tivesse alegado sua nacionalidade italiana e invocado o direito de ser julgada na Itália, coisa que não fez por querer permanecer ao lado das amigas igualmente presas naquele instante, o que lhe valeu a viagem para Auschwitz e a internação naquele campo sob o número de matrícula 31635, com o qual ficou também registrada sua morte em virtude de uma doença que a acometeu e à qual não resistiu devido às condições de *vida*, apenas para usar essa palavra, na prisão (uma amiga de prisão, que sobreviveu, disse depois que na última noite em que viu a amiga, a filha de Nenni, sem saber se aquela havia sido de fato a última noite de Vivà, ela delirava e falava de comida, de *crevettes alla crema*, camarão ao molho: a vida se resume às vezes a isso, a um prato de camarão com molho — *que portanto vale a mesma coisa que o resto da vida, que toda uma vida*). O autor não comenta o suposto alívio de Nenni, ao dizer para si mesmo que a filha poderia ter evitado a deportação se ela realmente o tivesse desejado, e que se não o quis era porque assumia suas responsabilidades, aliviando portanto as responsabilidades dele, pai e ex-amigo do Duce. O que prevalece para o leitor no entanto é o *desespero* do pai que sabe que *poderia ter salvado* a filha e não o fez, um desespero tão intenso quanto o relatado pelo personagem de *Teoria da tristeza* quando anota *a angústia que ainda sente por um fato que não aconteceu*, quer dizer, a prisão e possível tortura da mulher amada, uma prisão e uma tortura que poderia bem ter acontecido, a angústia de imaginá-la na situação daquela jovem respondendo a processo pelos atos de terror do Potop, o Potere Operaio. Isso é o que a leitura passa, e a angústia nessa passagem é a própria angústia do leitor, a minha em todo caso — leitor no entanto logo levado, no comentário ao caso Nenni, às conclusões que o autor quer extrair em relação à questão da política e suas relações com a ditadura, por dizê-lo assim. Como vem nas palavras de um amigo de Nenni, numa inconfidência não apenas oportuna como sem dúvida necessária, Nenni chegou a escrever em seu diário em 1942, portanto *antes* daqueles fatos com sua filha e como que os antecipando, que pessoas como ele, quer dizer, um político, um *homem de política*, como se diz, não deveria ter família, como os padres por exemplo, a fim de poder dedicar-se à política sem temores nem empecilhos. Em que medida a política pode ser exercida melhor por pessoas que não têm família, não faço a menor idéia, do mesmo modo como não sei por que o fato de um padre não se casar melhora seu profissionalismo, caso se possa falar em *profissionalismo* no caso da religião — embora evidentemente sim, quando se presta atenção a esses *programas religiosos* que se podem ver na televisão, por exemplo, cobrando o dízimo, e quando se pensa nessas religiões para as quais religião e política são um mesmo e único caso (mesmo, a rigor, quando se pensa nas religiões aparentemente distantes da política). A conclusão a que chega o autor nesse caso é a única que me parece aceitável, mesmo contendo uma parcela dura e valorativa, a única que me é de todo evidente: Nenni errou uma vez, por orgulho como ele mesmo disse — e o orgulho é inerente à política — e errou uma segunda vez quando

276

disse, mesmo que o tenha dito antes do segundo erro e não antes, que a solução seria as pessoas *de política* não terem família para não passarem pelas vicissitudes, como se diz, da *vida política*. O problema com toda evidência não está na família, o problema estava e está, como disse o amigo de Nenni, no fato de ele ter *sacrificado os afetos à política*, o problema estava, em suma, para o autor, *na política*. Essa, aliás, é outra linha de força evidente neste *quincunx:* o conflito entre a *afetividade e a política*, a contradição entre a afetividade e a política, que o autor resolve sempre, em todas as ocasiões, optando pela afetividade, a meu ver com sobras de razão. E que não se diga que o problema é com *essa política que está aí* e que *uma outra política é possível*: o autor, parece, viveu o suficiente e leu e pesquisou o suficiente para concluir que a contradição é entre *afetividade* e *política* na condição de dois absolutos, ponto final. Desnecessário dizer então que este crítico alinha-se inteiramente às teses anti-Estado, antipartido e antipolítica que o autor desenvolve ao longo de todos os cinco volumes.

O autor, de resto, em nada dissimula suas opiniões, como se pode ver no episódio dedicado a Salman Rushdie em *Portbou*, um volume que de modo algum é sobre a literatura ou a função de escrever, temas que já saturaram, porém simplesmente sobre pessoas que *eventualmente* escreveram coisas como poderiam ter feito outra coisa, e que é, esse volume, de modo ainda mais direto e conclusivo, *sobre a vida*. Se há coisas que podem chocar, tanto mais quando são evidentes e mesmo assim não nos damos conta do que significam ou *sequer de que existem*, são essas *ironias da história* que o autor destaca como se fosse um encargo insuportável do qual tem de se desempenhar, a saber, o fato de Salman Rushdie ter sido condenado à morte pelo aiatolá iraniano Khomeini, então líder e *chefe* absoluto da *revolução iraniana*, como se diz, em virtude de ter esse escritor anglo-indiano escrito e publicado os *Versos satânicos* em 1988, condenação *decretada* — a palavra aqui terá um valor especial para os que já leram os livros aqui comentados — a 14 de fevereiro de

1989, quer dizer, poucos meses antes que do outro lado do mundo ou, na verdade, daquele mesmo lado do mundo que não deixa de ser um *outro lado do mundo*, o muro de Berlim viesse abaixo e com ele, pelo menos temporariamente, desabassem ou devessem ter desabado as repressões contra os escritores, num episódio (me refiro à queda do Muro) que o autor encena numa passagem que, entendo, poderia perfeitamente ter ampliado. E a *fatwa* contra Rushdie é decretada não só poucos meses antes da queda do Muro — e essa é a *ironia da história* a que me refiro — como *quase exatamente* dois exatos séculos depois da Revolução Francesa de 1789 que se fez para acabar de vez com a opressão e a falta de liberdade. A essas *ironias da história* (que não sei se podem ser consideradas como categorias da *filosofia da história*, já que esse é o cenário em que o autor prefere ambientar suas histórias) o autor não é insensível, pelo contrário: é isso que constitui muito freqüentemente o cerne desses 5 livros, me refiro à ironia dessa nova opressão quando a anterior sequer expirou de vez, e por *anterior* aqui se poderia entender tanto a exercida pelo xá da Pérsia destronado como, e mais certamente, à praticada do lado de lá do muro de Berlim, quer dizer, o chamado lado *oriental*, que tinha também ramificações pelo lado de cá, como deixa claro o autor ao tratar dos casos que se passam no país que denomina de Brasil e, esquece-se o autor, que se estende também pela Palestina, agora, como se sabe, atravessada por muro que Israel ergueu (e que o atravessa também, claro, ao próprio Israel). De fato, o Muro, deveria até escrever O Muro, é um só e se espalha por toda a superfície da Terra, e se solidifica cada vez mais porque, como diz um amigo arquiteto que trabalhou com Bucksminter Fuller e dele recebeu estes ensinamentos que são tanto de filosofia como de *resistência dos materiais*, tudo aquilo que entra *em tensão* ou que *trabalha* em tensão, como se diz, a exemplo de um cabo de aço que sustenta uma ponte, *se solidifica cada vez mais*, requerendo assim, o muro, a idéia de muro — tema de um conto de Sartre sobre a última noite de um condenado à morte por crime político — um novo Goethe que, como o Goethe histórico, se decidisse a, *muito simplesmente*, como ele disse, escrever um "romance sobre o universo", quer dizer, sobre toda a história do universo, um pouco como a *Educação Sentimental* de Flaubert ou como o *Fausto*, do próprio Goethe. Para um Muro assim tão desmesuradamente enorme, só um escritor assim tão vastamente amplo. Como se sabe, a única construção humana visível da Lua, o que literalmente ou *alegoricamente*, tanto faz, é a única construção humana visível aos Deuses, é o Grande Muro da China, a Muralha da China como se diz (sobre a qual, ia me esquecendo, Kafka tem um conto), o que significa que *a única obra humana que se pode ver fora deste planeta* é uma obra que serve tanto para proteger *quanto para oprimir*, nesse sentido em que diziam os dirigentes da Alemanha Oriental, à época da construção do Muro de Berlim, que o Muro serviria para proteger os *cidadãos* (aí está a palavra insidiosa) da RDA, da Republica Democrática da Alemanha, contra os avanços do capitalismo doente e doentio que grassava no lado ocidental do muro. Alucinante sinalização, para o Infinito, se existe, quanto à obra-prima da *humanidade,* essa Muralha que se vê de fora. A maior obra da humanidade. Como a dizer: não sejam idiotas de pôr os pés aqui. (As passagens, nestes livros, sobre a queda do Muro de Berlim e de como conseguiu o autor seu pedaço de pedra-recordação são eloqüentes a esse respeito). Os bárbaros estão fora dos muros mas "os bárbaros", claro, estão *dentro* dos muros. Dolorosa metáfora do planeta, a Terra, exposta ao universo como se ao lado de uma placa cuja imagem é esse muro e que funciona como essas placas de *cão bravo, vicious dog*, que se vêem por aí à entrada das casas cada vez mais abandonadas à própria sorte. A nova opressão de que trata aquela passagem começava então em fevereiro, com a *fatwa* do aiatolá contra Rushdie, enquanto a opressão anterior, representada pelo Muro de Berlim, estrebuchava mas ainda não tinha a lápide final sobre seus restos apesar de ter o respectivo epitáfio pronto há já muito tempo. O autor ressalta esse fato, como ressalta os equívocos dolorosos em que, a respeito de Rushdie, se meteram tantos e tanta "gente boa", como se diz, a começar do *admirado* Naguib Mahfouz, que equivocadamente foi agraciado com o prêmio Nobel de Literatura de 1988 (mesmo ano em que Rushdie publicava os *Versos satânicos*), certamente por ter sido considerado, como se costuma dizer, *uma outra voz, uma outra literatura,* uma literatura *de outro lugar* — quer dizer, do Egito, do subdesenvolvimento — e que, após ter de início criticado Khomeini por "terrorismo intelectual", nome correto para o que promoveu embora nem de longe seja só isso, pouco depois mudou de opinião e disse que Rushdie "não tinha o direito de insultar coisa alguma, especialmente um profeta ou alguma outra coisa considerada sagrada". Lástima. Digo que Mahfouz *recebeu equivocadamente* o Nobel porque dizendo o que disse, sobre Rushdie não ter direito de insultar nada nem ninguém, Mahfouz demonstrava não ter entendido nunca os princípios básicos da literatura e as funções básicas da literatura (ou deles se esquecido oportunisticamente) que incluem, entre outros, o papel eventual de *insultar* livremente a tudo e a todos, e de *blasfemar* contra esta e aquela religião em vez de *não blasfemar* contra nada e contra nenhuma, sendo esse — algo que o autor deste *quincunx* acertadamente sublinha — o verdadeiro sentido do único *politicamente correto* que interessa e não esse outro que agora tem livre curso e que prega que não se pode blasfemar contra as crenças religiosas das pessoas (especialmente se a religião visada tiver real poder de fogo real, de fogo verdadeiro, não apenas moral, e estiver disposta a usá-lo para impor seus pontos de vista). Mahfouz *desmoronou* como escritor pouco depois de receber o Nobel ao dar essas declarações grotescas, coisa que fez talvez por medo físico, ele que já havia sofrido ou sofreria alguns atentados vindos de fanáticos fundamentalistas, como se diz. E se escrevo, na verdade seguindo o autor, que a declaração de Khomeini não era *nem de longe* apenas terrorismo intelectual foi porque, como é sabido, Rushdie teve de passar a andar com guarda-costas e teve na verdade de passar a *não andar* de modo algum, isto é, teve de ficar oculto num casa em lugar incerto e não sabido, sem poder locomover-se, sem poder ir ao exterior, durante anos, e porque quando recomeçou a andar outra vez, um novo aiatolá ressuscitou a *fatwa* de Khomeini dizendo que ela não havia sido suspensa em momento algum e que portanto qualquer *fiel* estava autorizado e convocado a matar Rushdie ali onde o visse. Portanto, não se tratava de terrorismo intelectual mas de *terrorismo* puro e simples. Outros escritores, aliás, portaram-se igualmente de modo deplorável nesse episódio, como esse outro proveniente da mesma cultura indiana, V.S. Naipaul, que preferiu qualificar a *fatwa* de Komeini como uma "forma extremada de crítica literária", numa dessas *tiradas* cínicas e supostamente engraçadinhas que ficam bem nas páginas de domingo do *New York Times* ou de algum suplemento cultural brasileiro ou no *New Yorker* mas que só servem para ilustrar a total inadequação com que se tratou o caso. Quando o autor carrega nas tintas da representação da covardia das *nações ditas ocidentais*, supostamente zelosas da liberdade de pensamento e de expressão, por não terem defendido Rushdie ele está absolutamente certo, assim como quando faz seu personagem dizer que qualquer dessas potências ditas ocidentais que têm uma *força de dissuasão* — como diziam os líderes franceses ao tempo em que quiseram justificar o desenvolvimento de suas armas nucleares, designadas pela denominação genérica de *force de frappe* — deveria ter enviado a Khomeini um ultimato claro, no sentido de deixar patente que, se tocasse num só fio de cabelo de Salman Rushdie ou numa só de suas linhas, seria simplesmente pulverizado e riscado do mapa junto com tudo que estivesse ao redor, uma vez que, como se costuma dizer sem que se procure pô-lo em prática, a liberdade de pensamento e de opinião é um dos *valores fundamentais de nossa cultura*, como se diz, sem o qual esta cultura, como se diz, *não pode existir*. Mas, obviamente, as potências ocidentais não se dispõem a defender seus *valores mais caros* porque não sabem se os têm, nem os têm mais, nem os querem defender tanto assim, nem crêem mais neles, e apenas a Inglaterra deu timidamente e às ocultas, em silêncio, covardemente se deveria dizer, como aliás diz um personagem do livro, *alguma* proteção física a Salman Rushdie — cuja literatura, devo dizê-lo logo, em nada me atrai (o autor oculta sua opinião a respeito desse tema, o que me parece bem). E a passagem do *quincunx* relativa ao escritor italiano Primo Levi, ou ao redor dele, também naquele primeiro volume (a ordem cronológica dos 5 volumes na verdade importa pouco), é outra daquelas sobre os quais caberia refletir mais longamente do que posso fazê-lo aqui (e de certa forma isso já está feito no livro, de fato), sendo bastante eloqüente em relação aos efeitos dos *estados de exceção* sobre as pessoas mesmo quando esses estados já se eliminaram ou quando *aparentemente* já se eliminaram — e essa é outra tônica forte dos 5 volumes. Primo Levi também esteve num campo de concentração alemão, ou nazista, ou *nacional-socialista* como escreve por vezes o autor de modo a enfatizar a carga de sangue que empapa as bandeiras todas, mas, ao contrário de seu conterrâneo ou co-nacional, como se diz, Pietro Nenni, de lá só saiu ao final da guerra, e isso por sorte ou por acaso, como se preferir, porque não pôde invocar sua condição de *cidadão* (a palavra burlona, outra vez) italiano e assim ser repatriado para a Itália para ser ali julgado porque, primeiro, sua *condição de italiano* era vista apenas como uma condição suplementar à sua *condição de judeu* e, segundo, porque, ao contrário da filha de Nenni, Levi *não havia cometido crime algum* pelo qual pudesse ser julgado (mas depois do Tribunal de Nuremberg sabemos, em relação ao caso de Vivà, que não era nem é crime algum combater os fascismos e nazismos, declarados crimes contra a humanidade e *crimes que não prescrevem*) e portanto não poderia ser extraditado para a Itália para julgamento *porque era inocente,* embora, claro, como era *inocente* pudesse e poderia ser deportado sem julgamento para um campo de extermínio com a finalidade de ali ser assassinado. De todo modo, ou de algum modo, Primo Levi sobrevive, graças à sua profissão de químico, para escrever alguns livros fundamentais do século XX, como *Se isso é um homem* ou o volume *Tabela periódica,* em italiano com um titulo mais apropriado: *Il sistema periódico,* que com esse título pode aludir àquilo que talvez ele quisesse expressar alegoricamente e que o autor deste *quincunx* destaca com exatidão, quer dizer, a *ditadura,* o *estado de exceção* como *um sistema periódico* cuja emergência, sob esta ou aquela forma, com este ou aquele peso, como na química, aparece e *está reaparecendo* insistente e, parece, infalivelmente entre os homens, sob um determinado regime ou governo político ou sob o regime e governo que se proclama como oposto ao anterior — pelo menos enquanto não se rasgar definitivamente e irreversivelmente a carta em que essa tabela ou esse sistema se desenha, e que é a *carta da política*. (Não é o caso de discutir aqui se alguma contra-política, ou uma biopolítica como se diz hoje, poderia dar conta da situação, e qual.) Primo Levi escapa do fascismo que atende pelo nome de nazismo e, tema da passagem do autor, consegue sobreviver para escrever seus romances e ser reconhecido, não pela dor e sofrimento experimentados, não por ter sido uma *vítima*, mas *por sua literatura* — e tudo para terminar a vida aos 68 anos, como se lê num dos livros do *quincunx*, que nisso não contraria outras versões conhecidas a respeito, ao cair da sacada do apartamento onde morava, o que para uns, já que Levi na ocasião tomava antidepressivos, como fizera sempre para *enfrentar a vida* depois de ter escapado da morte, significa nitidamente que também ele se deparava com *a única questão filosófica ou a única questão filosófica séria*, para retomar uma das expressões deste *quincunx* ao redor da qual discutem os personagens, que é a do suicídio, assim como, para outros, aquela morte não significava nada além de um acidente como qualquer outro que pode acontecer a qualquer um, em particular sob a influência de um medicamento daquele tipo. Cada um tire suas conclusões. Alguém poderia sentir-se autorizado a criticar o autor por não incluir nesse volume outras histórias de igual peso para o que ele quer demonstrar, embora talvez sem o mesmo impacto dramático (afinal, não escreveu um relato histórico mas uma ficção, gênero que tem suas exigências dramáticas a que nem todos os casos reais podem atender, mesmo alguns mais graves). Penso por exemplo no caso do cubano Guillermo Cabrera Infante, morto no exílio, autor de *Três tristes tigres*, um dos grandes da literatura e dessa região que, na expressão feliz do autor, atende pela *curiosa designação de América Latina*, e cuja morte há pouco não foi noticiada em seu país de origem, Cuba, já que a disputa ideológica com o governo da ilha não poderia, pelo governo da ilha, ser posta de lado em nome de valores artísticos, nem por um momento, embora estes sejam com toda evidência mais altos e relevantes que os ideológicos, e muito menos, parece, ser posta de lado em nome de valores humanitários, como se diz. Mas, essa seria uma crítica fácil, tantos são os casos que ficaram de fora: não é minha opção.

A limitação de espaço leva-me a destacar, assim, 2 ou 3 passagens de *30* que são em si mesmas significativas, sobre uma das quais não se termina de falar enquanto sobre a outra pouco se diz. A primeira corresponde ao episódio da geração yê-yê-yê ou geração psicodélica ou tropicalista — e não considero nem expressivos, nem pertinentes nenhum desses nomes, nos quais não me reconheço —, intimamente vinculada, no entender do autor, aos acontecimentos pré-68 no livro referidos como "as discussões do grupo do Renato". Os Beatles, a inconformidade ideológica ("basta de esquerda e direita"), a inconformidade musical, no país que o autor denomina de Brasil, materializada esta última no conflito Caetano Veloso e Gilberto Gil *versus* Geraldo Vandré e Jair Rodrigues, a libertação sexual, sobretudo a libertação sexual, recebem aqui um tratamento à altura. Sexo, drogas e rock'n'roll, talvez nessa exata ordem, e com uma pitada de filosofia (que certamente não era a filosofia da história) são os personagens fortes desse volume, por vezes descrito pelo autor com mão pesada embora sem excessos de imaginação, reconheço. Mesmo não desejando ser *obsceno*, que era como se viam essas coisas naquele instante em que a ditadura nesse país Brasil ainda apenas engatinhava, para dizê-lo assim, as cenas fortes e profusas de sexo que envolvem os personagens neste livro são viscerais porém verossímeis e necessárias à narrativa. Para usar uma expressão cara à crítica de língua inglesa para esses casos, em tais passagens o autor é francamente *cândido,* quer dizer, franco e sincero e realista. A rigor, no caso dos personagens de *30* a tríade sexo-drogas-rock'n'roll estava mais pra sexo-álcool-jazz ou sexo, álcool e mpb ou sexo, álcool e arte ou sexo, álcool e filosofia ou sexo, arte e filosofia, com um ponto de apoio claro e inconfundível que perpassa todas as combinações, como se pode ver: o sexo. Isso não se constitui num equívoco, nem num exagero do autor, porém: quem viveu aquele período sabe de que estou falando, quem não viveu e veio depois da era AIDS poderá apenas imaginar o que perdeu ou o que deixou que lhe tirassem. Algumas imagens daquele período, e que o livro capta bem, hoje parecem conservadoras e tímidas, é verdade, como a da cantora pop que aparecia no palco com a camisa de mangas compridas amarrada bem acima do umbigo e abertos os dois primeiros botões mais próximos ao pescoço, logo acima dos seios, enquanto os cabelos longos e soltos, bastante tradicionais aos olhos atuais, voavam ingenuamente de um lado para o outro. Isso, hoje, não chega a ser muita coisa, mas dá bem o tom da época — o *espírito da época*, cuja existência e possibilidade de identificação alguns autores no entanto negam. Por uma coincidência curiosa, não fosse o fato de que depois de ler este *quincunx* não se pode mais falar em coincidências, não do ponto de vista da história ou, como querem seus personagens, da *filosofia da história*, quase no mesmo instante em que se publicava na época aquele que seria o terceiro volume do *quincunx*, *30*, o maior clube romano de yê-yê-yê, o *Piper*, da via Tagliamento, referência mundial, completava 40 anos. O autor não tinha por que saber disso de modo a fazer os comentários apropriados em seu livro, mas a efeméride complementa, aos olhos do leitor atento *de hoje*, um quadro mais amplo que dá as luzes certas da cena ocupada e representada pelo "grupo do Renato", como escreve o autor. Comentando a data, um jornal bastante democrático, tudo considerado — essas coisas ainda existem —, o *Corriere della Sera*, descreveu o *Piper* como um grande laboratório para a *vontade de estar junto* de toda uma geração que se reunia naquele tipo de "antro" *enfumaçado* e, ou *mas*, cheio de música e cores — a geração psicodélica, como se dizia — e onde os jovens da periferia romana se encontravam com os dos *jardins* romanos, para usar uma terminologia daqui (os *bairros elegantes*, como se diz), e com os de Pavia ou Lecco, quer dizer, literalmente, os da periferia. E o jornal dizia que aquilo não era a *revolução*, quer dizer, aquele arremedo tétrico de revolução que havia na época, como de resto são todas as revoluções, e tampouco queria sê-lo — o que me parece uma descrição forte porém adequada. Era apenas um lugar onde se encontravam as esperanças e ilusões de uma geração que em 1965, quando o Piper abriu, com o golpe apenas no início no *Brasil*, ainda se contentava com o devaneio da música e que pouco depois, ou pelo menos uma parte dessa geração, iria tentar *escalar o céu*, nas palavras do jornal que o autor não pôde ler à época em que escrevia seus livros. *Escalar o céu* significou, claro, por exemplo, o terrorismo das Brigadas Vermelhas e do Potop e, *no Brasil*, o MR-8, Movimento Revolucionário 8 de outubro (referência à morte de Che) ou a ALN, Aliança Libertadora nacional ou a VPR, Vanguarda Popular Revolucionária. Como *30* deixa claro, e o mesmo jornal italiano observa em relação a outro contexto, a esquerda não podia de modo algum assimilar aquela rebelião feita de emancipação primeiro existencial (e só depois política), e de *indivíduos*, não de grupos (os famigerados *coletivos*) formados por membros que deveriam pensar em uníssono, fosse à esquerda ou á direita, e feita também de mini-saia e liberação sexual — ponto a partir do qual se abrem, no jornal como também neste livro, as discussões sobre *quem* ou *o quê* afinal havia sido de fato "mais revolucionário", o psicodelismo hippie, para recorrer a essa tola expressão jornalística, ou à *luta armada*. A esquerda oficial e a revolucionária *no Brasil* não podiam nem suportar a idéia do *Direito à Preguiça*, de Paul Lafargue, que o autor faz um personagem do livro traduzir para o português, para gáudio da Libelu, do movimento Liberdade e Luta, de esquerda porém mais distante do dogmatismo do Partidão e das correntes sindicalistas; que dizer então da mini-saia ou da sunga de crochê do ex-companheiro Gabeira? Naturalmente, como diz um personagem de *30*, *depois dos fatos* apareceu alguém da esquerda oficial para dizer que a esquerda nunca havia sido hostil à revolta hippie dos jovens, e no entanto, como o livro recupera em citações extensas, tudo

286

aquilo era visto pela esquerda como uma "mastodôntica engrenagem cultural baseada no mundo do yê-yê-yê que, por trás de uma revolta pré-fabricada, oculta o selo de uma aprovação oficial" [aprovação do *statu quo*, quer dizer; ou do mercado, como tolamente se repete hoje], palavreado que seria bem traduzido na fala de uma outra personagem do livro: alienação.

Se esse é o lado mais solto de *30*, se é que se pode dizer assim, o mais pesado é sem dúvida o do confronto entre o velho militante de esquerda (*velho*, quer dizer: não terá mais que uns 55 anos agora) e o jovem jornalista, encenado na peça que, no livro, não será montada. A recusa do velho militante em assumir a responsabilidade individual pelo que ocorreu naqueles momentos dos anos 70 choca o jovem jornalista de um modo que não seria imaginável para uma pessoa da geração daquele velho militante, que pede uma anistia geral em nome do fato de que "aquela era uma geração que agia como se fosse um só corpo, a título coletivo", argumentação na qual o autor vê, com razão, o princípio do *estado de exceção* (vamos dizer o nome certo de uma vez: ditadura) sempre pronto a voltar sem nunca ter na verdade sido posto de lado. A cena em que o jovem jornalista de hoje insiste na *responsabilidade pessoal* do velho militante político ainda hoje na ativa é dramática, quando ele diz que quem ateou fogo ao apartamento do militante de direita não era nenhum corpo coletivo e tinha nome próprio e devia portanto ser chamado à sua responsabilidade histórica se não chamado à lei (uma vez que para alguns os crimes estavam prescritos) — ao que o *velho militante* responde que se o juiz os convocassem a depor, todos, inclusive ele mesmo, teriam de dizer que *somos todos culpados*, porque nenhum daqueles fatos podia ser atribuído, defendia o velho militante, a uma única responsabilidade individual, e uma vez que além disso já são fatos que nem podem mais ser sequer contextualizados para poderem ser entendidos, ele continuava, uma vez que pertencem a um mundo que se extinguiu, um mundo extinto, observa o militante em sua fala. A idéia de que aqueles atos tivessem sido coletivos e não individuais, e que isso excluía a responsabilidade concreta e individual de cada um, tanto quanto a idéia de que *aquele mundo estivesse extinto,* não convencem o jovem jornalista (como, de resto, nem este crítico ou, melhor, este opinionista), que as considera simplesmente *estapafúrdias,* como ele diz, ele que insiste perguntando se era possível *matar dois jovens pelo fogo* apenas porque o pai pertencia a um grupo político adversário, ao que o militante responde que não, certamente, mas que naquele instante prevalecia um *ódio civil* que promovia as depredações das sedes dos partidos, todos eles, as tocaias contra os militantes, as perturbações das passeatas e comícios, em intensos enfrentamentos com os fascistas que haviam se tornado cotidianos, e que portanto tudo se explicava e se perdoava. Velha e sórdida argumentação que a *esquerda* também reivindica: cometi um crime mas o outro lado também cometeu um crime, portanto sou inocente. O jornalista jovem segue não convencido e pergunta se a foto do jovem carbonizado agarrado ao beiral da janela não provocava nenhum remorso, ao que o militante responde que não, que para nós, quer dizer, para *eles,* aquele havia sido apenas *mais um dos tantos enfrentamentos da época,* e que se vivia à época num clima de guerra civil de *baixa intensidade,* diz o velho militante introduzindo talvez involuntariamente um novo conceito em teoria política, com o que a *piedade (la pietà,* em italiano) para com certos fatos daquele tipo simplesmente inexistia e inexiste. (Outra vez a questão da afetividade, se é preciso ressaltar.) O autor explora esse encontro até as ressonâncias mais pungentes para ilustrar sua teoria do estado de exceção, nesta passagem que, dentre todas do *quincunx,* melhor ilustra o radical choque de gerações e que se constitui em autêntico *choque de culturas.* O personagem do jovem jornalista é, de resto, o único no livro que *ainda se importa,* um dos poucos ou talvez o único *personagem positivo* de todo o conjunto de 5 livros a acenar para o leitor com alguma esperança em relação ao futuro, quer dizer, estes dias que vivemos todos nós (e digo isso *reconhecendo* que essas idéias de apresentar de algum modo um *herói positivo* e uma *esperança no futuro* são de todo *estranhas* ao universo e às intenções do próprio autor). Ainda nesse volume, destaca-se o trecho sobre o "julgamento de Sartre", que aparece numa foto cortada em que a parte inferior de seu corpo sem cabeça é vista sentada ao lado de uma arruinada escultura de *homem sentado* do templo de Luxor, no Alto Egito, tomada durante uma viagem de Sartre à região em 1967, ele que 7 anos antes havia estado no *Brasil* e dado uma conferência em Araraquara, *of all places*, como se diz. Quando Renato L. indaga ou se

indaga, num tom entre exasperado e sinceramente atônito, numa passagem de *30*, se Sartre "havia então se enganado sempre", quer dizer, se enganado a respeito da URSS e do comunismo, "horizonte insuperável de nosso tempo" como escreveu o filósofo em *Questões de método* (o método, outro personagem do autor deste *quincunx*), assim como a respeito da existência dos gulags e da liberdade na União Soviética, e a respeito da "resistência militante" na verdade exercida nos cafés da Rive Gauche entre um café e uma taça de vinho, e até mesmo a respeito do amor ("Adoro você e sou polígamo", escreveu Sartre à mulher, Simone de Beauvoir, uma grande escritora), o livro atinge um ponto alto na representação do drama ou da tragédia do *pensar e do agir conforme o pensamento* dos anos 60, outro tema implícito do *quincunx*.

E quando no último volume o autor trata do *estado de exceção atual* (*um* dos estados, na verdade) através do caso do seqüestro, pelos fanáticos fundamentalistas do Iraque, como se diz, da jornalista italiana Giuliana Sgrena, que escreve para o jornal italiano de esquerda *Il Manifesto*, novamente o relato toca em cordas fortes. Para quem, como eu, um dia conheceu Giuliana Sgrena, ainda que de passagem, uma mulher viva, incisiva, alegre, assertiva, forte, expansiva, corajosa, dona de idéias próprias, vê-la de joelhos no vídeo divulgado pelos terroristas através da emissora árabe de TV que se tornou porta-voz da causa, como se diz, envelhecida anos em poucos dias de cativeiro, as mãos postas em oração e implorando pela salvação, é uma sensação absolutamente

acachapante. O autor atinge aqui uma nota forte na descrição do ponto extremo da humilhação de uma pessoa em nome de uma *causa*, tema que já explorara com firmeza no caso Nenni. Não podendo ser tão grande como a da seqüestrada, a humilhação experimentada pelo leitor é igualmente intensa. O personagem central de todo o *quincunx*, nessa altura, parece esgotado em seu objetivo de escrever o *romance do universo da ditadura*, se fosse possível dizê-lo assim: a dimensão é infinita; o problema, insolúvel; um buraco negro, um vórtice alucinante no qual todos correm o risco de se aniquilar, personagens, pessoas reais, o autor. E no entanto, e no entanto, a intensidade dessa cena não é maior, em pólo aparentemente oposto, do que aquelas outras que em *Teoria da*

290

*Tristeza* (o possível vértice central do *quincunx*) exploram a *descoberta do amor* e depois a *frustração pelo amor* por parte do personagem central da história, num trecho que expressa bem uma das mudanças radicais experimentadas à época em relação a essa *tipo de afetividade* entre as pessoas a que se chama de *amor* e à qual o autor, em virtude de seu *parti pris* anunciado, quer dar o máximo destaque. A passagem a que me refiro, o leitor poderá conferir, é a que principia com a invocação de Proust (o Proust da *Recherche*, em *Prisonnière*) com o reconhecimento, na citação do escritor francês, da *impossibilidade* em que se vê o amor de apreender em sua totalidade *a pessoa que está aí*, "deitada à nossa frente", encerrada num corpo que supúnhamos poder apreender em sua totalidade. Contrariamente, como sugere Proust, o amor por uma pessoa é a *extensão* dessa pessoa para todos os pontos do espaço e do tempo que ela um dia ocupou e ocupará (é o amor que tem esse efeito), de modo que se não tivermos um contato com esses pontos, e não poderemos tê-lo, por física impossibilidade, não poderemos tocá-la e possuí-la — donde a desconfiança, o ciúme, as brigas, as vinganças. Em outras e pobres palavras, é o próprio ser que ama que promove essa ampliação do ser amado para todo o universo, nesse ato perdendo qualquer possibilidade de alcançar aquilo ou aquele ou aquela a quem ama. O personagem, nessa passagem do livro, recusa essa tese porque aprende com sua geração, e essa sim talvez seja uma *afetividade coletiva*, a *desadquirir* o objeto do amor, a pessoa, sem renunciar ao amor e à pessoa amada, o que, convenhamos, foi um *feito cultural notável* da época retratada neste *quincunx*. O personagem na verdade não está convicto de seus novos sentimentos e o final aberto do livro deixa o leitor pensando sobre a viabilidade real, não mais de um *happy ending*, impossível, mas em qualquer caso de um *ending* que se mostre *contemporâneo histórico de seu presente*, para recorrer às palavras de um dos personagens do próprio *quicunx*. *How could it end like this?*, é o que de fato acaba por perguntar-se o personagem, um tanto perplexo, citando o verso da canção que Diana Krall imortalizou, *Maybe you'll be there*. Se com esse *how could it end like this, como poderia tudo terminar assim*, ele está se referindo á *situação política* ou à sua *condição pessoal* é algo irrelevante, para a economia da sensibilidade da leitura.

É aliás notável que em nenhum momento algum dos personagens de todo o *quincunx*, contrariando os ensinamentos de Aristóteles, se entregue à melancolia, como se disse na época do grego (na verdade, não grego porém macedônio, sem que eu possa dizer agora se um macedônio da parte grega ou se da Macedônia propriamente dita, nem sei se alguém pode dizer), ou ao saturnismo ou à depressão, como agora se diz. Diante de uma situação que só pode ser descrita como trágica, nenhum personagem se entrega àquela tristeza que, descrevia Aristóteles, vem *em socorro* do ser humano quando tudo parece se erguer contra ele, naqueles momentos em que os valores e as memórias se anulam mutuamente como por encanto, ou como por desgraça. Nada. Ira, sim. Por vezes. Melancolia, não. Ira, sim, reafirmada no último volume quando o personagem, citando Lévi-Strauss, lembra como nesse país Brasil até a criação de cidades é uma *decisão do Estado*, um Estado que o personagem considera em tudo e por tudo lamentável, para dizer o menos, Estado de um país que não o é menos, lamentável quero dizer, numa afetividade continuada cuja origem o personagem localiza no tempo detestável do "ame-o ou deixe-o" sem que esse conhecimento e reconhecimento em nada atenue ou elimine aquele correspondente afeto (ou afeto negativo, como queiram), pelo contrário. Como no caso de Primo Levi, *de certas coisas ninguém se recupera*. O fato é que em nenhum dos 5 livros a melancolia ou qualquer outro sentimento negativo predomina, o que é animador. Este não é em nada um livro melancólico, *pelo contrário*.

Da linguagem, da forma ou do estilo de *História Natural da Ditadura* pouco se pode falar porque o autor, aliás como Doris Lessing, que aparentemente é um de seus modelos, escreve *rápido demais*, como querendo evitar deliberadamente essa questão. Essa hipótese é um fato compatível com suas idéias sobre a arte, expostas em *Teoria da Tristeza* ao redor da noção de *arstitium* ou ausência de arte, uma questão que poderia ser aproximada da concepção de *efemeralização* do mesmo Bucksminster Fuller, citado na obra em relação a outro tema, e que não consiste no sentido evidente do termo mas, sim, na idéia de que é possível sempre *fazer mais com menos*, em aparente desacordo com o *menos é mais* de Mies van der Rohe, que Fuller desprezava. As indicações que o autor fornece sobre a forma geral da obra, no prefácio, traz uma luz sobre seu *partido estético;* mas como ele não se demora nesse domínio, qualquer proposição que aqui se pudesse fazer sobre o tema é meramente hipotética. De todo modo, é sem dúvida sugestivo que ele se refira, no prefácio aos 5 livros, ao tratado em 37 volumes de Plínio, o Velho, *História natural*, do qual ele retira o titulo parcial de sua obra, *História Natural da Ditadura*. É em particular sugestivo que ele reproduza a definição de Plínio para "história natural", quer dizer, um "estudo sobre a natureza das coisas, quer dizer, da vida", isto é, um estudo não de um incidente, nem de uma trama de incidentes *históricos* mas — em algum dos 5 livros W. Benjamin aparece para dizer que "a história é natureza", quando então uma *história natural* seria também uma *história da história*, uma história dos fatos históricos, uma história das idéias, mas essa era outra idéia equivocada de Benjamin, que não viveu o suficiente dentro do século 20 para perceber que na verdade *a história não é, de modo algum, natureza* — portanto, um estudo da vida, ela mesma. A própria história de vida de Plínio, o Velho, de resto, coisa que o autor aliás não menciona, é de todo pertinente a esta narrativa: basta lembrar que Plínio, que viveu ente 23 e 79 d.C., quando jovem serviu como soldado em campos de Alemanha (como que confirmando essa idéia de que a guerra, e portanto o *estado de exceção*, sempre foi a condição natural do ser humano, idéia cuja naturalidade fica assim reforçada ao ser assim repassada aos leitores), tendo sido depois procurador de Roma na *Espanha* (e me perguntei *por onde* teria Plínio andado na Espanha, pensando em toda aquela história de Benjamin em Portbou e em Ibiza, uma vez que é sabido que muito próximo a

Portbou, no Empordà, havia um entreposto romano, assim como em Ibiza) sob o império de outro ditador, Nero, para terminar a vida, ele, Plínio, como comandante de uma esquadra romana sediada em Nápoles e encarregada de combater os piratas da região. Plínio, incidentalmente, em Nápoles verá o seu fim quando, indo à terra para, como fazem todos os governantes em situações análogas, *tranqüilizar* (quer dizer, mentir para) *a população local assustada com o que parecia um perigo iminente* na forma de uma estranha nuvem negra pairando sobre a cidade, na realidade originada de uma erupção do Vesúvio, acaba inalando aqueles vapores em excesso, deles vindo a morrer. Mas esse fato, sendo certamente de todo relevante para o próprio Plínio, revelou-se irrelevante para sua glória, baseada naqueles 37 volumes de sua *História Natural* que, por uma dessas coincidências, também é uma produção literária que revela intencional desinteresse por qualquer *estilo* ou linguagem literária maior, bem como uma *indiferença para com toda mitologia política*, tal como os personagens deste autor, além de revelar-se, a obra no seu conjunto e no conjunto dos 37 livros, uma mescla de *imaginação fértil* e *fatos comprovados*. Seja como for, sua *História Natural* permaneceu como a principal fonte de referência da humanidade, nessa área, pelo menos até o final do século XV quando, somente outra coincidência, em 1491, quase descoberta da América, surge o primeiro ensaio que critica essa obra, na cidade de Ferrara, Itália, assinado por um certo Niccolò Loniceno, e intitulado *De erroribus Plinii*, *Dos erros de Plínio*, texto que podia ter razão no que alegava, como a ciência futura comprovaria, mas que desapareceu da história, bem como seu autor, enquanto nela permaneceu a memória do criticado, Plínio o Velho, certamente numa outra *ironia da história* que, quem sabe, é o sentido oculto da *filosofia da história* — algo que, creio, o autor poderia ter explorado mais.

Em termos de coincidências, aliás, chama a atenção um outro aspecto da estética deste *quincunx*, se houver uma. Digo *um outro aspecto estético* dado que o primeiro é aquele relativo ao *estilo* que, como disse, é inexistente ou irrelevante dado o modo pelo qual escreve o autor. O segundo aspecto diz respeito à *forma* geral do *quincunx*, quanto então as *coincidências* se revelam importantes. E desse ângulo, duas se destacam. A primeira está marcada pelo fato de que o conjunto se inicia com uma *locação* na Espanha, para dizê-lo em termos cinematográficos, envolvendo Portbou e Walter Benjamin, e se encerra com outra locação na Espanha e com o mesmo Benjamin, agora em Ibiza, ou Eivissa, no dialeto local. O autor diz que assim foi por motivos totalmente ocasionais, não previstos e não calculados quando começou a escrever e quando fez o desenho da obra — e este crítico não encontra motivos para contestá-lo. Escreve o autor que sua ida a Ibiza foi totalmente ocasional — aliás, ele não diz mas um *dado*, quer dizer, um dado desses de jogar, e que imediatamente remete a Mallarmé e seu lance de dados que nunca abolirá o acaso (e estou convencido que não mesmo), é uma

materialização do *quincunx* na forma retangular, pelo menos no caso do número 5, claro: 4 pontos nos cantos e 1 no centro — mas que, tendo acabado por viajar à ilha espanhola por motivos que nada tinham a ver com seu projeto de escrever a *História Natural da Ditadura*, não teve como não escrever o quinto volume, no qual outra vez vários círculos vão se fechar. Por exemplo, o círculo de Walter Benjamin, que nesse quinto volume aparece como protagonista da ação que se desenrola na ilha, ele que para lá havia ido — algo que o autor de início desconhece uma vez que não se dispusera a escrever *sobre* W.B. mas sobre algo *ao redor* dessa pessoa — exatamente em 1933, mesmo ano aliás em que Hitler recebe seus *plenos poderes* por meio daquele *Decreto para a proteção do povo e do Estado* que é um dos protagonistas de *Teoria da Tristeza*. Em Ibiza, o autor visita várias casamatas, bunkers construídos pelos franquistas durante a guerra civil com o objetivo de controlar aquele passo importante para o continente, nas costas de Barcelona, nas costas da rebelde e republicana Barcelona, eu deveria acrescentar. O autor vê esses bunkers em mais de um lugar da ilha, sobretudo em Sa Caleta (ou A pequena enseada, em dialeto catalão local), um magnífico lugar numa colina abrupta sobre o mar azul e ao lado da primeira povoação fenícia da ilha, 3 grandes e profundos bunkers interligados subterraneamente, ao lado de algumas casernas, hoje em ruínas, e que se constituíam numa evidência irrefutável de que os golpistas haviam pretendido chegar ali para ficar, uma vez que ninguém constrói bunkers daquelas proporções se não pensa em instalar-se longamente no poder, o que de fato fizeram, como *História Natural da Ditadura* registra. No entanto, o lance dramático, e que retrospectivamente, nas cores desse último capítulo do conjunto, ilumina com luzes mais fortes o próprio volume intitulado *Portbou*, o primeiro do conjunto, é que o ditador Francisco Franco visitou a ilha *naquele mesmo ano de 1933*, tendo, na tarde de 6 de maio, ido até a localidade ibicenca costeira de San Antonio, não muito longe de Sa Caleta (nada é muito longe de nada, em Ibiza), onde, naquela mesma tarde e àquela mesma hora, Walter Benjamin se encontrava, sendo certo, na suposição do historiador local Vicente Valero, mencionado em *História natural da ditadura*, que, a menos que W.B. estivesse fechado dentro de seu quarto em San Antonio, o que era improvável para uma tarde de primavera, ele não poderia deixar de ver a comitiva do ditador Franco que, com seus 8 membros em carros cheios de acompanhantes, não poderia deixar de chamar a atenção num lugar que ainda hoje é minúsculo, menos ainda em se tratando da atenção de Walter Benjamin, habitualmente atento a tudo. Esse encontro mais do que certo entre Benjamin e aquele que seria depois e de algum modo seu carrasco direto ou indireto, é irrelevante distinguir, é tenebroso e cobre com cores mais marcantes, retrospectivamente, os eventos relacionados a W. Benjamin em Portbou 7 anos depois, em 1940. Um outro círculo que se fecha com o episódio de Ibiza diz respeito não tanto a W. Benjamin, embora a ele também, como sobretudo ao próprio autor do *quincunx* ou, em todo caso, a uma outra parte da história que ele narra e na qual ele está ainda mais diretamente envolvido, embora W.B. também o esteja. É que em Ibiza W.B. se hospeda inicialmente na casa da família de uns amigos, os Noeggerath, que servia como ponto de encontro intelectual para os visitantes ocasionais da ilha e os que nela residiam por temporadas mais longas. Nessa casa do século XVII, W.B. passou uns 10 dias entre maio e junho e por essa mesma casa também andou, naqueles mesmos 10 dias, *Pierre Drieu la Rochelle*, o autor de *Le feu follet*, curiosa e *coincidentemente* um dos pivôs de *30*, sendo igualmente bem pouco provável que ele e W.B. não se tenham ali encontrado e *naquele mesma casa*, e portanto *conversado*. Se W.B. sabia então quem era exatamente Drieu La Rochelle, cujo romance Louis Malle muito depois levaria para as telas, como se diz, num filme que teria tanta relevância para o "grupo do Renato", é uma outra história. *Le feu follet* havia sido publicado 2 anos antes do encontro entre os dois, em 1931, e W.B. poderia tê-lo lido ou não, sendo certo no entanto que nesse mesmo ano de 1931 W.B. andou pela França várias vezes — numa época em que W.B. dizia abertamente que queria transformar-se no "maior crítico literário da Alemanha" (o que serve em todo caso para mostrar como mesmo mentes e imaginações supostamente poderosas colocam-se metas por vezes curiosas), o que certamente envolveria ocupar-se da literatura num país tão importante e que ele conhecia tão bem como a França. Esse episódio entre Drieu e W.B. é sem dúvida um outro ponto sugestivo e forte dessa parte, dessa *região* de *História Natural da Ditadura*.

Haveria ainda outras *coincidências* a destacar na presença nessa ilha, embora a instantes diferentes, de W.B., Drieu e o próprio autor deste *quincunx*, entre elas o fato de que exatamente aí W.B. começa a traduzir para o francês *Direção única* ou *Rua de mão única* (como de resto para ele foi Portbou, uma cidade de mão única, quero dizer: só de entrada, sem saída), outro protagonista de *H.N.D.*, com a ajuda de um parisiense que ali se encontrava, Jean Selz. Mas é o momento de abordar a segunda *coincidência* relevante para a estrutura de H.N.D, relacionada à inclusão, no último capítulo do último livro do *quincunx,* do personagem que é o *livreiro Plínio,* uma pessoa real, dono da que talvez seja a única livraria do mundo a chamar-se *Plínio, o Velho*, na cidade italiana de Como, próxima a Bellagio onde o autor escreveu boa parte de *H.N.D.*, livraria que ostenta o mesmo nome de seu proprietário real,

esse mesmo livreiro, que se chama exatamente Plínio e que hoje está bem velho e que no livro fornece ao narrador (talvez o próprio autor) alguns volumes raros de onde saem informações históricas a respeito de certos acontecimentos do livro. O autor de resto esclarece, numa nota de pé de página, que a descoberta dessa livraria real, *inteiramente ocasional* como ele frisa, se deu apenas quando o livro já estava praticamente concluído, razão pela qual não pôde explorar como gostaria o potencial dramático do fenômeno, digamos assim, considerando o quadro geral da obra. O autor parece atribuir a mais esse fato fortuito, que encerra o círculo de sua narrativa, um particular sentido emocional, certamente de natureza mais pessoal do que propriamente literária ou formal, quer dizer, formal no quadro da obra. A acreditar no autor — e digo " a acreditar" porque demasiadas *coincidências* se tornam sempre suspeitas embora nada exista aqui que as desminta, por incríveis que possam parecer —, uma certa pessoa que não tinha a mais remota idéia do livro que ele estava escrevendo, e quando já quase o terminara, mencionou-lhe essa livraria de Como como sendo um lugar interessante a visitar caso o autor não tivesse nada mais a fazer num certo sábado vazio, sugestão que ele em seguida compreensivelmente tomou como um dever imperioso cujos desdobramentos surpreendentes se podem ler naquele mencionado último capítulo do *quincunx*.

Se destaco estas 2 *coincidências* é porque a partir de um certo instante comecei a dar-me conta de que elas, e as outras, poderiam dizer-me algo sobre a estética de *H.N.D* quanto a sua *forma*, o *desenho geral* da obra. Tive a sensação de que realmente tudo naquela narrativa, e por certo não apenas a narrativa *mas os acontecimentos que ela narrava*, assumia a forma de um *quincunx*, não tendo eu certeza apenas quanto à identificação da figura correspondentemente formada, se o V de Cícero ou o retângulo babilônico com 4 elementos nos vértices e 1 no centro. Mas, assim era: tive a sensação, certeza mesmo, depois de um momento, de que tudo convergia para o vértice do V que era Portbou e o que ali sucedera, ou que o vértice era "o grupo do Renato" ou até mesmo Anna M. ou o próprio narrador, ou até mesmo o próprio W.B., embora eu estivesse convencido de que não havia sido intenção deste autor escrever *mais uma* biografia de W.B. E, como disse, não pretendo decidir aqui quanto à forma desse *quincunx*, se V ou se retângulo: não sou dos que acreditam que a *compreensão plena* de alguma coisa seja essencial para a *plena fruição* dessa coisa. O leitor decidirá. O único ponto em que sim insisto é naquele referente ao *sentido estético* dessa formação, pois se é verdade que uma forma assim elaborada pode ser indício de um *pensamento estético intencional*, por outro lado a predominância das *coincidências da vida* na construção de *H.N.D.* retiram do resultado final todo elemento de artificiosidade e de engenho, fazendo com que, enfim, todo o conjunto de *H.N.D.* seja um caso concreto daquele *arstitium* de que fala o narrador, isto é, daquela ausência ou suspensão da arte no sentido em que se diz que *solstitium* é a suspensão do sol e *iustitium*, a suspensão do direito, ou o *estado de exceção*. Essa descoberta me estimulou e me preocupou, porque não pude deixar de tentar algumas ligações entre esses três fenômenos — e o fato de que a *arte* pudesse estar centralmente envolvida nos *estados de exceção* foi para mim motivo de particular preocupação. Como não sou desses críticos — melhor: desses opinionistas — que se sentem obrigados a tudo destrinchar para o leitor a respeito de uma obra, passo a esse mesmo leitor o encargo de chegar a suas conclusões finais, não deixando de observar que é possível que *H.N.D.* seja uma obra, além de desprovida de estilo, desprovida de forma, quer dizer, de arte: um *vazio de arte,* como se diz. A estética negativa, enfim. *Arstitium.*

Para terminar, eu poderia ainda comentar, mais como anedota anódina, as sugestões *clandestinas,* por dizer assim, espalhadas ou enterradas pelo autor ao longo da obra, no sentido de que também ela se estruturaria em 37 partes, assim como a obra de Plínio tem 37 volumes, o que não cheguei a verificar (sempre foi pequeno meu interesse por essas questões de estrutura interna de uma obra, ainda mais quando ligadas a números, freqüentemente parte apenas de uma mitologia pessoal do autor). Um detalhe que chama a atenção, em todo caso, é que o primeiro dos 37 livros de Plínio ocupa-se inteiramente com a enumeração de todas suas fontes de informação, coisa que o autor desta *História...* apresenta apenas ao final, quando

300

menciona o próprio Benjamin, Lessing, Calvino, Fellini, Sartre, Agamben, Valero e tantos outros menos ou mais conhecidos, numa lista que não chega a constituir-se num *volume inteiro*. Não é este o ponto, porém, mas sim aquele que acabo de ressaltar a respeito da forma maior de *H.N.D.*, quer seja ela um V para cujo vértice tudo converge e volta a convergir, quer assuma na forma de um retângulo com seus 4 vértices e 1 ponto central, num conjunto que tudo fecha e tudo remete a um centro do qual tudo volta a sair sem poder escapar das linhas externas formadas pelos 4 vértices e definidoras do retângulo e dentro das quais tudo converge e reconverge em moto perpétuo para o centro. Essa percepção de uma história que é sobre tanta coisa, posto que é sobre a vida, mas que é em particular sobre o *estado de exceção*, no que o autor tanto e tão nitidamente insiste, provocou em mim na primeira vez em que me dei conta dela, e agora também ao descrevê-la, e sem que eu pudesse e possa controlá-lo, e o admito com certo constrangimento, um frio na espinha.

## SOBRE O AUTOR

Teixeira Coelho é professor titular de ação cultural da ECA-USP, coordenador do Observatório de Políticas Culturais (ECA-USP), doutor em Teoria Literária e Literatura Comparada pela FFLCH-USP, com pós-doutorado em cultura e política cultural (University of Maryland-College Park). Ex-diretor do MAC - Museu de Arte Contemporânea da USP, São Paulo (1998-2002), e do IDART - Centro de Informação e Documentação Artística da Secretaria de Cultura do Município de São Paulo (1993-1996). Colaborador da Cátedra Unesco de Política Cultural e Cooperação da Universidad de Girona, Espanha (2002-2005) e do Programa de Posgrado en Gestión Cultural de Conaculta, México, e da Universidad de las Islas Baleares, Ibiza, Espana. Curador-coordenador do MASP - Museu de Arte de São Paulo, 2006. Bolsista do CNPq e da Fulbbright, recebeu também bolsas de criação literária da Fundação Vitae, São Paulo e da Fundação Rockefeller-Bellagio. Colaborador de diversas publicações, entre elas, as revistas *Bravo*, *Punto de Vista* (Argentina), *Tendencia* (Argentina) e do caderno "Mais" da *Folha de S. Paulo*.

# 302

## LIVROS PUBLICADOS

### ENSAIOS

*Teoria da informação e percepção estética.* Petrópolis: Vozes, 1974.

*A construção do sentido na arquitetura.* São Paulo: Perspectiva, 1979.

*Em cena, o sentido.* São Paulo: Duas Cidades, 1980.

*O que é Indústria Cultural.* São Paulo: Brasiliense, 1980.

*Semiótica, informação, comunicação.* São Paulo: Perspectiva, l980.

*Artaud: Posição da carne.* São Paulo: Brasiliense, 1982.

*O que é Utopia.* São Paulo: Brasiliense, 1982.

*Espaços e Poderes: Terra em Transe e Os Herdeiros* (em colab. com Jean-Claude Bernardet). São Paulo: Art-Com, 1983.

*Uma outra cena.* São Paulo: Polis, 1985.

*Usos da cultura (Políticas de ação cultural).* Rio de Janeiro: Paz e Terra,1986.

*Arte e Utopia.* São Paulo: Brasiliense, 1987.

*O sonho de Havana.* São Paulo: Max Limonad, 1987.

*O que é ação cultural.* São Paulo: Brasiliense, 1991.

*Dicionário do brasileiro de bolso.* São Paulo: Siciliano, 1991.

*Guerras culturais.* São Paulo: Iluminuras, 2000.

*Diccionario critico de politica cultural.* Mexico: Iteso-Conaculta, 2001.

*Dicionário crítico de política cultural.* 3. ed. São Paulo: Iluminuras, 2010.

*Moderno Pós Moderno.* 5. ed. São Paulo: Iluminuras, 2005.

### FICÇÃO

*Fliperama sem creme.* São Paulo: Brasiliense, 1984.

*Os histéricos* (em colab. com Jean-Claude Bernardet). São Paulo: Cia. das Letras, 1993.

*Céus derretidos* (colab. Jean-Claude Bernardet). São Paulo: Ateliê, 1996.

*As fúrias da mente.* São Paulo: Iluminuras, 2000.

*Niemeyer - Um romance.* 2. ed. São Paulo: Iluminuras, 2001 (prefácio de Celso Favaretto e nota crítica por Nicolas Shumway).

ORGANIZADOR, entre outros títulos, de Balzac. *A obra-prima ignorada* (tradução e posfácio). São Paulo: Comunique, 2004; e de Montesquieu. *O Gosto* (tradução e posfácio). São Paulo: Iluminuras, 2005.

TRADUTOR, entre outros autores, de George Perec. *As coisas.* São Paulo: Documentos, 1969; Antonin Artaud. *O teatro e seu duplo.* São Paulo: Max Limonad, 1984; e Michel Foucault. *História da loucura.* São Paulo: Perspectiva, 2005.

*DO MESMO AUTOR*
*NESTA EDITORA*

A CULTURA E SEU CONTRÁRIO

A CULTURA PELA CIDADE (org.)

DICIONÁRIO CRÍTICO DE POLÍTICA CULTURAL
*Cultura e imaginário*

AS FÚRIAS DA MENTE
*Viagem pelo horizonte negativo*

GUERRAS CULTURAIS
*Arte e política no novecentos tardio*

O HOMEM QUE VIVE
*Uma viagem sentimental*

MODERNO PÓS MODERNO
*Modos & versões*

NIEMEYER, UM ROMANCE

**CADASTRO**
**ILUMI//URAS**

Para receber informações
sobre nossos lançamentos e
promoções envie email para:

cadastro@iluminuras.com.br

Este livro foi composto em Garamond e Helvetica pela
*Iluminuras*, e terminou de ser impresso nas oficinas da *Meta
Brasil Gráfica*, em Cotia, SP, em papel off-white 80 gramas.